WALTER SCHMITHALS
NEUES TESTAMENT UND GNOSIS

ERTRÄGE DER FORSCHUNG

Band 208

WALTER SCHMITHALS

NEUES TESTAMENT UND GNOSIS

1984

WISSENSCHAFTLICHE BUCHGESELLSCHAFT

DARMSTADT

CIP-Kurztitelaufnahme der Deutschen Bibliothek

Schmithals, Walter:
Neues Testament und Gnosis / Walter Schmithals.
– Darmstadt: Wissenschaftliche Buchgesellschaft,
1984.
(Erträge der Forschung; Bd. 208)
ISBN 3-534-09053-5
NE: GT

12345

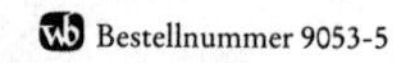
Bestellnummer 9053-5

Satz: Maschinensetzerei Janß, Pfungstadt
Druck und Einband: Wissenschaftliche Buchgesellschaft, Darmstadt
Printed in Germany
Schrift: Linotype Garamond, 9/11

ISSN 0174-0695
ISBN 3-534-09053-5

INHALT

VORWORT

Trotz des umfangreichen Literaturverzeichnisses beansprucht die vorliegende Studie weder Vollständigkeit in der Literaturbenutzung noch auch nur die Berücksichtigung aller wichtigen Literatur, deren Umfang ohnedies kaum einvernehmlich zu bestimmen sein dürfte.

Es wurde jedoch versucht, keine wichtige Problematik auszulassen, Lösungen in ihren Grundzügen zu skizzieren und geeignete Literatur für vertiefende Weiterarbeit anzugeben.

Die betonte Einbeziehung älterer Literatur geschieht, um auf die Kontinuität der Problemstellung in den letzten Jahrhunderten hinzuweisen. Sie ist geeignet, kurzschlüssige Lösungen zu verhindern, und sie weist auch auf vergessene Wege hin, die zu gehen dem Forscher nützlich ist.

EINLEITUNG

1. 'Neues Testament' und 'Gnosis'

Die Problematik des Themas 'Neues Testament und Gnosis' liegt schon in der näheren Bestimmung dessen, was mit 'Neues Testament' und mit 'Gnosis' bezeichnet wird.

a) Das NT ist als solches zwar klar umgrenzt, seit die Großkirche in der zweiten Hälfte des 2. Jh. den verbindlichen Kanon apostolischer Schriften des Neuen Bundes im wesentlichen festlegte. Im Verlauf dieser Kanonbildung wurden aber zahlreiche Schriften nicht in das NT aufgenommen, die etwa zur selben Zeit wie die nach unserer Erkenntnis späten Schriften des ntl. Kanons entstanden sind. Gerade diese späten kanonischen und die gleichzeitigen außerkanonischen Schriften sind aber für die Frage nach den Beziehungen zwischen dem frühchristlichen Schrifttum und der Gnosis in gleicher Weise relevant. Im NT sind in diesem Zusammenhang das Corpus Johanneum, die Pastoralbriefe, Hebräerbrief, Judasbrief und der zweite Petrusbrief zu nennen, in der außerkanonischen Literatur z. B. der erste Clemensbrief, die Briefe des Ignatius, der Hirte des Hermas, die Himmelfahrt des Jesaia und der Barnabasbrief.

Unter dem Gesichtspunkt einer streng historisch verfahrenden Erforschung des NT muß die Ausgrenzung bestimmter Schriften aus dem Kanon als willkürlich angesehen werden. Für das Thema 'Neues Testament und Gnosis' wiegt diese Ausgrenzung besonders schwer; denn bei der Gnosis im NT handelt es sich um den Teil einer umfassenden geschichtlichen Bewegung, deren Anfänge in der Zeit des NT im dunkeln liegen, so daß, was an einzelnem zu dieser frühen Zeit sichtbar wird, sich nur aus dem Ganzen, zu dem sich alles einzelne fügt, verstehen und beschreiben läßt.

Die Willkür, die in der Ausgrenzung des NT aus der frühchristlichen Literatur liegt, wurde seit dem Aufkommen der historischen

Bibelwissenschaft stets empfunden. Man versuchte und versucht ihr zu begegnen, indem man an die Stelle der 'Einleitung in das NT' die 'Urchristliche Literaturgeschichte' und an die Stelle einer 'Theologie des NT' die 'Geschichte der urchristlichen Religion' setzt. Es liegt nahe, auch den Ertrag, den die Erforschung des Problems 'Neues Testament und Gnosis' gezeitigt hat, in diesem erweiterten Rahmen einzubringen.

Daß dies im vorliegenden Buch nicht geschieht, liegt einmal an der erforderlichen Begrenzung des Umfangs, zumal gerade im Blick auf sein Verhältnis zur Gnosis eine einigermaßen sinnvolle Abgrenzung des frühchristlichen Schrifttums kaum möglich erscheint. Zugleich aber ist anzuerkennen, daß auch die Kanonbildung ein historisches Faktum darstellt, das als solches ein Recht hat, respektiert zu werden. Was auch immer die frühe Kirche bestimmt hat, diese und nur diese Schriften für den Kanon des NT auszuwählen: Diese Auswahl erhob die ntl. Schriften in kanonischen Rang und empfahl sie damit in besonderer Weise der Aufmerksamkeit von Kirche und Theologie. Gerade ihre wissenschaftliche Auslegung hat eine hervorragende kirchliche Funktion, und dieser Sachverhalt rechtfertigt die Begrenzung, Erträge der Erforschung speziell des Verhältnisses der ntl. Schriften zur Gnosis vorzustellen. Der Leser muß sich aber bewußt sein, daß er dabei dem Fragment eines Fragmentes begegnet und daß der Verzicht darauf, das größere Fragment zu rekonstruieren, notwendigerweise auch das Verständnis der ntl. Schriften verkürzt.

b) Anders stellt sich die Schwierigkeit bei der Bestimmung des Begriffs 'Gnosis' dar. Die Gnosis zeigt sich der Forschung als ein Phänomen des in ntl. Zeit verbreiteten Synkretismus. Daß die Gnosis aber mehr ist als eine Summe verschiedener religiöser Phänomene iranischer, babylonischer, ägyptischer, jüdischer oder griechischer Herkunft, hat man nicht immer gesehen.

Indessen zeigte Jonas (1934) auf dem Wege existentialer Interpretation überzeugend, daß sich die gnostische Religion nicht aus der Summierung verschiedener mythischer Motive hinreichend erklären läßt; denn das Besondere der Gnosis ist ein besonderes Verständnis von Gott, Mensch und Welt, eben die gnostische Religion, die als solche in gewisser Weise 'früher' ist als das religionsgeschichtlich faßbare Phänomen 'Gnosis'. Die einheitliche Grundhaltung des Gnostikers, wie Jonas sie (1934, 140ff.) beschreibt, ist die Empfindung des Menschen, in einer ihm fremden Welt zu leben, in der er sich fürchten muß. Das wahre Leben ist jenseitig. Darum sehnt sich der Gnostiker nach einer Erlösung, die ihn von der Welt und dem Leibe befreit. Typisch gnostische Begriffe sind demzufolge z. B.: Angst, Irren, Heimweh; Betäubung, Schlaf, Trunkenheit; Fall, Sinken, Gefängnis; Finsternis, Fremde, Mischung.

Die Zahl und die Art der möglichen mythischen Objektivationen dieses Daseinsverständnisses sind prinzipiell unbegrenzt. Deshalb kommt man auf dem Weg einer existentialen Interpretation allein nicht schon zu einem religionsgeschichtlich brauchbaren Begriff der Gnosis. Andererseits steht die an den mythischen Objektivationen ausgerichtete Forschung in der Gefahr, überall dort von Gnosis zu sprechen, wo Motive des gnostischen Mythos auftauchen, auch wenn diese an ihrem Ort gar nicht Ausdruck gnostischer Religiosität sind. Zur Bestimmung dessen, was Gnosis ist, sind also die beschreibende Methode der Religionsgeschichtler und die interpretierende Methode der Religionsphänomenologen miteinander zu verwenden. Dann erweist sich die Gnosis, sosehr sie in den Synkretismus der Zeit hineingezogen ist, doch als ein eigenständiges religiöses Phänomen, für das zwei Wesenszüge kennzeichnend sind: Ein ausgeprägtes Welt- und Selbstverständnis und eine charakteristische Mythologie als dessen Ausdruck. Nur wo beides zusammentrifft, darf man von genuiner Gnosis reden, und innerhalb dieser Gnosis ist beides stets unlösbar miteinander verknüpft.

Unter dieser Voraussetzung verstehen wir unter Gnosis jene religiöse Bewegung, die den Menschen lehrt, sich als ein Stück göttlicher Substanz zu verstehen, das zwar durch ein verhängnisvolles Schicksal in die Gefangenschaft der ihm wesensfremden Welt und ihrer dämonischen Beherrscher geriet, der Befreiung daraus aber gewiß sein darf, da es die 'Erkenntnis' seines unverlierbaren göttlichen Seins besitzt. Die Hauptmotive, in denen sich diese Gnosis mythologisiert, sind: Ein kosmischer Dualismus, sei es uranfänglicher, sei es abgeleiteter Art; der Mythos vom Fall der Lichtsubstanz in die

Gewalt der bösen Mächte; die Erkenntnis dieses menschlichen Seins und Schicksals, die Erlösung.

Dieses Bild orientiert sich nicht unmittelbar an den gnostischen Systemen, wie wir sie aus den Berichten der Kirchenväter und aus den gnostischen Originalschriften des zweiten bis vierten Jahrhunderts kennen. Man hat davon auszugehen, daß die überwuchernde Spekulation dieses Schrifttums Anzeichen der gnostischen Spätzeit und des Nachlassens existentieller Spannung ist, und die großen gnostischen Schulhäupter wie Valentin und Basilides sind eher – wie auf kirchlicher Seite Origenes – als Vermittlungstheologen anzusehen denn als Repräsentanten 'reiner' Gnosis (Aland; Peel). Jedenfalls darf man in apostolischer und früher nachapostolischer Zeit nicht primär nach derartigen gnostischen Systemen suchen, sondern nach gnostischem Daseinsverständnis, gnostischer Mission und Grundzügen des gnostischen Mythos.

Vgl. zum Problem z. B.: Bultmann, 1949, 181 ff.; Foerster, 1969, 7 ff.; Haardt, 1967, 9 ff.; Rudolph, 1969–1973 (Lit.); 1975.

2. *Die Ansicht der Kirchenväter*

Euseb von Cäsarea überliefert uns in seiner ›Kirchengeschichte‹ eine Nachricht aus den ›Erinnerungen‹ des Hegesipp (um 180), der zufolge man die frühe Kirche „jungfräulich nannte, weil sie noch nicht durch eitle Lehren verdorben war“ (Euseb KG IV 22, 4). In III 32, 7 f. erläutert Euseb diese Feststellung dahingehend, daß sich die Irrlehrer, „sofern es sie überhaupt schon gab“, verborgen hielten, um erst nach dem Tode der Apostel unverhüllt ihr Angesicht zu zeigen und der Predigt der Wahrheit „die fälschlich so genannte Gnosis“ entgegenzuhalten (vgl. Tert. praescr. 31, 1; Bauer, 1934, 3 f.).

Die dogmatische Grundlage dieses Geschichtsbildes, das in spezifischer Weise schon die Apostelgeschichte des Lukas beherrscht, liegt am Tage: Bei der gnostischen Häresie handelt es sich um einen Abfall vom rechten Glauben, um eine pseudochristliche Erscheinung, die nicht wagte, schon offen gegen die Apostel selbst anzutreten. Schon der Altersbeweis spricht also für die Wahrheit des rechtgläubigen Bekenntnisses, und dem entspricht die Scheu der Irrlehrer, sich selbst den ursprünglichen Zeugen der christlichen Wahrheit zu stellen (vgl. Iren. III 3f.; V 20).

Diesem dogmatischen Geschichtsbild stand die für die Kirchenväter durchgehend apostolische Urkunde des NT gewichtig entgegen, soweit diese schon selbst von einer Auseinandersetzung mit den gnostischen Irrlehrern sprach, und die Gnostiker konnten deshalb auch im eigenen dogmatischen Interesse den Spieß umdrehen (Koschorke, 37). Paulus freilich, so ließen sich die Pastoralbriefe (1Tim 6,20) und die Abschiedsrede in Milet (Apg 20,29ff.) verstehen, und Petrus (2Petr 3,1ff.) hatten die Gnostiker *vorausschauend* bekämpft. Johannes (vgl. Jud), der sich vor allem im 1Joh mit doketischen Irrlehrern (s. S. 106ff.) und in Offb 2,6 mit den gnostischen Nikolaiten (s. S. 137f.) auseinandersetzt, tut dies der alten Kirche zufolge dagegen in hohem Alter am Ausgang der apostolischen Zeit, als Trajan (98–117) regierte (Iren. III 3,4; Euseb KG III 28), und vermochte dabei seinen Abscheu über den gnostischen Irrlehrer Kerinth kundzutun.

In die frühe apostolische Zeit gehört indessen Simon Magus (s. S. 130ff.), von dem die Kirchenväter alle Häresien abzuleiten pflegen (Iren. I 23,2; 27,4; II Vorrede; III 4,3; Euseb KG II 13). Als die Apostel ihren Triumph über ihn erlangen, war er der lukanischen Darstellung zufolge (Apg 8,18–25) freilich noch nicht als christlicher Irrlehrer aufgetreten, sondern stand unter der Anklage der Simonie. Er muß für die Kirchenväter deshalb zu denen gehören, die ihre wahre Gesinnung zuerst noch verbargen (Euseb KG III 32,7f.) bzw. erst später den wahren Glauben verleugneten, als er selbst (Justin, Dial. 26; Hipp. VI 20) und seine Schüler Menander (Justin, Dial. 26; Iren. I 23,5; III 4,3; Euseb KG III 26; vgl. Strecker) und Dositheus die gnostischen Irrlehren verbreiten.

Insgesamt ergibt sich also das dogmatische Bild einer von gnostischen Irrlehren und Irrlehrern freien Urzeit der Kirche, das dort, wo es vor allem gegen Ende der apostolischen Zeit nicht durchgehalten werden kann, durch den entsprechenden dogmatischen Gesichtspunkt ergänzt wird, daß die Apostel von Anfang an ihre Überlegenheit über die Irrlehre demonstrierten. In jedem Fall galt die gnostische Bewegung den Kirchenvätern als Abfall vom Christentum, wofür man sich z. B. auf Agp 20, 30; 1 Joh 2, 19; 2Petr 3, 1 ff. berief. Dies Geschichtsbild wurde durch die Erklärung ergänzt, die gnostischen Häretiker hätten ihre falschen Lehren aus heidnischen Quellen genommen, nämlich aus den griechischen Mythen und von Philosophen und Dichtern (Iren. II 14; Tert. haer. 7; Hipp. I, Vorrede).

3. Aus der Forschung der Neuzeit

Die Darstellung der Kirchenväter vom Aufkommen und Ursprung der gnostischen Häresie wurde im Mittelalter unkritisch tradiert und stand bis zum Beginn der Neuzeit in Geltung. Seit der Zeit des Humanismus wurde der dogmatische Charakter dieses Geschichtsbildes zunehmend durchschaut. Die Ableitung der Gnosis aus dem Griechentum erschien nicht mehr als zwingend und konnte entweder durch eine Ableitung aus orientalischen Religionen, die immer stärker das Interesse des Abendlandes fanden (vgl. Neander, 1818), bzw. aus dem hellenistischen Synkretismus (vgl. Baur, 1835, 50) oder aber durch eine Herleitung aus dem Christentum selbst ersetzt werden.

In den erstgenannten Fällen ergab sich nun die Möglichkeit, die Gnosis nicht als Abfall vom Christentum, sondern als eine von Haus aus außerchristliche und damit ggf. auch vorchristliche Religion anzusehen, die sich erst sekundär dem Christentum amalgamierte. Auch die dogmatische Annahme einer von Häresien freien Frühzeit der Kirche war nicht mehr geboten, so daß man schon die Apostel, vorab Paulus, mit den Gnostikern kämpfen sehen konnte und auch imstande war, die innerchristlichen Ansätze oder die von außen kommenden Reflexe des gnostischen Denkens in den apostolischen bzw. frühchristlichen Schriften selbst wahrzunehmen.

Andererseits bestritt die kritische Wissenschaft den apostolischen Ursprung vieler ntl. Schriften, so daß durch die entsprechende Spätdatierung z. B. des Corpus Johanneum und der Pastoralbriefe die Möglichkeit eröffnet wurde, die Anfänge der christlichen Gnosis noch über das Ende der apostolischen Zeit hinauszuschieben.

Die weniger kritische Richtung der Theologie, welche den apostolischen Ursprung möglichst aller ntl. Schriften zu verteidigen suchte, tat dies entweder so, daß sie die Gnosis ganz in das zweite Jahrhundert verlegte und antignostische Polemik in den ntl. Schriften bestritt, oder so, daß sie im Gegensatz zu den Kirchenvätern den Ursprung der Gnosis in ntl. Zeit suchte und demzufolge die Auseinandersetzung mit gnostischen Irrlehrern geradezu als ein Echtheitsmerkmal der ntl. Dokumente ansah (vgl. Thiersch, 146ff. 251f. 258ff.).

Die Zahl der Kombinationsmöglichkeiten dieser verschiedenen Gesichtspunkte ist nahezu unbegrenzt, und von diesen Möglichkeiten wird bis heute reger Gebrauch gemacht. Von einem Konsensus in dem Problemkreis 'Neues Testament und Gnosis' sind wir heute weiter entfernt als je zuvor.

An Literatur, die einen Überblick vermittelt, ist z. B. zu nennen: Bultmann, 1965 (§ 15: Gnostische Motive); Schmithals, 1969/70. 1976; Wilson, 1971; Tröger, 1973; Yamauchi, 1973; Hartin, 1976. Dazu kommen Forschungsübersichten und Bibliographien: Schulz, 1960; Scholer, 1971, mit Fortsetzung 1971ff.; Abschnitt ›Gnosticism‹ in: New Testament Abstracts, 1956ff.

Einige charakteristische Positionen werden im folgenden beschrieben. – Hammond, dessen voluminöses Werk von 1653 Clericus, mit ausführlichen eigenen Anmerkungen versehen, 1698 in zwei Bänden lateinisch herausgab, identifizierte die Gegner des Paulus in allen Briefen (einschließlich Gal und Röm) mit Gnostikern. Und zwar soll es sich um ehemalige heidnische Gnostiker handeln, die in Judäa lebten und dort zunächst zum Judentum übergetreten waren. Clericus tadelt zwar, daß Hammond überall 'seine Gnostiker' entdeckte, und auch von Mosheim geht 1726 nicht so weit wie Hammond, doch insistieren beide darauf, daß sich schon im ersten Jahrhundert selbständige gnostische Gemeinden aus der Kirche absonderten, und zwar im Anschluß an den Dualismus der 'morgenländischen Philosophie'. Die Vielfalt der späteren christlich-gnostischen Sekten beruht von Mosheim zufolge darauf, daß die Gnostiker schon unterschiedliche Meinungen hatten, bevor sie versuchten, sich mit diesen Meinungen in der christlichen Religion einzurichten (II 5).

Ebenso urteilt z. B. Walch. Er setzt den Ursprung der Gnosis in die Zeit vor Christi Geburt, weil der allgemeine Lehrbegriff der Gnostiker so alt sei wie die morgenländische Philosophie, und verwirft demzufolge die Ansicht der Kirchenväter, Simon Magus sei der Vater der gnostischen Häresie gewesen (I 1762, 242 f.). Auch für Michaelis (1777) stehen der vorchristliche und der morgenländische Ursprung der Gnosis fest. Er begründet z. B. ausführlich (1193 ff.; vgl. 159 f. 978 f.), daß Petrus seinen zweiten Brief (wie Judas den seinen; 1206) kurz vor seinem Tode gegen Gnostiker geschrieben habe. Burton schließt sich 1829 relativ eng an Hammond an, wenn er auch für Galatien lieber eine judaistische Irrlehre annimmt. Vgl. auch Berthold, III 1318; Reuss, 1874, 64.

Gegen alle derartigen Versuche wendet sich früh z. B. Tittmann, der 1773 den Ursprung der Gnosis in das Ägypten des zweiten Jahrhunderts setzt. Vgl. Hug, II 422 ff.; Baur, 1835, V; B. Weiss, 1897, 287 ff.

Das Tübinger Geschichtsbild Baurs hatte für die Gnosis keinen Platz im Urchristentum. Baur hält die (religionsphilosophisch betrachtet heidnische) Bewegung der christlichen Gnosis für eine Fortbildung der aus der griechischen Philosophie hervorgegangenen jüdisch-alexandrinischen Religionsphilosophie und vermag ihre Anfänge mit Hilfe der Spätdatierung der johanneischen und deuteropaulinischen Schriften in das zweite Jahrhundert zu versetzen (1835; 1863, 175 ff.). Der Judenchrist Kerinth, zur Zeit Trajans aufgetreten, sei der erste bekannte christliche Gnostiker (vgl. Hipp. VII 33; Iren. I 25). Vgl. Volkmar, 1857, 394 ff.

Hilgenfeld (1875, 651 ff.) datiert die Gnosis ähnlich, sucht ihren Ursprung aber in einer innerchristlichen Entwicklung, die von dem antipaulinischen Judenchristentum (Kerinth) ausgehe und sich mit einem Hyperpaulinismus verbinde, der gnostisierende Ansätze des Paulus auszieht. Später (1884, 163 ff.) hält er mit den Kirchenvätern Simon für den Begründer der Gnosis, die demzufolge „wohl außerhalb des Christentums, aber in dem frischen Eindrucke desselben“ entstand (1890, 1). Pfleiderer (1887, 787) hält die Gnosis für eine „Entwicklungskrankheit des jungen Christenthums“, die ihren Stoff aus orientalischer Kultweisheit, griechischer Philosophie, AT und evangelischer Überlieferung nahm. Auch Holtzmann (1897, 476ff.: Die Gnosis im NT) bleibt auf dieser Linie. Lipsius (1860, 140f.; 1869) leitet mit vielen anderen die Gnosis aus dem 'Essäismus' ab.

Die Religionsgeschichtliche Schule, die um die letzte Jahrhundertwende blühte, nimmt in Übereinstimmung mit der Forschung des 17./18. Jahrhunderts einen wesentlichen vor- und außerchristlichen Ursprung der Gnosis an und rechnet dabei vor allem mit orientalischen Einflüssen im Rahmen des zeitgenössischen hellenistischen Synkretismus (ägyptisch, babylonisch, iranisch). Vgl. z. B. Anz; Wrede, 1897, 72; Reitzenstein, 1904; 1927; Köhler, 8ff.; Wernle, 402ff.; Bousset, 1907; 1912, 1507; 1913, 133f.; P. Wendland, 161ff.; Steffen, 27ff.; Puech; Bousset (1913, XI) urteilt: „Es ist neuerdings immer allgemeiner anerkannt, daß die Bewegung der christlichen Gnosis nur unter der Voraussetzung verständlich wird, daß in ihr eine schon im vorchristlichen Zeitalter vorhandene und unabhängig vom Christentum (und Judentum) entstandene Geistesströmung von ganz charakteristischer Haltung in das Christentum ihre Wellen hineinschlägt." Ebenso heute mit vielen anderen Vielhauer: Es „wird die Existenz einer vorchristlichen Gnosis nur noch von Unbelehrbaren bestritten" (1975, 415; vgl. Conzelmann, 1967, 27; Kümmel, 1973, 189ff.; Schenke, 1965; Widengren; Drijvers).

Dabei hat zunehmend die mandäische Religion Bedeutung für die Frage nach dem Ursprung der Gnosis gewonnen: Brandt, 1889; Gunkel, 1903, 18ff.; Bultmann, 1967; Drower; Rudolph, 1960, 1961; 1978. In neuerer Zeit gilt nach dem Vorgang vieler früherer Forscher – vgl. z. B. Buddeus (Kabbala); Neander, 1818; Hug, 1826, II 422ff.; Baur, 1835, 83f.; Lipsius, 1860, 140f.; 1869 (Essäismus); Friedländer; Wernle 402ff. – nicht selten ein heterodoxes bzw. synkretistisches Judentum (Weisheit, Apokalyptik, Mystik) als der eigentliche Mutterboden der Gnosis, wobei freilich nicht immer hinreichend zwischen der Entstehung der Gnosis *im* Judentum oder *aus* dem Judentum unterschieden wird. Vgl. z. B. Quispel, 1951. 1981: Apokalyptik; Schoeps, 1956; Grant, 1959; Schulz, 1960, 334; Schenke, 1962; Pokorný, 1965; Arai, 1967; Matern, 1979, 263f.; Köster, 1980, 395ff.; Yamauchi, 1981; Rudolph, 1967, 105ff. und die meisten der von Rudolph, 1975, zusammengestellten

Beiträge. Kritisch zuletzt u. a. Drijvers; van Unnik, 1978; Schmithals, 1976, 26; Tröger, 1980, 155 ff.; Maier; vgl. Gruenwald, 1981.

Mit der These eines vor- und außerchristlichen Ursprungs der Gnosis ist im Gefolge der Religionsgeschichtlichen Schule die Möglichkeit gegeben, schon in der apostolischen Zeit gnostische Elemente im NT auszumachen, handele es sich nun um Einschüsse in die christliche Theologie oder um eine christliche Gnosis, die von der rechtgläubigen Kirche bekämpft wurde. Die entsprechende Anwendung der Einsichten der Religionsgeschichtlichen Schule auf die Wissenschaft vom NT und auf die ntl. Hermeneutik ist vor allem Bultmann (1949; 1952; 1965, § 15) zu verdanken. Vgl. auch Schlier, 1929; 1930; Käsemann, 1933; 1971. Widerspruch finden die Thesen der Religionsgeschichtlichen Schule vor allem bei denen, die befürchten, diese Aufstellungen bedeuteten „eine synkretistische Paganisierung des Urchristentums" bzw. seine Auslieferung an den heidnischen Mythos (Hengel, 1975, 34; vgl. Casey; Yamauchi, 1969; 1981; Prümm, 1972; Beyschlag, 1974; Betz, 1976). Diese Forscher versuchen in der Regel, wie die Kirchenväter das gnostische Denken unter Einbeziehung jüdisch-alexandrinischer Einflüsse aus dem biblischen Denken abzuleiten, wobei sich freilich die Frage aufdrängt, wie gnostisch ein Christentum selbst bereits angesehen werden muß, aus dessen Schoß die gnostischen Systeme entsprießen.

Überhaupt hat sich das Geschichtsbild der Kirchenväter einigermaßen kontinuierlich durchgehalten. In kritischer Manier griff Harnack darauf zurück und prägte die klassisch gewordene Formulierung von der Gnosis als einer akuten Hellenisierung des Christentums (1915, 250). Der Hellenismus habe sich, das Christentum zu verweltlichen, an die Kirche herangedrängt, und dieser Angriff sei von der Theologie auf Kosten der – von Harnack nicht nur negativ beurteilten – Hellenisierung (= Theologisierung) des Christentums abgefangen worden. Um 130 habe dieser Prozeß nachhaltig eingesetzt. Vgl. die ähnlichen Urteile schon von Koffmane (Die Gnosis will das Christentum zu einer Mysterienreligion umgestalten), sodann von de Faye, 1913; Burkitt, 1932; Leisegang; Schneider, 1954, 268; Langerbeck, 1967, der freilich die gnostische Hellenisierung des Christentums schon bei Paulus vollzogen sein läßt und alle orientalischen Einflüsse auf den Hellenismus schroff ablehnt; Nock; Betz, 1976, 48.60; Kraft, 1977; Wilckens, 1979, 536f.; Aland, 1980, 340f.; Drane, 115ff.

4. Die gnostischen Texte von Nag Hammadi. Prä-Gnosis im Neuen Testament?

Der seit 1947 bekannte Fund einer gnostischen Bibliothek von 13 Codices in Nag Hammadi, der uns mehr als 50 bisher meist unbekannte gnostische Originalschriften aus dem 2.–4. Jahrhundert schenkte, hat die Erforschung der Gnosis ungemein befruchtet und ist auch für das Thema 'Neues Testament und Gnosis' von Bedeutung. Der relativ späte Ursprung dieser Schriften läßt freilich im allgemeinen nicht erwarten, daß Details ihrer gnostischen Gedankenwelt das Verhältnis ntl. Schriften zur Gnosis unmittelbar erhellen könnten. Das NT ist vielmehr Voraussetzung und unerläßlicher Interpretationshorizont der (christlichen) Schriften aus dem Fund von Nag Hammadi, während der gnostische Inhalt dieser Schriften nur in sehr begrenztem Maße zur Interpretation des NT herangezogen werden kann. Auch darf man das durch die Texte von Nag Hammadi vermittelte Bild der Gnosis nicht zur Norm dessen machen, was 'Gnosis' überhaupt darstellt, um daraufhin das Problem 'Neues Testament und Gnosis' unter der Voraussetzung dieser Norm anzugehen. Die Nag-Hammadi-Texte vermitteln uns vielmehr das Bild einer relativ späten Gnosis, die nicht unmittelbar und nicht unkritisch mit den im NT begegnenden oder reflektierten gnostischen Motiven konfrontiert werden darf.

Von besonderer Wichtigkeit (vgl. Betz, 1976) für das Thema 'Neues Testament und Gnosis' ist die Tatsache, daß die Funde von Nag Hammadi uns in beträchtlichem Umfang Originaltexte einer *jüdischen* Gnosis beschert haben; nicht wenige ihrer christlichen Texte sind gleichfalls Dokumente jüdischer Gnosis mit einem dünnen christlichen Firnis. Diese Entdeckungen lassen auch schon seit längerem bekannte Texte der Gnosis in einem teilweise neuen, nämlich jüdischen Licht erscheinen, so daß die Quellenlage der jüdischen Gnosis nicht hinter der des christlichen Gnostizismus zurücksteht, was der These vom jüdischen Ursprung der Gnosis (s. S. 9f.) neuen Auftrieb gegeben hat. Wie immer auch es sich mit dieser These verhält: Der Nachweis einer in einer breiten Skala von unterschiedlichen Schriften begegnenden rein jüdischen Gnosis schließt den christlichen Ursprung der Gnosis aus (vgl. Bousset, 1912, 1507. 1524f. 1545; Wilson, 1981/82). In dieser Erkenntnis liegt vermutlich die größte Bedeutung des Fundes von Nag Hammadi für die Thematik 'Neues Testament und Gnosis'. Abgesehen davon, daß sich eine Ableitung jüdisch-gnostischer Texte des zweiten Jahrhunderts aus einer christlichen Gnosis schon aus chronologischen Gründen verbietet, ist es nicht nur historisch kaum vorstellbar, daß in einer Zeit nachweisbarer gegenseitiger Abgrenzung von Christentum und Judentum dieses eine christliche Gnosis in beträchtlichem Maße adaptiert. Vor allem läßt sich ein religionsgeschichtlicher Vorgang nicht denken, bei dem die ursprunghaft christlichen Elemente der Gnosis sowohl hinsichtlich des Mythos wie der Begrifflichkeit und der Namen beim Übergang in das Judentum völlig getilgt wurden, während die so entstandenen jüdisch-gnostischen Urkunden in einem zweiten religionsgeschichtlichen Schritt mit Hilfe eines dünnen christlichen Firnis von der christlichen Mutter wieder zurückgewonnen wurden.

Diesem Schluß könnte man nur entgehen, wenn man sich jüdische und christliche Gnosis gleichzeitig und unabhängig voneinander entstanden denkt (Nyberg, 301; Wilson, 1955, 200; Colpe, 1981, 555ff.), ein Vorgang, der hinsichtlich des gnostischen Daseinsverständnisses vielleicht denkbar, angesichts des charakteristischen gnostischen Mythos aber unvollziehbar ist, zumal sich für die heidnische Gnosis das gleiche Problem noch einmal stellte (vgl. Norden, 65).

Wer Anzeichen gnostischen Denkens in den christlichen Schriften aus ntl. Zeit entdeckt, kann deshalb im Blick auf diese Anzeichen nicht mehr von Prä-Gnosis, Proto-Gnosis, Gnosis in statu nascendi u. dgl. sprechen, wenn er damit zum Ausdruck bringen will, daß er den Prozeß beobachtet, in dem die Gnosis überhaupt aus christlichen Wurzeln in ntl. Zeit erwächst. Die Rede von der im NT zu beobachtenden Gnosis in statu nascendi wäre nur sinnvoll, wenn sie den Anfang der Entstehung der *christlichen* Gnosis aus dem Mutterboden einer heidnischen oder jüdischen Gnosis bezeichnen will. Die entsprechenden Termini Proto-Gnosis und Prä-Gnosis wollen dann bestreiten, daß es in ntl. Zeit bzw. in bestimmten Schriften aus ntl. Zeit bereits eine *ausgebildete christliche* Gnosis gegeben hat, nicht aber, daß die Gnosis in dieser Zeit überhaupt bereits ausgebildet war. Indessen haben die Bezeichnungen 'Proto-Gnosis', 'Prä-Gnosis' und 'Gnosis in statu nascendi' im Umfeld der Thematik 'Neues Testament und Gnosis' nur dann einen Sinn, wenn sie die Entstehung der Gnosis überhaupt in ntl. Zeit aus christlicher Wurzel erklären wollen. Eben diese Möglichkeit einer Erklärung erscheint aber seit der Entdeckung der Texte jüdischer Gnosis in den Codices von Nag Hammadi nicht mehr gegeben. Vgl. zum Problem z. B.: Schierse, 1961; Eltester, 1969; Krause, 1971 ff.; Scholer 1971; 1971 ff.; Betz, 1976; MacRae, 1978; Tröger, 1980; Köster, 1980, 650 f.; Hedrick; Berliner Arbeitskreis.

5. *Zum Fehlen gnostischer Originaltexte in neutestamentlicher Zeit. Der hermeneutische Zirkel*

Wir besitzen keine gnostischen Originaltexte, deren Ursprung eindeutig in die ntl. Zeit zurückgeht (vgl. Adam; Bergmeier 1971). Diese Beobachtung ist das Hauptargument derer, die gnostische Einflüsse auf Texte der apostolischen Zeit bestreiten (Hengel; Beyschlag; Nock; Yamauchi; Sellin 223 f. u. a.). Diesem Argument eignet nur begrenzte Seriosität; es spielte im 18. und 19. Jahrhundert mit Recht keine Rolle und nimmt sich heute im Argumentationsgang zumal jener Forscher eigenartig aus, die – mit Recht! – unbefangen und in großem Umfang rabbinische Texte, die aus nach-neutestamentlicher Zeit stammen, zur Erklärung des NT heranziehen.

Nun sind die Indizien, welche die Annahme nahelegen, daß spätestens um die Mitte des ersten Jahrhunderts eine ausgeprägte Gnosis existierte, überwältigend. Daß gegen *Ende* dieses Jahrhunderts eine schon christianisierte Gnosis die Gemeinden beschäftigte, ist angesichts des exegetischen Befundes nicht zu bestreiten; dann aber müssen die Anfänge der Gnosis als solcher erheblich früher liegen. Die literarischen Dokumente des zweiten Jahrhunderts lassen eine Gnosis erkennen, die bereits weit aufgefächert ist, und zwar sowohl in die großen Stränge der jüdischen, der christlichen und der heidnischen Gnosis als auch in vielfältige Strömungen innerhalb dieser einzelnen Stränge und zwischen ihnen; der einheitliche Ursprung der Gnosis gehört dann in eine wesentlich frühere Zeit. Daß die mandäische Gnosis aus Palästina stammt und dort schon im ersten Jahrhundert verbreitet war, darf heute als gesichert gelten (Rudolph, 1973). Die Kirchenväter geben vorchristliche Gestalten wie Simon, Menander, Dositheus als Erzketzer gnostischer Provenienz an.

Freilich können auch diese und ähnliche Beobachtungen die Existenz einer ausgebildeten gnostischen Religion in ntl. Zeit nicht stringent beweisen. Sie sprechen zwar stark für eine derartige Annahme, erledigen die Frage nach dem vorchristlichen Gnostizismus aber nicht definitiv. Dieses Urteil trifft auch angesichts der Frage zu, ob die Suche nach schriftlichen Dokumenten überhaupt angemessen ist, wenn man die zeitlichen Anfänge der Gnosis bestimmen möchte. Die Gnosis ist ihrem Wesen nach eine enthusiastische Bewegung. Auch in ihrer späteren Zeit stand ihr der Geist höher als der Buchstabe. Das geschriebene und überlieferte Wort ist Ersatz für das erlahmte Pneuma, und der enthusiastische Wurzelboden der Gnosis läßt sich aus allen frühen Nachrichten über sie und selbst noch aus ihren eigenen literarischen Dokumenten deutlich ablesen. Nicht methodische Willkür, sondern die methodische Notwendigkeit, der Gnosis entsprechende Fragestellungen zu verwenden, reflektiert auf eine möglicherweise sehr lang währende unliterarische Phase der gnostischen Bewegung. Einen präzisen *terminus post quem non* der Entstehung der Gnosis gewinnen wir jedoch auch auf diesem Wege nicht.

Die Forschung kann deshalb auf den hermeneutischen Zirkel nicht verzichten. Sie muß fragen, ob das NT zu seiner sachgerechten Auslegung die Gnosis voraussetzt oder nicht. Ein entsprechender Zirkel wäre auch dann unvermeidlich, wenn feststünde, daß es in ntl. Zeit eine Gnosis gab; denn ein solcher Nachweis ließe noch offen, ob und in welcher Weise es diese Gnosis auch für das Urchristentum bzw. für einzele in Frage stehende Dokumente des NT gab. Da sich die Existenz einer mit dem NT gleichzeitigen Gnosis indessen nicht sicher *vor* dem Zirkel feststellen läßt, muß auch über jene Feststellung selbst im hermeneutischen Zirkel entschieden werden (vgl. Schmithals, 1969/70; 1973).

In diesem Sinne urteilt z. B. Rudolph (1971, 93) denen gegenüber, welche gnostische Elemente bei der Erklärung des NT nicht heranziehen wollen, weil es an direkten Belegen für eine Gnosis in ntl. Zeit fehlt: „Doch scheint mir das Neue Testament selbst dafür der beste Zeuge zu sein." In der Tat dürfte auch der, welcher eine Gnosis zur Zeit des NT bestreitet, nicht darauf verzichten, im hermeneutischen Zirkel den Nachweis für diese seine These zu führen. Instruktiv ist in diesem Zusammenhang Yamauchis Buch von 1973 über ›Pre-Christian Gnosticism‹, das dem Problem des hermeneutischen Zirkels einen eigenen Abschnitt widmet (173ff.), es dann allerdings doch nicht hinreichend diskutiert und zu dem Schluß kommt: "Thus, it would seem that there is a broad gulf between German scholars who feel that it is valid to use 'logical' deductions even in the absence of early objective evidence, and English-speaking scholars who would decry such arguments as subjective and speculative" (176). Dieses im Prinzip richtige Urteil schlägt freilich das methodische Problem nur nieder. Benötigen wir für die Erklärung des NT die Gnosis als Voraussetzung, weil bestimmte „Aussagen, Partien und Komplexe eben nur in dieser religionsgeschichtlichen Perspektive sachlich voll verständlich werden" (Schenke, 1973, 218), so darf die ntl. Exegese selbst über die Anfänge und somit auch über den Ursprung der Gnosis mit entscheiden. Vgl. z. B. Gunkel, 1903, 63f.; Bauer, 1929, 150ff.; Haenchen, 1965; Peel; Dörrie; Schulz, 1983, 266.

6. Gnostische Irrlehrer in neutestamentlicher Zeit. Nochmals: Der hermeneutische Zirkel

Die Gegner, mit denen sich viele ntl. Autoren auseinandersetzen, werden in der Regel dem Leser nicht ausdrücklich vorgestellt, weil dieser sie kennt. Aus der direkten oder indirekten Polemik und Apologetik des ntl. Autors müssen die Anschauungen der Irrlehrer erschlossen werden, und solcher Schluß macht seinerseits jene Polemik und Apologetik erst verständlich. Manche Aussagen, die, zeit- und situationslos aufgefaßt, kaum verständlich oder theologisch nur schwer erträglich sind oder im Widerspruch zu anderen Äußerungen desselben Autors zu stehen scheinen, können, wenn man sie aus ihrer bestimmten Situation, in konkreter Anrede und unter Berücksichtigung ihrer spezifischen polemischen oder apologetischen Funktion versteht, als in hohem Maße sachgemäß erscheinen. Darum kann um der Aufgabe sachgemäßen theologischen Verständnisses willen nicht darauf verzichtet werden, die jeweiligen Kontrahenten und den entsprechenden Anlaß einer ntl. Schrift möglichst genau zu bestimmen.

Dabei wäre es ein Mißverständnis zu meinen, der Exeget könne sich einem ntl. Text, für dessen Verständnis die Frage nach den bekämpften Gegnern relevant ist, jemals ohne ein bestimmtes 'Vorverständnis' hinsichtlich der Art dieser Gegnerschaft nähern, sei es auch nur hinsichtlich der Möglichkeiten, die Gegner zu bestimmen. Er wird im allgemeinen entweder überzeugt sein, daß die Gnosis zu den Voraussetzungen ntl. Schriften gehört oder daß für das NT eine solche Voraussetzung nicht gegeben ist. Solches Vorverständnis darf allerdings nur den Punkt bestimmen, an dem er in den hermeneutischen Zirkel eintritt. Er wird beim Abschreiten dieses Zirkels sein Vorverständnis aufs Spiel setzen und bereit sein müssen, sich eines Besseren belehren zu lassen. In diesem Fall würde er den Zirkel an einer anderen Stelle verlassen als an derjenigen, an der er in ihn eingetreten war.

Im einzelnen lassen sich Vorverständnis wie Verständnis z. B. in der Frage differenzieren, ob die – gnostischen – Kontrahenten von außen in die Gemeinde eindringen (vgl. z. B. 2Kor 3, 1) oder ob es sich um Gemeindeglieder handelt, die sich innerhalb ihrer Gemeinschaft gnostischen Einflüssen öffnen (vgl. z. B. 1Joh 2,19). Zudem ist die Möglichkeit mehrfacher sowie wechselnder Frontstellungen offenzuhalten.

Ferner hat man zu unterscheiden zwischen der Vorstellung, die ein ntl. Autor von seinen Gegnern besitzt, und dem Selbstverständnis dieser Gegner. Vor allem dann, wenn ein Autor wie z. B. Paulus Irrlehrer in einer fernen Gemeinde brieflich bekämpft, könnte das Bild, das der Exeget aufgrund der gesamten Korrespondenz und einer umfassenden historischen und religionsgeschichtlichen Kenntnis der entsprechenden häretischen Bewegung von den Gegnern hat, fundierter sein als das des Autors, wenn dieser den betreffenden Irrlehren zum erstenmal begegnet und vielleicht nur durch Hörensagen über sie informiert wird (vgl. z. B. 1Kor 11,18; 2Thess 3,11). Hermeneutisch verbindlich ist für den Exegeten stets das Bild, in dem die Gegner dem ntl. Autor erscheinen, und die Ansichten, die sie nach Überzeugung dieses Autors besaßen, nicht aber das, was sie nach den Erkenntnissen des Exegeten tatsächlich darstellten und vertraten.

Es gilt also, bei jeder Interpretation solcher Texte, mit denen ein Autor auf den Einbruch einer Irrlehre reagiert, die mögliche 'hermeneutische Differenz' zwischen dem tatsächlichen Erscheinungsbild der Gegner und der Vorstellung, die der Autor von ihnen hat, zu beachten. Wiederum kann diese 'hermeneutische Differenz' nur im hermeneutischen Zirkel festgestellt oder ausgeschlossen werden, wobei die Annahme naheliegt, daß eine Verzeichnung der gegnerischen Position um so weniger zu erwarten ist, je intensiver der Kontakt des Autors mit seinen Gegnern ist.

Natürlich gehören in den Zirkel, mit dem bestimmte Gegner in ntl. Schriften als Gnostiker identifiziert werden sollen, auch entsprechende häretische Erscheinungen der frühchristlichen Zeit überhaupt hinein. Der Exeget wird nicht nur die urchristliche Ketzergeschichte, sondern auch die Häresien des zweiten und dritten Jahrhunderts zu berücksichtigen haben. Denn wie weit auch immer man den zeitlichen und sachlichen Abstand zwischen der Gnosis im NT und den gnostischen Systemen der späteren Zeit bestimmt: die historische Verbindung zwischen beidem, deren angemessene Berücksichtigung der exegetischen Aufgabe dient, läßt sich nicht bestreiten, wie sich auch umgekehrt eine Geschichte der gnostischen Bewegung ohne Berücksichtigung der Ergebnisse, die im Problemfeld 'Neues Testament und Gnosis' erzielt wurden, nicht überzeugend schreiben läßt.

7. Gnosis im Neuen Testament? – Das hermeneutische Problem

Neben der Frage nach gnostischen Irrlehrern, die im NT bekämpft werden, steht das Problem, ob bzw. wieweit die ntl. Autoren selbst gnostische Vorstellungen, Begriffe und Gedanken aufgenommen und sich zu eigen gemacht haben. Sofern dieser Gesichtspunkt im Rahmen einer Anschauung begegnet, welche die Gnosis selbst aus dem Christentum ableitet und deshalb in ntl. Schriften eine Gnosis in statu nascendi zu entdecken imstande ist, rückt er unter den vorne (S. 12f.) gemachten Vorbehalt.

Indessen hatte schon die 'Tübinger Schule', das JohEv spät im zweiten Jahrhundert datierend, die johanneische Theologie in große Nähe zur Gnosis gerückt. Manche Vertreter der Religionsgeschichtlichen Schule unterstellten sodann mehr oder weniger deutlich dem Apostel Paulus, ein Gnostiker zu sein. In neuerer Zeit haben Käsemann und andere in seinem Gefolge (s. S. 98f.) wiederum dem JohEv eine starke gnostisierende Tendenz zugeschrieben. Derartige Deutungen beruhen auf einer bestimmten Interpretation der entsprechenden Schriften, und sie werden nicht zuletzt durch die Schwierigkeit ermöglicht, das Gnostische als solches präzis zu bestimmen (s. S. 2ff.).

Das Vorkommen einer gnostisierenden Begriffs-, Vorstellungs- und Gedankenwelt in ntl. Schriften läßt sich freilich statt in solch 'synkretistischer' Weise auch als ein hermeneutischer Prozeß im Rahmen genuin christlicher Theologie deuten. So schreibt Bultmann (1965, 167): „Es war ein geschichtlich notwendiger Vorgang, daß das Evangelium von dem einen wahren Gott und von Jesus, dem Messias-Menschensohn – daß die eschatologische Botschaft von dem bevorstehenden Gericht und Heil, die zunächst von der Begriffssprache der alttestamentlich-jüdischen Tradition getragen waren, in der hellenistischen Welt in eine ihr vertraute Begrifflichkeit übersetzt wurden." Vgl. z. B. Käsemann, 1957, 17ff.; Schlier, 1958, 133; 1964, 83ff.; Schmithals, 1973; Baird; Matern; Conzelmann, 1981, 30.

Zu dieser Sprache gehört nach Bultmanns Meinung auch die dualistische gnostische Begrifflichkeit, die ntl. Autoren neben anderen zeitgenössischen Sprachformen dort benutzen, wo sie ihnen als geeignetes Gewand für die Verkündigung der christlichen Botschaft unter den besonderen Gegebenheiten der hellenistischen Welt erschien. Bei der Verwendung gnostischer Motive handelt es sich dieser Auffassung zufolge also nicht um ein im eigentlichen Sinn synkretistisches Phänomen, erst recht nicht um den Übergang zur Gnosis selbst, sondern um ein sprachlich-hermeneutisches Geschehen. Der Autor sucht nach einer Begrifflichkeit, die ihm einen verständlichen Ausdruck des Evangeliums, wie er dieses versteht, erlaubt. Dazu muß er auf vorgeprägte Sprache zurückgreifen; denn wer sich verständigen will, wird nur in begrenztem Maße eine 'neue' Sprache sprechen dürfen.

Jedoch besagt Übernahme von Begriffen „immer auch in irgendeiner Weise Übernahme des in den Begriffen Gemeinten. Aber freilich bedeutet solche Übernahme keineswegs notwendig die mechanische Reproduktion dogmatischer Sätze, sondern zunächst die Übernahme eines Anliegens, einer Frage. Wie die Frage verflacht oder radikalisiert, wie das Anliegen aufgenommen, verkümmert oder zu seinem Recht gebracht wird, das ist das Entscheidende" (Bultmann, 1929, 51f.). So kann dem urchristlichen Theologen der gnostische Sarkiker als 'Modell' für die Blindheit des Sünders oder für das Verfallensein des Menschen an die Macht der Sünde dienen, der substanzhafte Dualismus der Gnosis als 'Modell' für einen christlichen Entscheidungsdualismus, für die Radikalität der Bekehrung oder für die Heilsgewißheit des Glaubens.

Der Streit, ob die 'Gnosis im NT' bzw. wieweit sie eher ein spezifisch synkretistisches oder vielmehr ein hermeneutisches Phänomen darstellt, kann nur jeweils im Vollzug konkreter Interpretation entschieden werden. Die vorliegende Untersuchung kann ihn nicht austragen, sondern nur mitsamt den mit ihm verbundenen diffizilen theologischen Interpretationsfragen in den Blick rücken.

Wie immer man aber dies Problem insgesamt oder im einzelnen löst: Jede Lösung, die davon ausgeht, daß gnostische Sprache einen integrierenden Faktor der ntl. Theologie darstellt, steht vor der Aufgabe, diesen Sachverhalt religionshistorisch zu erklären.

Scheidet die Erklärung aus, daß wir innerhalb der ntl. Theologie selbst einer 'Gnosis in statu nascendi' (s. S. 12 f.) begegnen, so bietet sich der Versuch an, die 'Gnosis im NT' als *unmittelbare* Anknüpfung an die Sprache der jeweiligen Kontrahenten verständlich zu machen. Vor allem bestimmte Abschnitte der paulinischen Briefe sind unter der Voraussetzung erklärt worden, daß Paulus Begriffe bzw. ganze 'Sprachspiele' seiner Gegner aufnimmt, sie 'umfunktioniert' und gegen ihre Urheber verwendet. Dies gilt z. B. – mit welchem Recht auch immer – für 1Kor 2, 6 ff. (Winter, 1975; Wilckens, 1959) oder 2Kor 5, 1 ff. (Schmithals, 1969, 246 ff.) sowie für Johannes, sofern dieser, vielleicht selbst ein ehemaliger Gnostiker (Schmiedel, 1906, 130), in der Auseinandersetzung mit Gnostikern den Gnostikern ein Gnostiker wird, um die Gnostiker zu gewinnen, indem er durch die Verwendung gnostischer Kategorien zum Ausdruck bringt, daß die christliche Verkündigung die in der gnostischen Theologie und Sprache intendierte, den Gnostikern selbst aber verborgene Wahrheit ausspricht. Schon Michaelis begründete ausführlich, warum Johannes in seinem Prolog mit Bedacht gnostische Terminologie aufgreift, und er urteilt z. B. vom Begriff 'Logos', „daß Johannes diesen Ausdruck von den Gnostikern genommen habe, und zwar ... nicht aus Beystimmung, sondern in der Absicht, ihnen zu widersprechen ... Und in der That erfordern die Gesetze einer guten Streitschrift, daß man so viel möglich die Worte seines Gegners wenigstens alsdenn beybehalte, wenn man die Antithese formiren will: thun wir das nicht, sondern gebrauchen die Wörter unseres eigenen Systems, so wird selten der status controversiae deutlich genug gesetzt“ (1777, 975 f.).

Dieser Erklärungsversuch kann freilich nur bei Schriften angewandt werden, die sich unmittelbar mit gnostischen Gegnern auseinandersetzen, und auch in diesen Fällen muß jeweils erst der Nachweis erbracht werden, daß die Begrifflichkeit des Autors sich unmittelbar der polemischen Auseinandersetzung verdankt. Wo dieser Nachweis nicht gelingt oder nicht gelingen kann („Mir scheint, daß wir die dualistisch-weisheitliche Sprache des Paulus etwas zu schnell nur als Reflex der gegnerischen Position erklären", Brandenburger, 134) und wo man überdies bei bestimmten ntl. Autoren gnostisierende Sprache auch in Darlegungen findet, in denen antignostische Polemik oder Apologetik ausgeschlossen bleibt und außerdem der Eindruck oder die Gewißheit besteht, daß der Autor sich des 'fremden' Ursprungs seiner Sprache gar nicht bewußt ist, steht der Ausleger vor der Aufgabe, den Ursprung der entsprechenden Begrifflichkeit (besonders bei Paulus und Johannes) auf einer älteren Entwicklungsstufe der jeweiligen Theologie als der uns literarisch vorliegenden zu untersuchen, eine bisher von der Wissenschaft erst ansatzweise in Angriff genommene Aufgabe, deren Lösung, sofern sie gelingt, indessen Aufschluß auch über wesentliche Momente sowohl der urchristlichen Theologiegeschichte wie der frühen Phase der gnostischen Bewegung verspricht. Man beachte in diesem Zusammenhang z. B. ein beiläufiges Urteil von Bultmann, der damit rechnen konnte, daß das gnostisierende „johanneische Christentum einen älteren Typus darstellt als das synoptische" (1967, 102). Erträge der Forschung sind freilich auf diesem Feld kaum einzubringen; man vergleiche jedoch S. 153ff.

Natürlich könnte eine dieser Fragestellung verpflichtete Untersuchung auch das Ergebnis zeitigen, daß die Fragestellung selbst insofern verfehlt war, als sie von dem Vorhandensein gnostischer Terminologie ausging, wo in Wahrheit etwa nur von hellenistischer, mystischer, dualistischer oder platonischer Begrifflichkeit geredet werden darf – wie auch umgekehrt die Suche nach den Ursprüngen solcher philosophischen Sprachformen z. B. bei Paulus und Johannes zu der Erkenntnis führen könnte, daß die paulinische wie die johanneische Sprache in Wahrheit eine mythologische Gnosis voraussetzen.

I. DAS CORPUS PAULINUM

Das Corpus Paulinum des NT enthält 14 Briefe. Von diesen 14 Briefen spielt der Hebräerbrief eine besondere Rolle, da er nicht selbst beansprucht, von Paulus zu stammen. Auch im Rahmen der Thematik 'Neues Testament und Gnosis' ist er als Einzelgänger zu behandeln (s. S. 138ff.). 1/2Tim und Tit, die 'Pastoralbriefe', sowie Eph/Kol/Phlm bilden zwei ursprünglich selbständige Sammlungen. Historische, theologische und literarische Probleme binden die jeweils drei Briefe dieser beiden Sammlungen eng aneinander. Auch das Verhältnis zur Gnosis stellt sich dementsprechend in beiden Sammlungen jeweils einheitlich und spezifisch dar (s. S. 67ff. 89ff.). – Die übrigen sieben Briefe des Corpus Paulinum, die paulinischen 'Hauptbriefe', dürften die Ursammlung dieses Corpus gebildet haben (Schmithals, 1965, 175ff.). Sie gelten heute mit Ausnahme des relativ unwichtigen 2Thess in der Regel als authentische Paulusbriefe. Es liegt deshalb nahe, sie einheitlich aufzufassen, soweit die gnostisierende Begrifflichkeit und Vorstellungswelt der pln. Theologie in Frage steht (s. S. 48ff.). Aber auch die oft verhandelte Frage, ob bzw. wieweit Paulaus sich in seinen Hauptbriefen mit gnostischen Irrlehrern auseinandersetzt, läßt sich möglicherweise nur bei einer Zusammenschau der sieben Briefe angemessen beantworten.

1. Die Gegner in den Briefen der paulinischen Hauptsammlung

Die Frage nach den Gegnern in den pln. Hauptbriefen stand lange Zeit unter dem Eindruck des von F. Chr. Baur (1831; 1845) begründeten Geschichtsbildes der 'Tübinger Schule'. Diesem Geschichtsbild zufolge gab es (nur) einen alles beherrschenden Gegensatz im Urchristentum, nämlich den Gegensatz von gesetzesstrengen Judenchristen (Judaisten) und gesetzesfreien Heidenchristen bzw. von Petrinern und Paulinern. Alle authentischen Briefe des Paulus – für Baur: Röm; Gal; 1/2Kor; Phil – haben ihren Anlaß in der Auseinandersetzung mit den Judaisten; nur diese begegnen als Gegner in den authentischen Briefen. Baurs Schüler und Nachfolger (vgl. z. B. Klöpper, 1874, 68ff.; Holtzmann, 1886, 247ff.; Hilgenfeld, 1875, 258ff.; Schmiedel, 1892, 62ff.; Weizsäcker, 1902, 299ff.) übernahmen sein Geschichtsbild mit mehr oder weniger großen Erweichungen, indem sie vor allem bestrebt waren, die Irrlehrer von den Uraposteln (Petrus) zu distanzieren oder eine schroffe und eine mild judaistische Richtung zu unterscheiden.

Der große Einfluß, den diese Anschauung der urchristlichen Geschichte ausübte, beruht auf mehreren zusammenhängenden Faktoren: Baur macht als erster die Frage nach dem Anlaß bzw. nach den Gegnern zur Schlüsselfrage der Auslegung der Paulusbriefe. Er tat dies im Rahmen eines umfassenden, auch philosophisch fundierten Geschichtsbildes. Es ist historisch einleuchtend, die Auseinandersetzung des Paulus mit seinen Gegnern in den Hauptbriefen einheitlich zu beschreiben, und diese Einheitlichkeit hat auch starken Anhalt an den einschlägigen Texten.

Indessen ließ sich auf die Dauer die einheitliche Charakterisierung der Gegner des Paulus als Judaisten nicht festhalten, weil ihr zu viele exegetische Beobachtungen besonders in 1/2Kor entgegenstehen. Nur selten wird heute noch die Meinung vertreten, Paulus habe sich in seinen authentischen Briefen überall und nur mit gesetzesstrengen Judenchristen auseinandergesetzt (Schenke/Fischer, 1978, 43ff. 82ff. 95f. 128. 146; Ellis, 1978, 80ff.; Lüdemann, 1980. 1983; Wilckens, 1978, 43ff.; 1982, 145; vgl. Schoeps, 1949, 449).

Die einheitliche Beschreibung der Gegner in den pln. Briefen (einschließlich Past und Eph/Kol) als Gnostiker ist älter als die Baursche These. Sie war insgesamt weniger eindrücklich als diese, weil sie nicht im Rahmen eines umfassenden und theologisch gefüllten Bildes der urchristlichen Geschichte begegnete. Sie geht auf Hammond zurück und findet sich nur wenig abgeschwächt z. B. bei von Mosheim, Walch und Burton. Das Baursche Geschichtsbild drängte diese Anschauung zunächst zurück, obschon ihm besonders im

Blick auf 1/2Kor von Anfang an widersprochen wurde (Schenkel, 1838; de Wette, 1848, 262ff.; Godet, 1886/87; Schlatter 1914; vgl. Neander, 1862; Lightfoot).

Erst Lütgert knüpfte in seinen Untersuchungen zu den Paulusbriefen umfassend an die ältere Exegese an und beobachtete eine einheitliche Front gnostischer Lehrer, die in Korinth, Galatien, Philippi und Rom die pln. Gemeinden heimsuchen. Er blieb freilich hinter den entsprechenden Analysen der früheren Forschung und erst recht hinter den Einsichten der Religionsgeschichtlichen Schule seiner eigenen Zeit insofern zurück, als er nicht eigentlich mit einer vorchristlichen Gnosis als selbständigem religiösen Phänomen und einer von ihr ausgehenden Missionsbewegung rechnete, sondern die von ihm beobachteten gnostischen Züge der Gegner des Paulus für ein allerorts in den pln. Gemeinden unvermittelt auftretendes Zersetzungsprodukt des Paulinismus in der hellenistischen Umwelt hielt (vgl. S. 10f.). Außerdem machte Lütgert der 'Tübinger Schule' eine bedeutsame Konzession, indem er zumindest für Galatien und Philippi eine doppelte Frontstellung des Paulus anerkannte: gegen die gnostischen Enthusiasten und gegen die Jerusalemer Judaisten. Die Annahme einer doppelten Frontstellung ist mißlich, da Paulus eine solche nie unmittelbar zu erkennen gibt. Außerdem haben wir keinen Beleg für eine judaistische Weltmission unter Heiden, sieht man von den entsprechend interpretierten Passagen der Paulusbriefe ab, und auch allgemeine religionshistorische Erwägungen sprechen gegen die Wahrscheinlichkeit einer solchen Mission (Schmithals, 1963, 85ff.). Darum liegt der an die Forschung vor Baur anknüpfende Versuch näher, eine einheitliche antignostische (Schmithals, 1965; 1969; Rudolph, 1980, 319f.; Schulz, 1983, 266ff.) oder auch antisynkretistische (Gunther) Frontstellung der pln. Hauptbriefe nachzuweisen.

Die tatsächliche Forschungslage sieht heute allerdings anders aus. Statt sich in der Alternative zu bewegen, in der die Gegner des Paulus entweder einheitlich als Judaisten oder einheitlich als Gnostiker/Enthusiasten bestimmt werden, rechnen die meisten Forscher unter Verwerfung des unbefriedigenden Kompromisses, eine entsprechende doppelte Frontstellung annehmen zu müssen, mit einer

Fülle unterschiedlicher und mehr oder weniger häretischer Gruppierungen, die in den verschiedenen Gemeinden des Paulus unabhängig voneinander entstehen oder auftreten. Denn die „Paulusgegner, von denen die Briefe sprechen, kann man unmöglich ein und derselben Richtung zuordnen" (Vielhauer, 1975, 119). Ein solcher Versuch bedeute "to entail an undue simplification of the probably manifold variety of Pauls's readers, and a neglect of their varying background and environment" (Wilson, 1968, 367).

Man vgl. als charakteristisches Beispiel Köster (1959), dem zufolge Paulus sich in Gal gegen Judaisten mit synkretistischer Tendenz wendet, in 1Kor gegen nichtjüdische Gnostiker, in 2Kor gegen hellenistische Judenchristen, in Phil gegen judenchristliche Gnostiker. Unter Einschluß von 1/2Thess und Röm 16 ließe sich die Zahl dieser 'Kreuzungen' von Häretikern noch erhöhen (vgl. Köster, 1968, 190ff.; Bornkamm, 1961, 173; Munck, 1954, 61ff.; Barth, 1979, 70). Es gibt in diesem Rahmen auch weniger extreme, auf eine relative Einheitlichkeit der Gegner hin tendierende Ansichten, denen zufolge die Frontstellung in einzelnen Briefen miteinander identisch ist, z. B. in Phil und 2Kor (Friedrich, 1976, 131ff.; Collange, 1973, 29f.; Ellis, 1978, 108f.) oder in Phil und in 2Kor 10 – 13 (Gnilka, 1968, 218).

Die Auflösung der einheitlichen Frontstellung in den pln. Hauptbriefen, im besonderen die Überwindung des Tübinger Geschichtsbildes, gilt den entsprechenden Forschern als wissenschaftlicher Fortschritt: Man kann die von Paulus bekämpften Irrlehren nicht mehr einheitlich über den Leisten des Judaismus schlagen. War folglich nicht auch die von Baur und anderen beobachtete Einheitlichkeit eine unhaltbare Prämisse? Man könnte es so sehen. Freilich ist zu bedenken, daß die ebenso einheitliche Charakterisierung der Irrlehrer als Gnostiker nie mit einem schematischen Geschichtsverständnis, wie es sich bei den 'Tübingern' findet, verbunden war. Aber auch die 'Tübinger' gründeten ihre These primär auf die exegetische Beobachtung, daß die in dem einen Brief ermittelte Charakteristik der Gegner auch in dem anderen Brief begegnet. Die einschlägigen Untersuchungen Baurs und seiner Nachfolger sind ebenso wie die entsprechenden Werke Hammonds, Burtons, Lütgerts und anderer insoweit trotz unterschiedlicher Ergebnisse Musterbeispiele vergleichender Exegese.

In diesem Rahmen urteilt heute z. B. Ellis, die Gegner des Paulus repräsentierten eine einheitliche Missionsbewegung "with variations in nuance" (1978, 115), und auch Schenke/Fischer rechnen mit einer einheitlichen antipaulinischen Front, die freilich „keine absolut homogene Größe" darstellen müsse (1978, 47). Lüdemann knüpft mit Bedacht an Baur an und kommt zu dem Ergebnis: „Einen anderen als einen judenchristlichen Antipaulinismus jerusalemischer Herkunft hat es in den paulinischen Gemeinden nicht gegeben." Er will „die sogenannten gnostischen Elemente, die vielfach fälschlich auf antipaulinische Gnostiker zurückgeführt werden," demgegenüber „als genuinen Ausdruck des Paulinismus" verstehen, womit eine Zweifronten-Theorie vermieden ist (1980, 454f.). Gunther bezieht sogar Past und Eph/Kol in sein einheitliches Bild der Gegnerschaft ein und urteilt: "Paul's literary adversaries were believers whose background was a mystic-apocalyptic, ascetic, non-conformist, syncretistic Judaism more akin to Essenism than to any other well-known 'school' or holiness sect" (315).

Demgegenüber beruht die gegenwärtig vorherrschende Sicht vielfältig wechselnder, oft nur sehr vage beschriebener Frontstellungen in den Briefen des Paulus in der Regel auf der isolierten Analyse einzelner Schriften, und es gilt nicht selten ausdrücklich als methodischer Fortschritt, einen Brief oder auch nur einen Briefteil ohne Rücksicht selbst auf deutliche Parallelen in anderen Briefen zu untersuchen.

Haben solche Versuche auch ihr methodisches Recht, so müssen ihre Ergebnisse dennoch kritisch miteinander vermittelt werden, zumal die der heute vorherrschenden Sicht zugrundeliegende Vorstellung, daß Paulus in einem begrenzten Zeitraum während der dritten Missionsreise in seinen verschiedenen Gemeinden plötzlich ganz unterschiedlichen Irrlehrern begegnet, die zudem ebenso plötzlich, wie sie gekommen sind, auch wieder verschwinden, keine große historische Wahrscheinlichkeit für sich hat und auch die anschließende Kirchengeschichte im wesentlichen durch große geordnete Gegensätze, nicht durch einen Wildwuchs vielfältiger diffuser

Strömungen bestimmt wird. Man hat also „das Gesamtphänomen des Urchristentums unter der speziellen Frage nach den Widersprüchen und Gegensätzen, die im Prozeß seiner Entwicklung auftreten konnten oder sogar mußten" (Schenke/Fischer, 1978, 46f.), methodisch einzubeziehen (vgl. Lüdemann, 1980, 437ff.).

Der gegenwärtige Stand der Forschung gebietet jedenfalls, die einzelnen Hauptbriefe des Paulus je für sich zu betrachten. Dabei werden im folgenden jene Beobachtungen, die für eine gnostische Provenienz der Gegner des Paulus sprechen, besonders berücksichtigt und in den Zusammenhang mit entsprechenden Beobachtungen an den anderen Briefen gestellt. Diese Beobachtungen fügen sich zu dem geschlossenen Bild einer gnostischen Gegenmission auf dem pln. Missionsfeld während der sogenannten dritten Missionsreise des Paulus und lassen keinen Raum für andere Frontstellungen.

a) Die Korintherbriefe

Die Frage nach den Gegnern in 1/2Kor (vgl. Fascher, 1973) wird u. a. dadurch kompliziert, daß man die historische Situation beider Briefe unterschiedlich beurteilen kann und dementsprechend den Nachweis versucht hat, daß in 1Kor andere Gegner als in 2Kor bekämpft werden. Für diese Ansicht macht man gerne geltend, daß wir erst in 2Kor Näheres über die Person der Irrlehrer erfahren (2Kor 11,21f.) und vernehmen, daß sie von außen in die Gemeinde eingedrungen sind (2Kor 3,1; 11,4): Georgi, 1964, 13ff.; Kümmel, 1973, 247f.; Wikenhauser/Schmid, 438; Köster/Robinson, 65. Indessen folgt aus dieser Beobachtung nicht, daß nicht dieselben Gegner bereits in der früheren Korrespondenz bekämpft werden, zumal auch die Gegner des 1Kor in die Gemeinde eingedrungen sein müssen und sich nicht in nichts aufgelöst haben können. Wer für die beiden Briefe unterschiedliche Gegner annimmt, sieht sich deshalb in der Regel genötigt, die Irrlehrer von 1Kor aus innergemeindlichen Entwicklungen hervorgehen zu lassen und damit zu rechnen, daß sie sich den neuen Gegnern von 2Kor angeschlossen haben, eine Hilfshypothese, die den sachlichen und methodischen Ausgangspunkt der gesamten These, die Unterscheidung der Fronten, weitgehend aufhebt.

Mit dieser Problematik überschneidet sich die Frage nach der Integrität der Briefe. Die literarische Einheitlichkeit wird heute für 2Kor in der Regel, für 1Kor häufig bestritten. Hierzu vgl. Clemen, 1894; ferner Weiss, 1910; Windisch, 1924, 11ff.; Georgi, 1964, 16ff.; Schenk, 1969, 219ff.; Schmithals, 1973, 263ff.; Schenke/Fischer, 1978, 92ff. 106. 109ff.; Senft, 19. Daraus folgt, daß im Prinzip für jeden der literarkritisch rekonstruierten Einzelbriefe bzw. Brieffragmente eine spezifische Situation angenommen werden kann. Zugleich gilt: Je lebhafter sich die Korrespondenz des Paulus und der korinthischen Gemeinde aufgrund der literarkritischen Rekonstruktionen darstellt, um so schwieriger wird die Annahme sich ablösender Irrlehrer; denn Paulus gibt direkt nicht zu erkennen, daß er mit wechselnden Gegnern zu tun hat.

Die These der 'Tübinger' (Baur, 1831, 61ff.; vgl. schon Bertholdt, 3317; Schmidt, 1805, 238), Paulus setze sich mit Judaisten auseinander, die in die korinthische Gemeinde eingedrungen sind, hat einen scheinbaren Anhalt an 2Kor 11,22 (die Gegner betonen ihre Herkunft aus dem Judentum, was indessen auch Paulus tun kann; vgl. Röm 9,1ff.) und beruht vor allem auf der Identifizierung der 'Überapostel' von 2Kor 11,5. 13; 12,11 mit den Jerusalemer Uraposteln. Sie wird heute nur noch selten und nicht ohne Abschwächungen vertreten (s. die S. 24 Genannten und Käsemann, 1942).

Für eine einheitliche Frontstellung des Paulus gegen Gnostiker bzw. Enthusiasten, Pneumatiker o. ä. in 1/2Kor treten u. a. ein: Hammond (II 73f. 81. 98f. 108f.); von Mosheim; Burton, 130ff.; Schenkel; Neander; de Wette; Godet, 1894, 145ff.; Lightfoot; Lütgert; Schlatter; Lake, 1914, 219ff.; Büchsel, 1926, 367ff.; von Soden, 1931, 23; Bauer, 1934, 103f.; Bultmann, ThWNT I 706; Wendland, 1946, 2f.; Reicke, 1951, 273ff.; Goppelt, 1954, 126ff.; Schniewind, 114; Wilckens, 1959; Dinkler, 1960, 17ff.; Güttgemanns, 1966; Schmithals, 1969; Machalet; Matern, 275ff.; Jewett, 1971, 34ff.; Senft, 21f. (in statu nascendi); Pétrement, 1980, 154 (in statu nascendi). Dabei halten manche wie Lütgert die korinthische Gnosis für ein Zerfallsprodukt der pln. Predigt unter heidnischsynkretistischem Einfluß – eine religionshistorisch schwierige Vorstellung (s. S. 10–13), die faktisch darauf hinausläuft, die Gnosis nicht nur überhaupt als Verfallsprodukt des pln. Christentums anzusehen, sondern ihren Ursprung im wesentlichen auch in Korinth während der dritten Missionsreise zu datieren: Haenchen, 1961, 71; Wilckens, 1961/62, 292; Robinson, 1965, 302; Vielhauer, 1975, 139; vgl. aber 139f.; Marxsen, 1978, 105f.; Conzelmann, 1981, 29ff.; Horsley; Drane, 95ff.; vgl. Wolff. Nur für den 1Kor erkennen die antignostische Frontstellung an z. B. Käsemann, 1957, 18f.; Georgi, 1964, 13f. und in seinem Gefolge Bornkamm, 1961, 15f.; Köster/Robinson, 1971, 55ff. 139ff.; Köster, 1980, 555ff.; Barth, 1980, 257ff.; mit unterschiedlichen Modifikationen der Grundthese gehören hierher z. B. Friedrich, 1963; Barrett, 1964; 1964/65; 1970/71; Arai; Jewett, 1971, 23ff.; Kümmel, 1973, 237f. 247; Drane, 95ff.

Andere Thesen sind: Bei den korinthischen Spannungen und Spaltungen handelt es sich eher um persönliche Rivalitäten und Parteiungen als um grundsätzliche theologische Auseinandersetzungen, eine nach dem Verfall des 'Tübinger' Geschichtsbildes vor allem im Anschluß an 1Kor 1,12 oft vertretene These (Weiss, 1910, XXIXff.; Lietzmann, 1949, 6f.), die heute nur noch vereinzelt Anklang findet (Munck, 1954, 127ff. 162ff.; Wikenhauser/Schmid, 426ff.: für 1Kor; Hurd). Mit einer doppelten Frontstellung, die sich durch die ganze Korrespondenz hindurchzieht, rechnen z. B. Pfleiderer, 1887, 79ff.; Windisch, 1924, 23ff.; Allo: einerseits Antinomisten, andererseits Judenchristen « plus ou moins gnosticisants ». Die verbreitete Ansicht, daß Paulus sich in seiner Korrespondenz mit der korinthischen Gemeinde gegen eine einheitliche Front eingedrungener gnostischer Pneumatiker wendet, kann sich auf folgende Beobachtungen stützen (vgl. Schmithals, 1969), die nicht nur an der Polemik, sondern zu einem großen Teil auch an der Apologetik des Paulus zu machen sind; denn die Irrlehrer versuchen, durch einen persönlichen Vergleich mit Paulus die Überlegenheit ihrer Botschaft nachzuweisen.

Zur Christologie

Die Gegner verfluchen den irdischen Jesus (1Kor 12,3). Sie vertreten also eine dualistische Christologie (Godet, 1894, 155f.; Schniewind, 1952, 115; Brox, 1968) wie die Irrlehrer in 1/2Joh (s. S. 106ff.). In diesem Sinne verkündigen sie einen 'anderen Jesus' (2Kor 11,4), so daß Paulus in 2Kor 4,5.10f.14 betont positiv das bloße 'Jesus' verwendet. Dem entspricht, daß Paulus gegenüber den Irrlehrern die Bedeutung des Kreuzes Jesu hervorhebt (1Kor 1,18–31). Bei 1Kor 1,18–31 handelt es sich zwar im wesentlichen um einen vorformulierten 'Lehrtext', der als solcher nicht speziell die korinthische Situation vor Augen hat, der aber durch 1,17 und 2,1ff. solchen gegenüber zur Geltung gebracht wird, die Christen zu sein beanspruchen und das Kreuz Christi entleeren (1Kor 1,17; vgl. Phil 3,18). Auch die 'Sabotage' der Abendmahlsfeier, die aus 1Kor 11,17–34 erschlossen werden kann, gründet in der Ablehnung der Heilsbedeutung von Leib und Blut Christi.

Zur Gnosis

Die korinthischen Irrlehrer verkündigen statt des Kreuzes offenbar eine 'Weisheit' (1Kor 1,17 – 3,4.18f.; der Begriff σοφία entstammt nicht der korinthischen Situation, sondern dem in diese Situation eingebrachten 'Lehrtext' 1Kor 1,18–31) bzw. γνῶσις (1Kor 8,1: Weiss, 1910, 214; 13,8ff.; 2Kor 11,4–6; vgl. 1Kor 1,5; 15,24; 2Kor 2,14; 10,5). Paulus muß sich gegen den Vorwurf wehren, er habe den Korinthern die Predigt der 'Gnosis' vorenthalten, weil er kein 'Wissender' sei (1Kor 1,17 – 3,4). Analoge Vorwürfe stehen hinter 2Kor 4,3; 10,10ff.; 13,3ff.

Zur Anthropologie

Aus der Leugnung der Totenauferstehung (1Kor 15,12) durch die korinthischen Irrlehrer bei gleichzeitiger Unsterblichkeitshoffnung (1Kor 15,29) läßt sich eine spiritualistische bzw. dualistische Anthropologie erschließen, zu der im NT vor allem 2Tim 2,18 zu vergleichen ist (anders z. B. Spörlein). Demgegenüber bekennt Paulus sich außer in 1Kor 15 auch in 2Kor 4,7ff.; 11,29f.; 12,5.9f. (vgl. 13,4) ausdrücklich zur Leiblichkeit des Menschen, und zwar offensichtlich angesichts des gegnerischen Vorwurfs, Paulus sei ein 'Sarkiker' (2Kor 10,2ff.).

Die Gegner verstehen sich demgegenüber betont als Pneumatiker, wie sich aus 1Kor 7,40b; 12 – 14; 2Kor 10,1.10; 11,4; 13,9a (vgl. 1Kor 15,46) ergibt. Sie legen Wert auf die entsprechenden Praktiken der ekstatischen Lösung vom Leibe (1Kor 12,1ff.; 2Kor 5,11ff.; 12,1ff.) und des Zungenredens (1Kor 12 – 14) und rühmen sich der Vollkommenheit aufgrund ihrer pneumatischen Potenz, die sie Paulus absprechen (1Kor 1,17 – 3,4; 4,7ff. 10; 5,2; 2Kor 3,4ff.; 4,2–5; 7,12; 10,10ff.; 12,11; 13,9). Es gibt Anzeichen dafür, daß die korinthischen Gnostiker ihre Substanz-Identität mit dem Erlöser herausgestellt haben und sich insoweit auch selbst als Χριστός bzw. als τοῦ Χριστοῦ bezeichnen konnten (1Kor 1,12; 4,10; 2Kor 10,7; 11,23; 12,1–10; 13,3.5).

Zur Ethik

Das Verhalten der korinthischen Irrlehrer zur Welt entspricht ihrem Selbstbewußtsein als Pneumatiker. Sie demonstrieren ihre Überlegenheit über die dämonischen Weltmächte, indem sie das Götzenopferfleisch bedenkenlos essen und diese Handlungsweise von ihren Anhängern fordern (1Kor 8,1–13; 10,14–22; 10,23 – 11,1), den 'liberalen' Umgang mit dem Leib fördern (1Kor 5,1–13; 6,12–20; 7,1–40), was anscheinend zu asketischen Reaktionen in der Gemeinde führt, und die Emanzipation der Frau, nämlich die Aufhebung der schöpfungsgemäßen Unterschiede, verlangen (1Kor 11,2–16; 14,33b–36).

Zur Eschatologie

Der Ablehnung der Totenauferstehung (1Kor 15,12) entspricht eine spiritualistische Jenseitserwartung, wie sie nicht nur von 1Kor 15,29, sondern auch von 2Kor 5,1–10 bezeugt wird, und die entsprechende Heilssicherheit, gegen die Paulus sich z. B. in 1Kor 4,7–8 wendet.

Zur Ekklesiologie

Die korinthischen Gegner des Paulus sind Juden (2Kor 11,21ff.). Sie beanspruchen Autorität und Titel des Apostels (1Kor 9,1ff.; 2Kor 11,5.13; 12,11) und bestreiten Paulus das Apostelrecht, weil er kein Pneumatiker sei (2Kor 11,5; 12,1ff. 12f.). In den Gemeindeversammlungen treten sie als Propheten auf (1Kor 14,37f.). Apostel und Propheten (vgl. 1Kor 12,28; Eph 2,20; 4,11) sind ein Ämterpaar, das in der jüdischen Gnosis zu Hause sein dürfte (Schmithals, 1969, 261ff.).

Die vorstehende Übersicht ergibt: Die polemischen und apologetischen Stellen der Korintherbriefe lassen sich einheitlich aus antignostischer Frontstellung erklären. Die viel diskutierte Stelle 1Kor 1,12f. muß dann so verstanden werden, daß in Korinth ein freies Pneumatikertum, das sich mit Christus identisch weiß (ἐγώ εἰμι Χριστοῦ), gegen die apostolische Tradition auftritt, die von Paulus, Apollos und Petrus repräsentiert wird.

b) Der Philipperbrief

Heute hat sich weithin die Ansicht durchgesetzt, daß wir es bei dem kanonischen Philipperbrief mit einer Kompilation aus mehreren originalen Schreiben zu tun haben. – Vgl. z. B. Clemen, 1894, 133ff.; Holtzmann, 1886, 301; Weiss, 1917, 296; Schweitzer, 50f.; Michael, XIf.; Rathjen, 167ff.; Rigaux, 1962, 157; Schenke/Fischer, 1978, 125ff.; Collange, 1973, 21ff.

Bei jeder Analyse hebt sich der polemische Abschnitt des Phil, der sich mit Irrlehrern in Philippi auseinandersetzt, deutlich heraus. Er gilt meist als das späteste Stück der Korrespondenz und wird in der Regel in folgender Weise abgegrenzt: 3,2–4,3 + 4,8–9 (21–23).

Da die literarische Einheit des polemischen Abschnittes 3,2–19 in der Regel nicht bestritten wird, hat das Problem der Integrität des Briefes nur geringe Relevanz für die Frage nach den Gegnern des Paulus in Philippi. Indessen finden sich in dem älteren Teil der Korrespondenz in 1,12ff. 27; 2,1ff.; 2,12–30 Bemerkungen, die, zumal wenn Paulus in 1,15–17 die Verhältnisse in Philippi vor Augen hat (Schmithals, 1965, 54; Baumbach, 1973, 297f.), darauf hinweisen, daß Paulus schon in dieser frühen Zeit dieselben inneren Probleme der Gemeinde zu Philippi im Blick hat (Barth, 1979, 69), die sich zur Zeit von Phil 3,2 ff. dramatisch zugespitzt haben, so daß im Lichte dieses späteren Briefes auch die Andeutungen des vorausgehenden auf das Eindringen der Irrlehrer gedeutet werden können.

Die Ansicht der 'Tübinger' und ihrer Vorläufer (Eichhorn u. a.), Phil 3 zufolge hätten Judaisten das Werk des Paulus zu zerstören getrachtet, wird auch später noch vertreten. Vgl. z. B. Haupt, 1902, 125 f.; Zahn, I 377; Lueken, 1908, 383; Feine, 1916, 15 ff.; Ewald, 1917, 165; Appel, 57; Schenke/Fischer, 1978, 128; Jewett, 1970. Oft wird freilich daneben eine zweite Frontstellung angenommen, meist im Blick auf 3, 17 ff. Bei diesem zweiten Gegner handelt es sich dann in der Regel um Heiden bzw. um Anhänger heidnischer Unsitten (Lueken 386; Zahn I 384; Haupt, 163 f.; Appel 57; Jewett, 1970). Von einer doppelten Frontstellung gegen Judaisten und Gnostiker (Enthusiasten; Libertinisten) sprechen z. B. Lütgert, 1909, 1; Albertz, 1955, 320 f.; Polhill; Jewett, 1971, 22 f.; vgl. Betz, 1967, 145 ff., der mit gnostisierenden Judaisten einerseits, mit Libertinisten andererseits rechnet. Indessen deutet Paulus nicht an, daß er bei seiner Polemik in Phil 3 verschiedene Gegner im Blick hat (Collange, 28 f.); vgl. auch 1, 15–17. Dementsprechend sind die genannten Forscher auch unterschiedlicher Meinung darüber, wann Paulus in Phil 3 zur Bekämpfung neuer Gegner übergeht (Friedrich, 1976, 134 f.; Barth, 1979, 69). Von einer einheitlichen Frontstellung gegen gnostische Judenchristen (judenchristliche Enthusiasten o. ä.) sprechen z. B. Hammond, II 207.217 f.; Burton 166; Lightfoot, 1888, 155; Müller-Bardorf, 592 ff.; Friedrich, 1962, 95; Lohse, 1972, 50; Vielhauer, 1975, 165 (judaisierende Gnostiker jüdischer Herkunft); Siber, 101 ff.; Tyson; Ellis, 1978, 108 f.; Barth, 1979, 69 ff.; Köster, 1980, 568 f. (gesetzesstrenge Judenchristen gnostischer Observanz).

Daneben gibt es noch weitere Meinungen. Daß die Gegner des Paulus gar keine Christen, sondern Juden sind, meinen nach dem Vorgang älterer Forscher z. B. Lohmeyer, 1953, 125 (als zweite Frontstellung rechnet er mit abgefallenen Christen); Jülicher, 1906, 106 (neugebackene Proselyten der jüdischen Gemeinde); Klijn, 1964/65; Munck, 1954, 274. Für Schinz handelt es sich nicht um Lehrstreitigkeiten, sondern um soziale Kämpfe in der Gemeinde. Gnilka, 1965; 1968, 211 ff. und Collange, 1973, 28 ff. rechnen mit judenchristlichen Anhängern einer Theios-Aner-Christologie, die mit eindrucksvollem Auftreten die Dynamis Christi dokumentieren wollen. Suhl, 1975, 191 ff. zufolge lassen sich in Philippi Heidenchristen beschneiden, um den Rechtsschutz der Synagoge zu erhalten. Unbestimmt bzw. unbestimmbar bleibt die Position der Gegner bei de Wette, 1885, 341; Kümmel, 1973, 287; Ernst, 1974, 108ff.; Wikenhauser/Schmid, 499f.; Baumbach, 1973; Marxsen, 1978, 78ff.

Die Frage nach den Gegnern des Paulus in Philippi ist also besonders umstritten. Dies liegt an der knappen, oft nur andeutenden Beschreibung dieser Irrlehrer in der Polemik des Paulus: Die Empfänger des Briefes wußten, wovon die Rede war, und zwar noch besser als Paulus selbst. Aus dieser schmalen Textbasis entspringt auch die Zurückhaltung vieler Forscher gegenüber einer genauen Zeichnung der Irrlehrer sowie der gelegentlich zu beobachtende Wechsel in der Beschreibung der bekämpften Gegner bei einzelnen Auslegern. Auch die Annahme einer doppelten Gegnerschaft dürfte, blickt man auf die Einheitlichkeit des Gedankengangs in 3,2ff., in allen ihren Ausprägungen nur Ausdruck der Verlegenheit angesichts der undeutlichen Angaben des Paulus über seine Kontrahenten sein; sie hat keinen hinreichenden wissenschaftlichen Grund. Möglich wird eine genauere Zeichnung der Irrlehre in Philippi indessen für diejenigen Forscher, die mit einer mehr oder weniger einheitlichen Frontstellung in den Briefen des Paulus rechnen und die demzufolge das Bild der philippischen Irrlehre aus (den) Angaben der anderen Briefe verdeutlichen können.

Unter der Voraussetzung, daß auch in Philippi jüdische bzw. judenchristliche Gnostiker aufgetreten sind, ergibt sich zwanglos folgendes Verständnis von Phil 3,2ff. (Schmithals, 1965, 60ff.): Das Schimpfwort 'Hunde' (3,2) weist auf die Unreinheit bzw. Unsittlichkeit der Gegner hin, die Bezeichnung 'böse Arbeiter' auf ihre verderbliche missionarische Aktivität (vgl. 2Kor 11,13), der Vorwurf der 'Zerschneidung' auf ihren betonten Anspruch, Juden zu sein (vgl. 2Kor 11,21ff.; Gal 3,1ff.). Eine Beschneidungs*forderung*, die viele Forscher aus der Polemik des Paulus erschließen (Vielhauer, 1975, 165; Marxsen, 1978, 78ff.; Baumbach, 1973, 300f.), ist dem Ausdruck nicht zu entnehmen (Kümmel, 1973, 287).

Mit ähnlichen Worten wie in 2Kor 11,18.21ff. weist Paulus darauf hin, daß er sich hinsichtlich der 'fleischlichen' Zugehörigkeit zum Gottesvolk des Alten Bundes nicht weniger rühmen könnte als die Gegner (3,3–6), es aber um Christi willen nicht tun darf (3,7ff.;

vgl. 2Kor 11, 16ff.; 12, 1). Die in 3, 7–11 im Rahmen seiner Rechtfertigungslehre gegebene Begründung dafür, daß er die 'fleischlichen Vorzüge' nicht (mehr) achtet, ist *primär* unpolemisch, doch könnte die Wahl des Begriffs 'Gnosis' in V. 8 (vgl. V. 10) polemische Bedeutung haben. Vor allem fällt auf, wie breit Paulus inmitten der direkten Polemik vorher und nachher in V. 9–11 den Inhalt der 'Gnosis Christi' entfaltet, und zwar so, daß der Ton im Anschluß an das traditionelle christliche Bekenntnis auf dem Leiden Christi bzw. dem Mitleiden der Christen mit Christus und auf der zukünftigen Totenauferstehung liegt, also auf zwei Themen, die Paulus auch sonst in antignostischer Frontstellung betont herausstellt; vgl. 1Kor 1, 17ff.; 15, 1ff.; 2Kor 3, 7ff.; 13, 3ff.; 1Thess 4, 13ff. u. ö. (Gnilka, 1968, 197).

In 3, 12–16 (vgl. schon 3, 3) wendet Paulus sich, wie die meisten Ausleger erkennen, deutlich gegen den Anspruch der Irrlehrer auf bzw. gegen ihre Forderung nach 'Vollkommenheit' (vgl. 1Kor 2, 6ff.; 3, 1ff.; 4, 7ff.; 5, 2; 2Kor 3, 4ff.; 4, 2ff.; 5, 11ff.; 10, 4f. 12ff. usw.; Gal 5, 26; 6, 1ff. 13f.). Schon in dem vorausgegangenen Brief hatte Paulus dem pneumatischen Hochmut der philippischen Irrlehrer widersprochen (2, 3ff. 12f.).

Der in ironischem Ton gehaltene V. 15 läßt erkennen, daß die 'Vollkommenen' in Philippi sich ihrer 'Offenbarungen' rühmten (vgl. 2Kor 4, 2ff.; 5, 11ff.; 12, 1ff.; Gal 1, 12).

V. 16 leitet von der Zurückweisung der Vollkommenheitsforderung zur Polemik gegen den unziemlichen Wandel über: die Vollkommenen sind also mit den 'Libertinisten' identisch. Vollkommene aber sollten vollkommen wandeln (vgl. Gal 5, 16. 25; 1Kor 3, 1ff.; 6, 12). Dafür stellt Paulus sich selbst als Vorbild hin (3, 17; vgl. Röm 16, 17). V. 16–17 sichern gegenüber aller judaistischen Interpretation, daß in V. 18f. von ethischem Verhalten bzw. von verkehrtem Wandel gesprochen wird, nicht aber von einem Nomismus der Gegner (was z. B. Köster, 1980, 568f. und Vielhauer, 1975, 165 übersehen). Welches unsittliche Verhalten die Polemik des Paulus in V. 18f. im einzelnen beschreiben will, ist indessen den knappen Stichworten des Apostels nicht leicht zu entnehmen. Gegenüber gnostischen Irrlehrern wäre folgendermaßen zu verstehen: Diejenigen, die ihren Wandel von der dualistischen Ablehnung des Kreuzes (des Leidens und des Leibes) Christi bestimmt sein lassen, verhalten sich gegenüber dem Leiblichen entsprechend, sei es hinsichtlich der Speisevorschriften (vgl. 1Kor 6, 12f.; 8, 1ff.; 10, 23ff.; Röm 16, 18), sei es hinsichtlich der Sexualität (vgl. 1Kor 6, 12ff.; 5, 1ff.; 7, 1ff.; 2Kor 4, 2; 12, 21), wobei sie solchen Libertinismus als religiöse Demonstration ansehen (V. 19).

Phil 3 läßt sich also einheitlich aus der Frontstellung gegen judenchristliche Gnostiker verstehen.

c) Der Galaterbrief

Aus Gal 5, 2ff. 12; 6, 12f. geht hervor, daß die galatischen Irrlehrer auch Heidenchristen beschneiden. Aufgrund dieser Tatsache bildete der Galaterbrief, nachdem aus der Beschneidungspraxis in Galatien schon zuvor ein Judaismus der Irrlehrer abgeleitet worden war (vgl. z. B. Michaelis, 1777, 1011f.; Hug, 1826, II 356; Credner, 1836, 354f.), das tragende Fundament der Tübinger Tendenzkritik. Demgegenüber hat Lütgert 1919 nach Vorgang anderer (Hammond, II 165f. 182f.; de Wette, 1845, 74ff.; Francke, 1883; Lightfoot, 1890, 208) auf eine Reihe von polemischen Ausführungen des Paulus in Gal hingewiesen, die sich nicht gegen Judaisten richten können, sondern eine ultrapaulinische, pneumatische und libertinistische Gruppe voraussetzen, die Lütgert sich als Reaktion auf die judaistische Agitation entstanden denkt (doppelte Frontstellung). Ihm folgte Ropes (vgl. auch Schlier, 1949, 136. 144; Jewett, 1971, 19f.).

Da Paulus eine doppelte Frontstellung in Gal ausdrücklich nicht zu erkennen gibt, war der Versuch berechtigt, Gal einheitlich aus einer antignostischen Frontstellung zu erklären (Schmithals, 1965, 9ff.; 1983; vgl. schon Crownfield: Synkretisten). Dieser Versuch hat eine lebhafte Diskussion hervorgerufen und auch manche Zustimmung gefunden (Stählin; Wegenast, 36ff.; Conzelmann, 1962, 147; Kertelge, 196ff.; Bultmann, 1965, 110; Marxsen, 1963, 49ff.; Güttgemanns, 133. 179f. 184f.; Jüngel, 32; Schlier, 1962; Lähnemann, 160; vgl. Wilson, 1968). Der gegenwärtige Stand der Forschung wird indessen weiterhin von der Hypothese bestimmt, die Gegner des Paulus seien Judaisten (Schenke/Fischer, 1978, 82ff.: „besonders strenge Judenchristen mit Rückhalt im Jerusalem"; Tyson, 1968, 241ff.; Bring; Wikenhauser/Schmid, 415; Drane), wenn diese These auch in mancher Hinsicht erweicht wird (Vielhauer, 1975, 123f.: „unter Anerkennung" von „Unsicherheiten", die Judaisten übernahmen das Gesetz „in welchem Umfang auch immer"; Marxsen, 1978, 66ff.; Kümmel, 1973, 262f.: „auf alle Fälle gesetzestreue Judenchristen", deren Lehre indessen vielleicht „synkretistische Züge" aufweist; Talbert, 1967, 29; Lührmann, 1978, 104ff.), „wobei unglaublich phantastische Phänomene (als die bekämpfte Irrlehre) geboren werden" (Schenke/Fischer, 1978, 88), wenn man z. B. von einem 'gnostischen Judaismus' spricht, also von einer ad hoc für Gal entworfenen Häresie, die in den Sonderrichtungen des Urchristentums ohne Analogie wäre und gegensätzliche Positionen gewaltsam in sich vereint (Köster, 1980, 552: „... werden als *Judaisten* bezeichnet", sind aber auch „Pneumatiker"; Georgi, 1965, 35ff.: „nomistische Praktiken", „Mysterienhandlungen", „pneumatische Vollendung"; Jewett, 1970/71; Batelaan). Andere Forscher resignieren gegenüber einer einigermaßen präzisen religionsgeschichtlichen Einordnung der Gegner des Paulus in Galatien (Mußner, 1974, 24ff.).

Die Beschneidungspraxis als solche kann indessen nicht für einen Judaismus der galatischen Gegner in Anschlag gebracht werden. Die Beschneidung macht zum Juden, nicht zum Judaisten. Sie gliedert den Beschnittenen in die jüdische Nation und in die Rechtskörperschaft der Synagoge ein, verlangt ihm aber – jedenfalls vor der pharisäischen Reorganisation der Synagoge nach 70 – kein judaistisches Gesetzesverständnis ab.

In Galatien denken zudem auch die Irrlehrer selbst nach der ausdrücklichen Angabe des Paulus (6,13) nicht daran, das Gesetz im judaistischen Sinn zu beachten. Vielmehr üben sie die Beschneidung, um der Verfolgung durch die Synagoge zu entgehen, die den Juden Paulus wegen seiner gesetzesfreien Mission traf (5,11; 2Kor 11,24). Dementsprechend gibt Paulus sich große Mühe, den Galatern in einer subtilen theologischen Argumentation allererst nachzuweisen, daß Beschneidung und Glaube sich ausschließen (3, 1 – 5, 12), und in diesem Zusammenhang muß erst er den Galatern sagen, daß die Beschneidung auf das ganze Gesetz verpflichtet. Für die Gegner war also zwar die Beschneidung, nicht aber die Tora wichtig.

Wer diesen unmißverständlichen Zusammenhang der pln. Argumentation richtig beobachtet, erklärt wie schon Michaelis (1777, 1011) gerne, die galatischen Irrlehrer hätten die nomistischen Folgen ihrer Beschneidungspraxis zunächst verschwiegen, und Paulus decke das Verschwiegene auf. Tatsächlich müßte Paulus in diesem Fall die galatischen Gegner freilich mißverstanden haben, weil er ihnen 6, 12 f. nicht-nomistische Motive unterstellt und darauf verzichtet, ihre Hinterlist aufzudecken. Die Annahme eines solchen Mißverständnisses hätte indessen nur Sinn, wenn die Irrlehrer sich im übrigen als Judaisten zu erkennen geben. Das ist indessen nicht der Fall, so daß sich aus ihrer Beschneidungspraxis nur entnehmen läßt, daß die Gegner des Paulus in Galatien Judenchristen sind und wie die Gegner in Philippi (3, 4 ff.) und Korinth (2Kor 11,21 ff.) ihr Judentum betonen.

Alle übrigen Merkmale der Irrlehre, welche der Gal erkennen läßt, weisen auf ein enthusiastisches Pneumatikertum hin (Schmithals, 1965, 9 ff.). Paulus verteidigt sich in 1, 10 – 2, 10 (vgl. schon 1, 1) gegen den Vorwurf, er sei ein 'Apostel von Menschen' (1, 1) und habe sein Evangelium von Menschen empfangen (1, 11 ff.). Indem er darauf insistiert, daß *auch er* (1, 12) nicht von Menschen abhängig sei, gibt er zu erkennen, daß die galatischen Irrlehrer ihr Evangelium und ihren Apostolat direkt aus ihrem pneumatischen Selbstbewußtsein ableiten. Sie verachten die 'Lehrer', die der Gemeinde die kirchliche Tradition vermitteln (6, 6), und werfen Paulus ironisch vor, er könne nur – unpneumatisch – die Gemeinde überreden (1, 10; vgl. 2Kor 5, 11 ff.; 1Kor 14, 2 f. 12. 17 ff.).

Als 'Pneumatiker' bezeichneten sich die gegnerischen Galater mit Betonung (3, 2. 5; 5, 25; 6, 1). Als solchen wirft Paulus ihnen unbegründete Ruhmsucht vor, weil sie diejenigen, die der pneumatisch-ekstatischen Erfahrungen nicht mächtig waren, mit ihren eigenen enthusiastischen Charismen provozierten und ihren Neid weckten (5, 26). Sie verachten das nichtige 'Fleisch' (4, 12 ff.). Diese dualistische Verachtung des Fleisches führt zu einem mehr oder weniger libertinistischen Verhalten der Irrlehrer, die ihre 'Freiheit vom Fleisch' demonstrieren (5,1.3. 13.16.19ff.; 6,3f.7f.13).

Ein oft verhandeltes Einzelproblem begegnet in 4,10 (vgl. Kol 2,16), eine Stelle, die möglicherweise nicht von der Übernahme des synagogalen Kalenders durch die Beschnittenen handelt, die mit dem Eintritt in die Synagoge zwangsläufig verbunden war, sondern von der Rücksichtnahme auf mythologische, dämonische Weltmächte, die in der gnostischen Mythologie eine große Rolle spielen (vgl. noch S. 71).

d) Der Römerbrief

Das oft besprochene Rätsel des Römerbriefs ergibt sich aus der Beobachtung, daß Paulus Heidenchristen anredet (1,5f. 13ff.; 11,13; 15,15ff.) und im wesentlichen eine Auseinandersetzung mit dem Judentum führt (vgl. Schmithals, 1975).

Baur hatte 1836, die erste dieser beiden Beobachtungen ignorierend, den Kern von Röm in Kap. 9 – 11 gesehen und erklärt, Paulus wende sich vor allem gegen die Meinung der schroffen judenchristlichen Gemeinde in Rom, die pln. Heidenmission widerspreche dem Heilsplan Gottes. Seine Schüler rechneten lieber mit einer mild judenchristlichen Richtung in Rom, verlegten den Schwerpunkt des Briefes richtig auf Kap. 1 – 5 und deuteten diese Kapitel als Versuch des Paulus, Vorurteile der römischen Judenchristen gegen seine Mission zu zerstreuen.

Weizsäcker verband dagegen 1876 nach Vorgang anderer und unter dem Beifall vieler zeitgenössischer Forscher das Tübinger Geschichtsbild mit der unzweifelhaft heidenchristlichen Adresse des Röm und sah demzufolge den Brief durch das Eindringen judaistischer Agitatoren in die heidenchristliche Gemeinde Roms veranlaßt.

Auf demselben methodischen Weg fand Lütgert 1913 zu der gegenteiligen These, Paulus warne mit seinem Brief vor dem akuten Einbruch eines antinomistischen und libertinistischen Christentums.

Indessen deutet Paulus in Röm 1 – 15 nirgendwo an, daß er mit

Eindringlingen in die römische Christenheit rechnet. Eine entsprechende These wird deshalb heute auch nirgendwo mehr vertreten. Und sofern Paulus sich gegen den Vorwurf des Antinomismus wehrt (2,16; 3,7f.31; 6,1ff.; 7,7ff.), kommt dieser aus der Synagoge und richtet sich gegen ihn selbst; in der römischen Christenheit sind Antinomisten nicht zu beobachten.

Der Anlaß von Röm kann deshalb nicht im Eindringen von Irrlehren in die römische Gemeinde gefunden werden. Insoweit fällt der Röm aufs Ganze gesehen aus der Fragestellung 'Neues Testament und Gnosis' heraus.

Röm 16

Eine Ausnahme macht das 16. Kapitel des Römerbriefs, und zwar im besonderen wegen 16,17–20 (Schmithals, 1965, 159ff.; 1975, 125ff.). Röm 16 gilt seit Keggermann (1767) und Semler (1769) vielen Forschern mit Recht als ein selbständiger Brief bzw. als das Fragment eines solchen, und zwar in der Regel als ein nach Ephesus gerichtetes Empfehlungsschreiben für die Phöbe. Wir können die literarkritische Problematik indessen vernachlässigen, weil auch für den Fall der Integrität des Briefes der Abschnitt 16,17–20 aus sich heraus verstanden werden muß; denn der Brief selbst erwähnt die in diesen Versen beschriebenen Leute auch nicht andeutungsweise.

Diese Warnung vor Irrlehrern findet sich nach der Grußliste 16,3–16 innerhalb der regelmäßig zum Briefrahmen gehörenden Schlußparänese. Ob die apostrophierten Gegner bereits in der Gemeinde tätig sind oder ob Paulus prophylaktisch vor ihnen warnt, läßt sich nicht sagen. Jedenfalls müssen diese falschen Lehrer der Gemeinde bekannt sein, soll sie die Andeutungen des Paulus in 16,17–20 verstehen.

Es fällt auf, daß Paulus die Gegner ähnlich wie in den anderen Briefen beschreibt. Vergleiche

zu 16,17 (Absage an die überkommene Lehre): Gal 5,20; 6,1; 1Kor 3,3; 4,17; Phil 3,17; 4,9;

zu 16,18a (Libertinismus): 2Kor 11,13.15; Phil 3,18f.;

zu 16,18b (Weisheitsrede): 1Kor 1,17; 2,1.4; 2Kor 10,10; 11,6;

zu 16,19 (Weisheitsrede): 1Kor 1,17ff.;
zu 16,20 (Satansdienst): 2Kor 11,13–15.
Vgl. ferner 1Tim 1,6; 6,20; 2Tim 3,5; Kol 2,4; 1Joh 2,10 usw.

Da man innerhalb von 16,17–20 schwerlich verschiedene Fronten annehmen kann, spricht die Parallelität dieses Abschnitts mit den polemischen Passagen aller andern Paulusbriefe ganz unabhängig von der Frage, wie man die Gegner näher bestimmt, für die Einheitlichkeit der Frontstellung in den authentischen Briefen des Paulus während der dritten Missionsreise. Jedenfalls hat man mit Recht geschlossen: „Paulusfeindliche Agitatoren müssen es sein wie in Galatien, Philippi und Korinth" (Jülicher, 1908, 325), und dementsprechend die für diese Schreiben ermittelte Frontstellung auf Röm 16,17–20 übertragen.

So rechnen mit antijudaistischer Polemik z. B. Baur, 1845, 415; Hilgenfeld, 1875, 326; Lipsius, 1892, 203; Lietzmann, 1933, 127; Althaus, 1946, 128; Schenke/Fischer, 1978, 139; Wilckens, 1982, 138ff. Dagegen sprechen von Gnostikern (Libertinisten, Enthusiasten o. ä.) z. B. Hammond, II 8.10f. 71: gegen Simon Magus; Baur, 1836, 114ff.; 1857, 60ff., sowie Volkmar, 1875, 69ff. und Pfleiderer, 1887, 145 unter der Voraussetzung nachpaulinischen Ursprungs von Röm 16; Lütgert, 1908, 138f.; Appel 47; Bardenhewer, 216; Reicke, 1951, 297; Preisker, 1952/53, 28; Käsemann, 1973, 298f.; Müller, 1975, 190; vgl. auch Holtzmann, 1874, 514; 273; Kümmel, 1973, 279. Manche Forscher lassen die Antwort auf die Frage nach den in Röm 16,17–20 bekämpften Irrlehrern in der Schwebe (Rückert, 644; de Wette, 1847, 198; Schlier, 1977, 447ff.; Michel, 1978, 37.479ff.; Vielhauer, 1975, 189f.).

Für sich genommen gibt Röm 16,17–20 in der Tat keine sichere Auskunft über den Lehrtypus der vorgestellten Häretiker, obschon die Andeutungen der Verse eher auf enthusiastische als auf judaistische Gegner schließen lassen, wie besonders der Hinweis auf die überlieferte Lehre in V. 17 und die Anspielung auf die 'Weisheit' in V. 19 zeigen. Insgesamt aber muß man die genauere Beschreibung der Gegner, eine einheitliche Frontstellung der pln. Hauptbriefe vorausgesetzt, aus der umfassenden Analyse der Paulusbriefe gewinnen.

Setzt man die ephesische Adresse der Warnung Röm 16,17–20

voraus, spricht auch der durch 2Tim 1,15; Apg 20,26ff. bezeugte frühe Abfall der Gemeinden Asiens zur Gnosis für die anti-enthusiastische Interpretation von Röm 16,17–20 (vgl. Bauer, 1934, 86ff.).

e) Die Thessalonicherbriefe

Eine Fülle kontroverser Einleitungsfragen nach Anlaß, Authentizität, Integrität und Adressatenkreis der Thessalonicherbriefe erschwert den Versuch, dem Problem des Verhältnisses von 1/2Thess zu eventuell vorhandenen gnostischen Irrlehrern in Thessalonich deutliche Konturen zu geben.

Baur vermochte im 1Thess keine antijudaistische Polemik zu erkennen. Da der Brief insofern aus seinem Geschichtsbild der apostolischen Zeit herausfiel, hielt er ihn für nachpaulinisch (1845, 480ff.; nach Vorgang von Schrader, 1836, 23ff.; vgl. auch Holsten, 1877) und verwies zur Begründung dieses Urteils u. a. auf die zahlreichen Berührungen des 1Thess mit anderen Paulusbriefen, die der Verfasser des 1Thess benutzt habe.

Um unter der Voraussetzung der Baurschen Geschichtskonstruktion die nur schwer zu bestreitende Authentizität des Briefes zu retten, machten andere (z. B. Lipsius, 1854) den erfolglos gebliebenen Versuch, eine antijudaistische Polemik im 1Thess nachzuweisen. Wer hat aber dann, wenn in Thessalonich keine Judaisten gegen Paulus agierten, die Vorwürfe erhoben, gegen die der Apostel sich in 1Thess 1,5ff.; 2,1ff. wehrt und die offenbar seine apostolische Legitimität und seine Lauterkeit bestritten?

Man verweist auf Juden, das heißt auf die örtliche Synagoge, die dem Apostel seinen Missionserfolg mißgönnte (z. B. Lipsius, 1854, 910; Hilgenfeld, 1875, 241f.; Kümmel, 1973, 222f.), oder auf Heiden, die sich gegen jede jüdische und christliche Proselytenmacherei wenden (z. B. Schmiedel, 1892, 5; Clemen, II 181; Zahn, I 155f.), oder auf Juden und Heiden (Friedrich, 1976, 222), oder man läßt den Verdacht, die Thessalonicher könnten ihn für einen unlauteren Goeten halten, ohne konkreten Anhalt an der Situation in Thessalonich in Paulus selbst entstehen (Bornemann, 1894, 265ff.; Lueken, 1908,

9f.; v. Dobschütz, 1909, 107: „Stimmung des Briefschreibers"; Dibelius, 1937, 10f.: „Lieblingsthema des Paulus"; Oepke, 1955, 133; Vielhauer, 1975, 86; Köster, 1980, 546; vgl. Masson, 1957, 8.32), oder man nimmt an, Paulus warne prophylaktisch vor ggf. einmal eindringenden Irrlehrern (Olshausen, 1840), was von Dobschütz (1909, 106) eine „psychologische Ungeheuerlichkeit" genannt hat, oder man erkennt in 1Thess 1,5ff.; 2,1ff. nicht eine Apologie des Apostels, sondern eine Apologie des Evangeliums (Marxsen, 1978, 46; 1979, 25.43ff.).

Demgegenüber erschloß Lütgert in einer besonders gut gelungenen Untersuchung aus den engen Beziehungen des 1Thess zu 1/2Kor (und zu Phil und Gal), daß Paulus es in Thessalonich mit denselben Irrlehrern wie in den anderen authentischen Briefen zu tun habe. Er folgte damit der bis zu Baur herrschenden Auslegungstradition, indem er mit Irrlehrern in Thessalonich rechnet, und er charakterisierte diese Irrlehrer im Einklang mit seiner Gesamtdeutung der urchristlichen Parteiungen und unter sorgfältiger Auslegung der entsprechenden Abschnitte von 1/2Thess als Enthusiasten (1909; vgl. Stürmer, 48; Haufe, 1969, 34; Jewett, 1972; Harnisch, 1973, 22ff. 80ff.; Friedrich, 1976, 205; Marxsen, 1978, 52ff.). Von seinen Nachfolgern ist Hadorn (1919) besonders zu nennen, weil er wegen des von Lütgert behaupteten Anlasses und aus anderen Gründen den 1Thess, der meist kurz nach dem Gründungsaufenthalt des Paulus in der Zeit der zweiten Missionsreise datiert wird, während der sogenannten dritten Missionsreise entstanden sein läßt (vgl. Michaelis, 1954, 223).

2Thess wird seit 1798 (J. E. C. Schmidt) zunehmend als deuteropaulinisches Schreiben angesehen, das die eschatologischen Ansichten des 1Thess (4,13ff.; 5,1ff.) ersetzen, korrigieren oder interpretieren wolle. In der Gegenwart überwiegt die Annahme der Unechtheit von 2Thess bei weitem. Vgl. z. B. Braun, 1952/53; Vielhauer, 1975, 99ff.; Friedrich, 1976, 252ff.; Lindemann, 1977, 35ff.; Schenke/Fischer, 1978, 194f.; Trilling, 1980, 22ff.; Marxsen, 1982.

Einen Schlüssel der Interpretation des 2Thess bildet eine den Lesern bekannte Behauptung, die Paulus in 2Thess 2,2, mit ὡς ὅτι (wie

2Kor 5,19; 11,21) eingeleitet, als Zitat wiedergibt: ἐνέστηκεν ἡ ἡμέρα τοῦ κυρίου. Die in dieser Parole ausgedrückte Meinung soll nach Auffassung der meisten Exegeten lauten: 'Der Tag des Herrn steht nahe bevor' (Stephenson; Vielhauer, 1975, 93f.; Friedrich, 1976, 262f.; Schenke/Fischer, 1978, 194f.; Lindemann, 1977, 41). Dieser apokalyptischen Naherwartung trete entweder Paulus selbst oder der deutero-pln. Verfasser von 2Thess mit dem in 2Thess 2,3ff. entfalteten 'Verzögerungsprogramm' entgegen.

Indessen heißt ἐνίστημι entweder ohne nähere zeitliche Bestimmung 'bevorstehen', eine Bedeutung, die im vorliegenden Fall nicht in Frage kommt, oder (meist und im NT nur) 'gegenwärtig da sein', 'vorhanden sein'. Die in 2Thess 2,2 zitierte Behauptung lautet also: 'Der Tag des Herrn ist da', und diese Behauptung präsentischer Eschatologie haben, da sie schwerlich im apokalyptischen Sinn gemeint sein kann, schon Baur (1855), Hilgenfeld (1862, 247.251) und Bahnsen (703f.), an die sich dann Lütgert und andere (vgl. Marxsen, 1982, 54f.) anschließen, auf die beliebte gnostische Umdeutung der apokalyptischen Eschatologie bezogen (vgl. 2Tim 2,18; Joh 3,18f.; 5,24f.; 14,18.23; 2Kor 5,17 sowie 1Kor 4,8; Phil 3,12ff.), entweder paulinische oder nachpaulinische Abfassung von 2Thess voraussetzend.

Dieser 'gnostischen' Deutung entspricht, daß die Gegenwart des 'Tages' 2Thess 2,2 zufolge nicht nur gelehrt (διὰ λόγου), sondern auch enthusiastisch im Geist (διὰ πνεύματος) vorgetragen wird, und zwar unter zusätzlicher Berufung auf einen Brief des Paulus, womit nur 1Thess 5,1ff. gemeint sein kann, ein Abschnitt, der freilich nicht auf das 'nahe', sondern auf das 'plötzliche' Kommen des 'Tages des Herrn' hinweist, aber in 5,4ff. als Beleg für eine 'präsentische Eschatologie' dienen konnte und mit V. 2 offenbar auch das Stichwort ἡμέρα τοῦ κυρίου für die Losung 2Thess 2,2 geliefert hat.

Die vielen Probleme der Thessalonicherbriefe werden nochmals kompliziert, wenn man die literarkritischen Fragen bedenkt. Vor allem die Einheit des 1Thess wurde öfters bestritten. Sieht man von dem Problem sekundärer Interpolationen ab – beanstandet wird seit jeher 1Thess 2,(13)14–16; vgl. darüber hinaus z. B. Loisy, 1933, 17;

Friedrich, 1973; Demke, 1973 –, so wird die These, 1Thess bzw. 1/2Thess sei eine Kompilation aus mehreren Briefen, vor allem durch Dubletten der Briefrahmen, aber auch durch wechselnde Situationen von Absender und Empfänger in demselben Brief nahegelegt (Eckart, 1961; Fuchs, 1959/60, 46f.; Schmithals 1965, 89ff.; Schenke/Fischer, 1978, 65ff.).

Die These, daß während der dritten Missionsreise des Paulus auch in Thessalonich Vertreter der gnostischen Gegenmission auftreten, die Anlaß zur Korrespondenz des Paulus mit Thessalonich geben, ist wegen der engen Beziehungen der Thessalonicherbriefe zu den anderen pln. Hauptbriefen gut begründet. Sie läßt sich am besten unter der Voraussetzung durchführen, daß wir es sowohl bei 1Thess wie bei 2Thess mit redaktionellen Kompositionen der Korrespondenz des Paulus mit der Gemeinde in Thessalonich zu tun haben, wobei der Redaktor einzelne Abschnitte im Sinne seiner eigenen Tendenz hinzugefügt hat (1Thess 2,14–16; 4,15–18; 2Thess 1,4b–10; 2,5–8a. 9–12). Mit diesen Zusätzen, die eine akute Verfolgungssituation voraussetzten, distanziert der Redaktor die Gemeinde von dem aufrührerischen Judentum und weist eine in dieser Situation in ihrer Mitte aufkommende Naherwartung des Endes zurück.

Die Korrespondenz selbst nimmt folgenden Gang, der sachlich und im wesentlichen auch zeitlich der Korrespondenz des Paulus mit Korinth entspricht:

Erster Brief (2Thess 1,1–4a. 11–12; 3,6–16). – Paulus *hört* von 'unordentlichen' Gemeindegliedern, die offenbar eine missionarische Tätigkeit entfalten und vielleicht von der Gemeinde unterhalten werden wollen (vgl. 1Tim 5,13). Welche Lehre sie verbreiten, wird noch nicht sichtbar. Paulus weist die 'Unordentlichen' mit Hinweis auf sein Vorbild an, zu ihrer Alltagsarbeit zurückzukehren, und er befiehlt der Gemeinde, andernfalls die 'Unordentlichen' aus ihrer Mitte auszuschließen (vgl. 1Kor 5,9ff.; Tit 3,10f.).

Zweiter Brief (1Thess 4,13–14; 5,1–28). – Das Bild der Situation in Thessalonich bekommt deutlichere Konturen. Zwischen der Gemeindeleitung und Teilen der 'Basis' gibt es Spannungen (1Thess 5,12f. 27), die auf die aus dem ersten Brief bekannten 'Unordentlichen' zurückgehen dürften. An die in jenem Brief geforderte Zurechtweisung der 'Unordentlichen' *erinnert* Paulus zu Beginn der Schlußparänese (1Thess 5,14a). Er fordert die Thessalonicher außerdem auf, die Leitung der Gemeinde zu respektieren (1Thess 5,13f.; vgl. Gal 6,6; 1Kor 16,15f.). Aus 1Thess 5,19f. läßt sich entnehmen, daß es sich bei den Unordentlichen um Enthusiasten handelt; Paulus verwehrt der Gemeinde aber, den prophetischen Geist ganz zu verwerfen, und fordert sie auf, Spreu und Weizen voneinander zu scheiden (1Thess 5,21f.). Vor allem greift er zur Feder, um sich gegen die Leugnung der Auferstehung zu wenden (1Thess 4,13ff. 5,1–11). Geht diese Leugnung, wie man annehmen muß, nicht anders als in Korinth von den Enthusiasten bzw. 'Unordentlichen' aus, meint sie nicht, wie Paulus annimmt (vgl. auch 1Kor 15,32 mit 15,29f.), daß mit dem Tode alles aus sei, sondern behauptet die Leiblosigkeit des unsterblichen Pneuma-Selbst (vgl. 2Thess 2,2; 2Tim 2,18). 'Frieden und Sicherheit' (1Thess 5,3) könnte eine Parole der 'Vollkommenen' in Thessalonich sein.

Dritter Brief (2Thess 2,13–14. 1–4. 8b. 15–17; 3,1–3. 17–18). – Dem Apostel kommt zu Ohren, daß in Thessalonich die Behauptung aufgestellt wurde, der 'Tag des Herrn' sei schon da, und zwar vor allem unter Berufung auf den Geist, aber auch unter Hinweis auf die Predigt und auf einen Brief des Paulus (= 1Thess 5,1ff.). Offensichtlich handelt es sich dabei um die enthusiastische Behauptung gnostischer Perfektionisten, wie sie schon hinter der Leugnung der Auferstehung (zweiter Brief) stand. Paulus versteht die enthusiastische Behauptung im Rahmen seines eigenen Denkens und bezieht sie auf den Eintritt der Parusie; er ist also nach wie vor nur spärlich über die Vorgänge in Thessalonich orientiert. Er verpflichtet die Thessalonicher gegenüber den Pneumatikern auf seine mündliche und briefliche Verkündigung (2Thess 2,15) und erwähnt nunmehr bezeichnenderweise den Geist nicht mehr. In seiner Bitte um Fürbitte für ihn selbst (2Thess 3,2f.) treten bereits jene Vorwürfe in den Blick, mit welchen die Gegner in allen Gemeinden seine Autorität zu untergraben versuchen und die in den beiden folgenden Briefen das wichtigste Thema abgeben.

Vierter Brief (1Thess 1,1–2,12; 4,2–12; 2Thess 3,4–5). – Im vierten Brief spitzt sich die Lage insofern zu, als Paulus erfahren hat, daß die 'Unordentlichen' auch in Thessalonich (vgl. schon 2Thess 3,2f.) zum Angriff auf seine apostolische Autorität übergegangen sind (vgl. z. B. 1Kor 9,1ff.; 2Kor 2,14 – 6,1). Sie werfen in eigenem pneumatischem Selbstbewußtsein seiner Predigt vor, sie sei bloß 'im Wort' ergangen und darum 'geistlich' leer gewesen (1Thess 1,5ff.9f.; 2,1; vgl. 2Kor 5,11ff.; 1Kor 14,19), und beschuldigen ihn überdies, er predige nur, um sich hinterlistig an der Kollekte zu bereichern, die Paulus aufgrund einer alten Abmachung (Gal 2,10) während der dritten Missionsreise in allen seinen Gemeinden für die Jerusalemer Christen sammelt (1Thess 2,3–12; vgl. 2Kor 6,3f.8; 8,20f.; 12,16ff.). Auf die Apologie des Apostels folgen vor dem Briefschluß eine längere Warnung vor geschlechtlichem Libertinismus (1Thess 4,2–8), den man auf die Enthusiasten zurückführen muß (Libertinisten), und eine kurze Ermahnung zur Bruderliebe (1Thess 4,9f.), mit der Paulus an die Kollekte erinnert. In der Schlußparänese (1Thess 4,11f.) ruft Paulus den Thessalonichern erneut (vgl. 1Thess 5,14) seine Mahnung an die 'Unordentlichen' aus dem ersten Brief in Erinnerung.

Fünfter Brief (1Thess 2,13; 2,17 – 4,1). – Der abschließende 'Freudenbrief' zeigt, wie sehr Paulus durch die Irrlehrer beunruhigt war, zumal sie ihn wegen der Kollekte überall verleumden und ihm entsprechende 'Herzenstrübsal' bereiten (1Thess 3,3ff.). Zu seiner großen Erleichterung kann Timotheus aus eigener Anschauung berichten, daß die Gemeinde ihm treu geblieben ist. Der Irrlehrer wird direkt nicht mehr gedacht.

2. *Gnostische Elemente in der Theologie des Paulus*

Aus dem oben (S. 18ff.) bereits grundsätzlich angesprochenen Problemkomplex, ob bzw. wieweit theologische Entwürfe des Urchristentums die Gnosis bereits voraussetzen, werden im folgenden drei wichtige Bereiche, die innerhalb der pln. Theologie begegnen, exemplarisch herausgegriffen (vgl. Rudolph, 1980, 320).

a) Der anthropologische Dualismus

σάρξ – πνεῦμα: Röm 8,2–11; Gal 4,21–31; Joh 1,13; 3,6; vgl. Röm 7,5f. 18; Gal 3,3; 5,16–24; 6,8.
σαρκινός (ψυχικός, σαρκικός, ἄνθρωπος) – πνευματικός (νοῦν ἔχειν): 1Kor 2,13–16; 3,1–4; Röm 7,14.25b.
ψυχή (ψυχικόν) – πνεῦμα (πνευματικόν): 1Kor 15,44ff.
ἔξω ἄνθρωπος – ἔσω ἄνθρωπος: 2Kor 4,16; Röm 7,22; vgl. 2Kor 4,7ff.; 5,1ff.; Eph 3,16.

σάρξ bezeichnet im AT (LXX) den Menschen unter dem Aspekt bzw. hinsichtlich seiner Fleischhaftigkeit (Lev 26,29), seiner Körperlichkeit (Hi 4,15; Gen 2,24), seiner kreatürlichen Lebendigkeit (Ps 145,21; Jes 40,5f.; Ez 11,19), seiner Hinfälligkeit und Schwäche (Ps 56,5; 78,38f.; Jes 40,6). Wenn auch 'alles Fleisch' (= alle Menschen) den Weg Gottes verläßt (Gen 6,12; Jer 17,5), so ist doch das 'Fleisch' selbst nicht böse, sondern gute Schöpfung Gottes.

πνεῦμα bezeichnet im AT (LXX) u. a. den Menschen unter dem Aspekt bzw. hinsichtlich seiner Lebendigkeit, der von Gott kommenden Lebenskraft seiner Natur (Gen 6,17; 45,27), seiner Emotionalität (Jes 19,14; 26,9), seines Wollens (Ps 51,12.14; Ez 36,26), natürlich auch seines schlechten Wollens (Jes 29,24); das πνεῦμα als solches ist aber ethisch neutrale gute Schöpfung Gottes. Vereinzelt bezeichnet πνεῦμα auch wie σάρξ den Menschen in seiner Vergänglichkeit (Ps 78,39). – Daneben tritt die theologische Verwendung des Begriffs πνεῦμα für Gottes Schöpferkraft und Heilsmacht (Joel 3,1). – Zwischen der anthropologischen und dieser theologischen Verwendung von πνεῦμα findet ein Übergang statt. Nicht nur stammt der den leblosen Leib lebendigmachende 'Geist' von Gott (Ez 37,6ff.; Jes 42,5; Ps 104,29f.; 146,4). Gottes 'Geist' verbindet sich mit dem Menschen auch als besondere Gnadengabe, als Charisma des Propheten (Num 24,2f.; Hos 9,7), der Weisheit (Gen 41,38), der vollmächtigen Rede (Jes 42,1; Ez 11,5), der Gotteserkenntnis (Jes 11,2f.; Ez 11,19; 36,26; Ps 51,12ff.).

ψυχή bezeichnet im AT (LXX) vor allem den Menschen als Lebendigen. Der Mensch ist eine ψυχὴ ζῶσα (Gen 2,7), eine Person, und als solche lebt er vor Gott (Ps 103,1f.22; 131,2). πνεῦμα und ψυχή sind im AT (LXX) in vielen Fällen austauschbar, und wenn πνεῦμα auch insgesamt eher das Moment des von Gott gegebenen Dynamischen im Menschen bezeichnet, können ψυχή und πνεῦμα doch nie in Gegensatz zueinander treten.

In dem anthropologischen *Begriffspaar* σάρξ (σῶμα) – πνεῦμα bezeichnet σάρξ im AT (Ez 37,5f.; Gen 6,17; 7,15; Hi 34,14) wie im NT (Mk 14,38; Kol 2,5; Röm 2,28f.; 2Kor 7,1; 2,13 + 7,5) dementsprechend den Menschen als körperlich erscheinendes, leidendes, handelndes Wesen, πνεῦμα denselben Menschen als wollendes, empfindendes, denkendes Wesen. – Daneben begegnet das *Begriffspaar* σάρξ – πνεῦμα anthropologisch/theologisch in Jes 31,3 (MT sowie ΑΣΘ; vgl. Joel 3,1; Gen 6,3), wobei σάρξ den Menschen als hinfälliges Geschöpf, πνεῦμα Gott als machtvollen Herrn bezeichnet (vgl. Röm 1,3f.; 15,27; Mt 16,17; Joh 6,63).

Der Weg von der atl. Verwendung der Begriffe σάρξ und ψυχή sowie πνεῦμα zu der entsprechenden *dualistischen* Begrifflichkeit bei Paulus (und Johannes) ist sehr weit. – Literatur und Forschungsberichte bei Braun, II 175ff.; Brandenburger, 1968, 7ff.; Winter, 1975, 3ff.; Kuss, 1959, 521ff.

Aus dem Miteinander von Leib und Seele, Fleisch und Geist im Menschen als Geschöpf Gottes wurde ein dualistisches Gegeneinander. Dabei treten σάρξ und ψυχή, im AT gutes Werk Gottes, auf die Seite der Sünde und des Bösen und werden zugleich zu einer Wirklichkeit, welcher der Mensch entfliehen kann. Der eigentliche Mensch wird also nicht mehr im Sinne des atl. Schöpfungsgedankens verstanden. Vielmehr ist der ψυχικὸς ἄνθρωπος (1Kor 2,14) als solcher der gottfeindliche, dem göttlichen πνεῦμα verschlossene Mensch.

Das πνεῦμα des Menschen, im AT Teil der Schöpfung wie σάρξ und ψυχή, tritt dagegen auf die Seite Gottes; der πνευματικός ist wesenhaft göttlich. Mag diese letztere Entwicklung auch dadurch begünstigt worden sein, daß im AT von einer heilvollen Einwirkung des πνεῦμα Gottes auf den Menschen gesprochen wird, so ist solche dynamische Vorstellung doch von einem Dualismus, in dem das göttliche Pneuma als anthropologisches Prinzip begegnet und der wahre Mensch als göttlicher bezeichnet wird, weit entfernt. „Ein solcher Dualismus ist ... dem Alten Testament unbekannt, er würde die Fundamente der alttestamentlichen Anthropologie verleugnen" (Jacob, ThWNT IX 620,6f.; vgl. Bousset, 1921, 134 Anm. 1).

Versuche, den paulinischen (johanneischen) anthropologischen Dualismus mehr oder weniger unmittelbar aus dem AT abzuleiten, können darum nicht befriedigen.

So erklärt z. B. Schweizer (vgl. Dupont, 1949, 149ff.) unter Verweis auf Röm 2,28; Phil 3,3f.; 2Kor 1,17; 10,2f.; 11,18 u. a. Stellen, für Paulus bekomme die σάρξ „ihren negativen Charakter dadurch, daß sie zum Gegenstand wird, den der Mensch vorzeigen, mit dem er sich rühmen kann" (ThWNT VII 129,19ff.). „Sündig ist also nicht die σάρξ, sondern das Vertrauen auf sie" (ebd. 129,22f.; vgl. 145,5ff.). Dies trifft zu, und insofern *denkt* Paulus tatsächlich auf der Linie des AT (Jes 31,3; Jer 17,5). Indessen ist damit das religionsgeschichtliche Problem der dualistischen Sprache (Begrifflichkeit) des Paulus noch nicht geklärt. Wenn Paulus z. B. in Röm 8,5 schreibt: οἱ γὰρ κατὰ σάρκα ὄντες τὰ τῆς σαρκὸς φρονοῦσιν, οἱ δὲ κατὰ πνεῦμα τὰ τοῦ πνεύματος, so handelt es sich bei der Wendung 'οἱ κατὰ σάρκα (πνεῦμα) φρονοῦντες' um die paulinische *Interpretation* des vorgegebenen Dualismus zweier Menschenklassen, der σαρκικοί bzw. ψυχικοί (1Kor 2,14f.) und der πνευματικοί (κατὰ πνεῦμα ὄντες).

Wiederum hat Schweizer recht, wenn er bestreitet, daß Paulus den Dualismus dieser Menschenklassen im Sinn der (gnostischen) Mythologie versteht. Vielmehr liegt Paulus daran, „das Verfallensein des Menschen an die σάρξ zu beschreiben, von dem ihn nur die Macht des Geistes Gottes lösen kann" (132,18f.). Doch wie kommt Paulus dazu, den Sachverhalt dieser Verfallenheit an die Sündenmacht (Röm 7,14) dualistisch in der Weise auszudrücken, daß die σάρξ bzw. die ψυχή (1Kor 2,14f.) selbst böse wird? Diese Vorstellung, die auch Schweizer zufolge „über das Alte Testament hinausgeht" (132,12f.) und in der allgemeinen hellenistischen (platonisierenden) Anthropologie nicht vorgegeben ist (vgl. ebd. 132,25ff.; 133,29ff.), kann man ja gerade aus der pln. Aussage*intention* nicht ableiten. Vielmehr treten bei Paulus eine im Prinzip genuin atl. Aussageintention und eine genuin un-atl. Ausdrucksweise zusammen. Die Herkunft dieser Ausdrucksweise (und ihre hermeneutische Funktion bei Paulus) bleibt durch die Feststellung der pln. Aussageintention ungeklärt.

Auch die Auskunft Schweizers, die σάρξ als das Menschlich-Irdische bekomme „für Paulus gelegentlich den Charakter einer Macht, die sich dem Wirken des Geistes entgegenstellt" (133, 4f.), umgeht die Erklärung dieses richtig beschriebenen Sachverhaltes.

Die Ableitung der dualistischen Sprache des Paulus aus einer Metamorphose atl. Sprache führt, wenn bzw. weil der mythologische Dualismus nicht als Voraussetzung solcher Sprache gilt, zu der Konsequenz, daß die dualistische Anthropologie und der entsprechende Mythos sich aus dieser Sprache entwickelt haben, bzw. zu der Anfrage, ob Paulus selbst schon Gnostiker bzw. Prä-Gnostiker gewesen sei (s. S. 18; vgl. Brandenburger, 1968, 229).

Wer den Dualismus der pln. Sprache hinreichend beobachtet und bedenkt, verzichtet in der Regel auf eine *direkte* Ableitung der pln. Begrifflichkeit aus dem Alten Testament. Viele Forscher versuchen, statt dessen eine gedankliche und begriffliche *Entwicklung* vom AT zu Paulus zu rekonstruieren. Dabei kommen verschiedene Entwicklungsstufen in Betracht.

(1) Man verweist auf die im Vergleich zum AT stärkere Gegenüberstellung von menschlicher σάρξ (σῶμα) und menschlichem πνεῦμα (ψυχή) in bestimmten vorwiegend apokalyptisch ausgerichteten Schriften des nach-atl. Judentums (Scroggs, 1967/68). Die entsprechende Anschauung verrät hellenistische (platonisierende) Einflüsse auf die Anthropologie (Bousset/Gressmann, 400ff.). Sie zeigen sich vor allem daran, daß sich die Seele vom Leib als ihrer Wohnung lösen kann (vgl. z. B. 4Esra 7, 78. 88; 14, 14; Jub 23, 31; äthHen 103, 4; 108, 11; Phil 1, 21ff.; 2Kor 5, 1ff.; 1Petr 3, 18; 4, 6; Lk 23, 43. 46), wenn auch in der Regel nur vorübergehend bis zum Tag der Auferstehung (4Esra 7, 31f.; sBar 30, 1f.).

Das Begriffs*paar* σάρξ – πνεῦμα spielt in den entsprechenden Texten indessen keine Rolle. Erst recht begegnet nie die Gegenüberstellung von ψυχή und πνεῦμα, sondern im Gegenteil eine stärkere Identifizierung von ψυχή und πνεῦμα im Sinne des hellenistischen Denkens. σάρξ wird wie in der atl. Anthropologie als gute Schöpfung Gottes angesehen, wenn auch der Gedanke der Vergänglichkeit im Gegenüber zum 'Geist' stärker hervortritt (vgl. 1Kor 15,35ff.). Das Gegenüber zweier Menschenklassen, die als 'Fleischliche' und 'Geistliche' unterschieden werden, fehlt gänzlich.

Der pln. Dualismus wird deshalb von diesem Anschauungskreis nicht erklärt (Brandenburger, 1968, 59ff.; Winter, 1975, 56ff.).

(2) Eine stärkere Gegenüberstellung von menschlicher σάρξ und göttlichem bzw. gottgegebenem πνεῦμα findet sich vor allem im Bereich weisheitlichen Denkens (Sap 7,1–7; 8,19; 9,5f. 15; vgl. Pearson, 1973). Auch einige Stellen der Qumrantexte gehören in diesen Zusammenhang (1QH 4,29–33; 15,13f. 21ff.; 1QS 11,3ff.; vgl. 1QS 4,20f.; 1QH 12,11f.; vgl. Davies, 1957). Die in diesen Schriften begegnenden *Gedanken* gehen über das im AT Gesagte nicht wesentlich hinaus, mag auch die Skepsis gegenüber dem menschlichen Vermögen, das Göttliche von sich aus zu erkennen, im Rahmen des apokalyptischen oder des weisheitlichen Denkens stark betont sein (Brandenburger, 1968, 94) und die Sündhaftigkeit des Menschen als des 'Fleisches', des Gebildes aus Lehm, herausgestellt werden. Das Fleisch bleibt (vergängliche) Schöpfung Gottes, der 'gute Geist' Gottes Gabe. Gott nimmt sich des vergänglichen Fleisches, des elenden Menschen, an. Auch die einschlägigen Qumran-Texte *denken* also durchaus alttestamentlich. Es ist *dasselbe* Fleisch, das vom 'verkehrten Geist' *oder* vom 'Geist Gottes' gelenkt wird. Die Ansicht Brandenburgers, daß nach den von ihm herangezogenen Qumran-Stellen das Heil sich „als Distanzierung von der irdisch-fleischlichen Daseinsweise" vollzieht (103) und der Gerechte „seiner Substanz nach nicht mehr Fleisch-, sondern Geistwesen" sei (104; vgl. Kuhn, 1952, 209ff.), dürfte auf einem Mißverständnis der entsprechenden Stellen beruhen (Braun, II 175ff.; Hübner, 1971/72, 268ff.; Winter, 1975, 86ff.). Indessen urteilt auch Brandenburger: „Eine Analogie zur paulinischen Antithese ist . . . hier wie in der sonstigen Geistanschauung Qumrans noch nicht gegeben" (224).

Auch soweit in Qumrantexten der böse und der gute Geist – mehr oder weniger prädestinatianisch – gegeneinandertreten (vgl. z. B. 1QS 3,13–4,26; 1QH 15,12ff.: Geist-Geist-Dualismus iranischer Herkunft), bleibt ein Fleisch-Geist-Dualismus ausgeschlossen. Es führt deshalb auch von dem prädestinatianischen Dualismus der Qumranschriften kein Weg zu der Sprache des anthropologischen σάρξ-πνεῦμα-Dualismus bei Paulus.

Allerdings ist zu fragen, ob der qumranische (und apokalyptische) *Prädestinatianismus* (Erwählte – Verworfene) bereits einen anthropologisch-dualistischen Hintergrund hat; denn die Teilung in zwei Menschenklassen, über deren Heil oder Unheil vor der persönlichen Entscheidung bereits entschieden wurde, besitzt weder orientalische noch hellenistische Vorbilder (Braun, II 250; Brandenburger, 1968, 89). Wenn man diese Frage bejaht, mag auch die gegenüber dem AT stärkere Gegenüberstellung von schwachem, unheiligem Fleisch und gottgegebenem, heiligem Geist in den Texten der 'dualistischen Weisheit' nicht nur auf allgemeine hellenistische Einflüsse zurückgehen, sondern bereits Reflex – nicht Vorstufe – eines gnostischen Dualismus sein.

Brandenburger meint (1968), bei Philo wesentliche Motive zu finden, die im Dualismus der paulinischen Sprache begegnen (vgl. Wilckens, 1979, 533ff.; Betz, 1976, 71ff.): „der Widerstreit von σάρξ und νοῦς; pneumageprägter Nous als ‚innerer Mensch'; Gefangenschaft und Knechtung des eigentlichen Ich, und zwar als Insein im Fleisch als Todesleib; Erlösung als Errettung aus der δουλεία der umringenden sarkischen Leiblichkeit, und zwar durch das πνεῦμα ... Im Zusammenhang solcher Anschauungen stehen bei Philo wie bei Paulus zwei dualistisch entgegengesetzte Menschenklassen ...; die Sarx wird als kosmische Verderbensmacht, also als etwas aktiv Feindliches erfahren; sie wirkt in den sündigen Leidenschaften und Begierden als ihren Konkretisierungen" (225f.). Grundlage für dies Urteil bilden Texte Philos wie Rer. div. heres. 57. 259ff. 267ff.; De gig. 19–67; Agric. 97; Ebr. 65ff.; Leg. all. I 31ff.; II 49f.; Spec. leg. IV 114; Immut. 140–183, in denen eine 'dualistische Weisheit' begegne.

Zwar sei eine direkte Verbindung von Philo zu Paulus ausgeschlossen, aber in der antiochenischen Synagoge dürften analoge Gedanken vertreten und von Paulus oder einem vor-pln. Christentum aufgegriffen und weitergeführt worden sein (227f.; vgl. Lietzmann, 1933, 75ff. 80ff.).

Eine Ableitung der Gnosis aus pln. Gedanken ist bei diesem Modell nicht notwendig. Die Gnosis kann vielmehr ein *selbständiger* Ableger der 'dualistischen Weisheit' sein, wie sie bei Philo begegnet, und Brandenburger will insofern auch einen vorchristlichen Gnostizismus keineswegs ausschließen (11).

Winter (1975) stimmt der Philo-Analyse Brandenburgers im wesentlichen zu. Er weist aber unter anderem darauf hin, daß die beiden Menschenklassen Philos zwar *von uns* 'Sarkiker/Psychiker' und 'Pneumatiker' genannt werden können, weil die einen aus dem göttlichen Geist, die anderen in der Hingabe an die Fleischeslust leben (Rer. div. her. 57), daß aber eine entsprechende dualistische Begrifflichkeit, wie sie bei Paulus begegnet, bei Philo selbst fehlt. Er meint deshalb, Philo stelle nur eine „*Vorstufe* zu der Terminologie des Paulus dar, nicht aber den *direkten* Sprach- und Vorstellungshorizont, wie er von Paulus vorausgesetzt wird" (157; vgl. 206). Zwischen Paulus und Philo schiebe sich die dualistische Gnosis.

In der Tat kann man sich eine direkte Entwicklung von Philo oder einem analogen hellenistischen Judentum zu Paulus nicht vorstellen. Dualistische Sprache und jüdisch-christliche Gedanken treten bei Paulus, der keinen Aufstieg des Pneuma aus der Welt des Leibes/Fleisches lehrt, im Unterschied zu Philo weit auseinander. Sind seine Gedanken weniger hellenistisch als die Philos, so entstammt die Sprache des Paulus einem ausgebildeten mythologischen Dualismus, was für Philos Sprache keineswegs deutlich ist. Die religionsgeschichtliche Entwicklungsvorstellung muß angesichts dieses Sachverhalts versagen; denn es ist ausgeschlossen, daß Paulus die 'platonisierenden' *Gedanken* Philos wieder stärker in alttestamentliche Bahnen zurücklenkt und zugleich seine *Sprache* radikal dualistisch entwickelt.

Man wird freilich auch hinsichtlich des philonischen 'Dualismus' vermutlich vorsichtiger als Brandenburger und Winter urteilen müssen. Wenn bei Philo Menschliches und Göttliches, σάρξ/ψυχή und λόγος stark auseinandertreten und die Befreiung des νοῦς vom Körperlichen als erstrebenswertes Ziel des Lebensweges gilt, genügt die Annahme allgemeiner hellenistisch-platonisierender Einflüsse. Aber auch die Vorstellung von der ἡδονὴ σαρκός (Immut. 140ff.; De gig. 40; Rer. div. heres. 57) als der *Lust auf* das Geschaffene ist von der pln. *Begrifflichkeit,* die nicht nur das auf das Irdische gerichtete Verlangen, sondern schon das Geschaffene selbst auf die Seite des Bösen rückt, weit entfernt. Philo denkt sowenig wie Paulus mythologisch-substanzhaft im Sinne der pln. *Begrifflichkeit,* sondern geschichtlich ('Lust'). Zwar ist die Frage berechtigt, ob nicht auch die *Sprache Philos* bereits einen mythologischen Dualismus in seiner Umwelt voraussetzt, den er ähnlich wie Paulus in sein jüdisches Denken übersetzt, doch wäre, wenn es sich so verhält, Philo nicht eine Station auf dem Weg zu Paulus, sondern sein Gegenstück: Hier wie dort stellt ein schon vorhandener gnostischer Dualismus dem hellenistischen Judentum bzw. Christentum Ausdrucksmittel zur Verfügung, und es stellt sich dann die Frage, welche hermeneutische Bedeutung der Übernahme dieser Ausdrucksmittel zukommt.

Die Ableitung des Dualismus der paulinischen Sprache aus einer ausgebildeten Gnosis hat zum erstenmal systematisch Reitzenstein vertreten (1927, 70ff. 337ff.): „. . . daß der Gnostizismus in seinen Grundanschauungen schon vor Paulus fällt, ist auch lexikalisch erwiesen" (74; vgl. Gunkel, 1903, 86ff.). Seine These hat breite Zustimmung gefunden und wurde weiterentwickelt (Weiss, 1910, 371ff.; Bousset, 1921, 133f. 191ff.; Clemen, 1924, 314ff.; Weinel, 1928, 318. 324; Lietzmann, 1933, 80ff.; Dibelius, 1956, 195f.; Wilckens, 1959, 53ff.; Bultmann, 1965, 177f.; Jonas, I 185f.; Schottroff, 1970, 140ff.). Vor allem wurde das hermeneutische Problem (s. S. 18ff.) differenzierter gesehen als von Reitzenstein, der von 'Paulus als Gnostiker' sprechen konnte (76ff.).

Die einschlägigen gnostischen Texte finden sich im Corpus Hermeticum (I. IV. X. XIII); bei Zosimos (vgl. Reitzenstein, 1904, 102ff.); in der sogenannten Mithrasliturgie (vgl. Reitzenstein, 1927, 174ff.; Dieterich); in der Naassenerpredigt (Hipp. V 7,3–9,9); Iren. I 7,1; 21,4f.; Exc. ex Theod. 64,1; Hipp. V 26,8. 24f. 31f.;

Epiph. haer. 23, 2, 3; Vom Wesen der Archonten; Apokryphon des Johannes usw. In diesen Texten begegnet die dualistische *Sprache* anders als bei Paulus in ursprünglicher Einheit mit dem dualistischen *Gedanken.* σάρξ (σῶμα, ψυχή) ist Kreatur der dämonischen Mächte, geschaffen als Gefängnis für die himmlische Lichtsubstanz des πνεῦμα (νοῦς). Ein Übergang von σάρξ zu πνεῦμα findet nicht statt; beide Substanzen stehen sich feindlich gegenüber. Die Substanz des πνεῦμα ist unverletzlich; wer aber kein πνεῦμα hat, ist als σαρκικός/ψυχικός Teil des nichtigen Kosmos.

Zuletzt ist Winter (1975) zu dem Ergebnis gekommen, „daß die gnostischen Texte den *direkten* Sprach- und Vorstellungshintergrund der paulinischen Antithese πνευματικός – ψυχικός darstellen" (205 f.; vgl. 230). Dies Ergebnis setzt, da die angezogenen gnostischen Texte nachpaulinisch sind, voraus, daß die Frage nach dem vorpaulinischen Ursprung der mythologischen Gnosis auf dem Wege des hermeneutischen Zirkels bejaht wird (230 ff.; vgl. oben S. 13 ff.). Es wirft ferner die Frage auf, auf welche Weise und mit welcher Intention es zu dieser Aufnahme dualistischer Sprache durch Paulus (und Johannes) gekommen ist.

b) Die Präexistenzchristologie (Der Erlöser-Mythos)

Neben der Adoptionschristologie (Röm 1, 3 f.; Mk 1, 9–11) und dem hellenistischen Gedanken der göttlichen Zeugung Jesu (Lk 1, 35; Mt 1, 18 ff.) findet sich im Urchristentum die Vorstellung, Jesus sei vom Himmel herab auf die Erde gesandt worden, habe also vor seiner irdischen Existenz im Himmel prä-existiert. Die Präexistenzvorstellung (Sendung des Sohnes) findet sich durchgehend bei Paulus (Röm 8, 3; Gal 4, 4 f.; 2Kor 8, 9; 1Tim 1, 15) und Johannes (Joh 1, 1 ff.; 3, 16 f.; 5, 24; 1Joh 4, 9) sowie im Hebräerbrief (1, 1 ff.), und zwar unabhängig voneinander und auch in bereits übernommenem Formelgut. Die Präexistenzchristologie gehört also einer sehr frühen Entwicklungsstufe der Christologie an.

Die Vorstellung einer himmlischen Präexistenz bzw. einer Sendung vom Himmel macht antikem Denken von der homerischen

Mythologie an bis zur platonischen Ideenlehre keine Schwierigkeit. Dennoch bedarf die Entstehung der Präexistenzchristologie einer präzisen Erklärung, zumal das Judentum in ntl. Zeit keinen präexistenten Messias kannte.

Die Erklärungsversuche sind vielfältig. Eine immanente Entwicklung nahm, von 2Kor 3,17 ('der Herr ist der Geist') ausgehend, im Sinne des Idealismus z. B. Baur an: Hat Jesus den Menschen den Heiligen Geist mitgeteilt, „so muß er selbst geistiger Natur sein ... nicht erst in Folge seiner Erhöhung, sondern an sich schon ..." (1864, 187f.). Pfleiderer (1873) hält die Präexistenzchristologie für „das in die Vergangenheit geworfene Spiegelbild von dem Anschauungsbilde, unter welchem die Phantasie des Paulus und der ganzen Gemeinde den erhöhten und verklärten Christus gegenwärtig im Himmel lebend dachte" (1873, 141; anders 1887, 113; ähnlich Holsten, 1883, 294f.; B. Weiss, 1888, 294f.; Schnackenburg, 1965, 302). Für Percy (1939) kann der Ursprung der Präexistenzchristologie „nur darin liegen, daß Jesus gerade als die vom Evangelisten bzw. der Urgemeinde religiös erlebte geschichtliche Person für das Bewußtsein des Evangelisten so ganz mit Gott zusammengehört, daß er schon von Ewigkeit bei Gott gewesen sein muß ... Als Quelle der ... Anschauung vom präexistenten Christus kann somit letzten Endes nur der Eindruck, den der Meister auf seine ersten Jünger machte, betrachtet werden" (301f.). – Haacker (102ff.) denkt sich die Präexistenzchristologie als Analogie zum Herabkommen der Tora am Sinai entstanden.

Ähnlich wie die Tübinger geht heute z. B. Hengel (1975, vgl. Hofius, 1976, 111f.) davon aus, daß die „Einführung des Präexistenzgedankens in die Christologie" ohne wesentliche religionsgeschichtliche Einflüsse „aus innerer Notwendigkeit" bereits in der palästinischen Urgemeinde erfolgte (105ff. 111f.), und zwar durch einen Ausbau der älteren Erhöhungsvorstellung, „um die *ganze Offenbarung Gottes,* um das *ganze Heil* in seinem Christus Jesus" anzusagen (139).

Indessen können die Erniedrigungsaussagen nicht einfach aus der Erhöhungsvorstellung herausgewachsen sein, weil es sich bei den Traditionen von Erniedrigung *und* Erhöhung (Phil 2,6–11; Kol

1,15–20; 1Tim 3,16; Joh 3,13.31) um sekundäre Kombinationen der *ursprünglich selbständigen* Sendungsformeln (s. o.) mit den alten Erhöhungsformeln (Röm 1,4; 10,9; 1Kor 15,25; Mk 16,19) handelt. Und da sich die Präexistenzchristologie lange Zeit nur in einem relativ schmalen Traditionszweig findet – der synoptischen Tradition ist sie in all ihren Ausprägungen fremd geblieben –, kann sie nicht mit innerer Notwendigkeit aus der Erhöhungsvorstellung entstanden sein.

Allen genannten Ableitungen gegenüber folgt die religionsgeschichtliche Schule bei ihrer Erklärung der Präexistenzvorstellung einem einheitlichen Grundgedanken: „Der Mensch Jesus wurde ... eigentlich nur der Träger all der gewaltigen Prädikate, die bereits feststanden" (Wrede, 1905, 86; vgl. Gunkel, 1903, 93; Hahn, 1963, 316f.). Unter dieser Voraussetzung war vor allem früher die Ableitung der Präexistenzchristologie aus der Vorstellung vom himmlischen Menschensohn (Dan 7,9ff.; äthHen 46ff. 70f.; 4Esra 13) beliebt. Vgl. Pfleiderer, 1887, 211ff.; Brückner, 1903, 93ff.; Weiss, 1917, 374f.; Bousset, 1921, 125f. 264; Rawlinson, 122ff.; Hegermann, 137; Wilckens, 1961, 491f.; Bühner, 1977. Diese Ableitung ist nicht haltbar. Denn auch abgesehen von der großen Differenz zwischen der Gestalt des eschatologischen Richters und des vom Himmel gesandten Erlösers der Menschen fehlt im Umkreis der synoptischen Menschensohn-Überlieferung völlig die Präexistenzchristologie, in den alten Sendungsformeln aber jede Beziehung zur Gestalt des Menschensohnes.

Besser begründet ist die beliebte religionsgeschichtliche Ableitung der Präexistenzchristologie aus den jüdischen Vorstellungen von der präexistenten Weisheit bzw. der göttlichen Logos-Hypostase (Spr 1,20–33; 8,1–36; SapSal 9,1ff.; Sir 24; äthHen 42,1; 84,3; OdSal 12.33; Philo oft), die freilich ihrerseits eine religionsgeschichtliche Ableitung verlangen und möglicherweise in einer gnostischen Vorgabe finden (Bultmann, 1952, 11 Anm. 1; Schmithals, 1969, 70f. Lit). Vgl. Schweizer, 1963; 1969, 377; Schneider 1974, 399ff.; Mußner, 1975, 102ff.; Goppelt, II 399ff.; Merklein, 48ff.; Beyschlag II 79ff. Da auch in der synoptischen Tradition weisheitliche Überlieferungen begegnen, kann man bei solcher Ableitung sogar das auslösende Moment der Präexistenzchristologie in der Verkündigung Jesu suchen (Riesner; Hamerton-Kelly). Indessen ist auch der Weg von der himmlischen Hypostase 'Weisheit' zu der Präexistenz eines irdischen Menschen sehr weit. Und die Grundmotive der Präexistenz- bzw. Sendungsformeln, nämlich die *Erniedrigung* und die Sendung zur *Errettung* der Menschheit, stammen nicht aus der Weisheitstradition, die deshalb nur sekundär eingeflossen sein kann und eingeflossen sein dürfte (1Kor 8,6; Kol 1,15ff.; Joh 1,3); vgl. Percy, 1939, 301; Bultmann, 1965, 134; Schenke, 1973, 207.

Näher liegt deshalb die Ableitung der Präexistenzchristologie aus dem gnostischen Erlöser-Mythos. Sie wurde nach dem Vorgang anderer, die besonders im Zusammenhang mit Röm 5,14 und 1Kor 15,45ff. auf die jüdische, insonderheit philonische Anschauung vom himmlischen Idealmenschen verwiesen (z. B. Holtzmann, 1897, II 75ff.), im Rahmen der Religionsgeschichtlichen Schule vertreten. Allerdings bedarf die Art dieser Ableitung, wie sie z. B. von Bultmann unter Verweis auf Bousset, 1907, 238ff.; Schlier, 1929, 5ff.; Bornkamm, 1933, 10; Jonas, I 122ff. 275 (vgl. Wilckens, 1961, 491f.) vorgetragen wurde, einer spürbaren Korrektur. Bultmann schreibt: „Als Erlöser hat sich der Logos selbst in Menschengestalt in die niedere Welt begeben. Er hat sich, um die dämonischen Mächte der Finsternis zu täuschen und um die zu rettenden Menschen nicht zu erschrecken, in einen menschlichen Leib verkleidet. Natürlich konnte dies spezifisch gnostische Motiv nicht von den philosophischen Systemen übernommen werden. In den christlich gnostischen Systemen ist der menschgewordene Erlöser mit Jesus identifiziert worden. Indessen ist der Gedanke der Menschwerdung des Erlösers nicht etwa aus dem Christentum in die Gnosis gedrungen, sondern ist ursprünglich gnostisch; er ist vielmehr schon sehr früh vom Christentum übernommen und für die Christologie fruchtbar gemacht worden" (1952, 10f.).

Dagegen ist einzuwenden: „Soviel wir erkennen können, ist keine der vorchristlichen Erlöserfiguren eine konkrete Gestalt" (Fischer, 1973, 262; vgl. auch Bultmann, 1967, 244–254). Auch die aus den ntl. Schriften zu erschließenden gnostischen Systeme einschließlich der Vorlagen des JohEv setzen keine vom Himmel gesandte und zugleich konkret menschliche Erlösergestalt voraus. Die jüdische Gnosis, die im Hintergrund der pln. Sprache steht, schließt sie sogar deutlich aus; denn sie nennt die Summe der Pneumafunken, die 'Kirche', den 'Christus' (s. S. 63 ff.). Die Erlösung erfolgt in der Frühzeit der Gnosis durch eine Uroffenbarung, durch einen himmlischen Ruf, durch den ekstatischen Propheten, der sich seine Kunde durch den Aufstieg zum Himmel holt, und vor allem durch die Erlösten selbst, die als Erlöser tätig sind: die schon erweckten Pneumatiker wecken die noch schlafenden auf. Der irdisch-menschliche Erlöser der späteren Gnosis, durchweg Jesus, dürfte erst christlichen Ursprungs sein (vgl. Schenke, 1973, 211).

Dennoch „hängt das Aufkommen der Präexistenzchristologie ursächlich" (Schenke, 1973, 205) mit den Erlösungs- und Erlöservorstellungen der Gnosis zusammen (Rudolph, 1975, 546 ff.). Sie bildet sich innerhalb des Christentums, aber nicht vor der Begegnung zwischen frühem Christentum und jüdischer Gnosis, sondern durch diese Begegnung, indem die Gestalt Jesu Christi der gnostischen Erlösungs- bzw. Erlöservorstellung angeglichen wird: Jesus ist nicht mehr der zum Gottessohn erhöhte Mensch (Röm 1, 3 f.), sondern der sich in Menschengestalt erniedrigende Gottessohn, von Gott den Menschen zur Erlösung gesandt, „damit wir die Kindschaft empfingen" (Gal 4, 5; vgl. Yamauchi, 1973, 163 ff.; Colpe, 1961).

In der Gnosis wird die Verlorenheit des Menschen radikal gedacht, so daß seine Erlösung nicht aus der Welt kommen kann. Erlösung bedeutet Erlösung *von* der Welt; sie kommt – auf welchem Weg und durch wen auch immer – von außerhalb der Welt (vgl. Jonas, I 106 ff. 120 ff.). Wird diese Erlösungsvorstellung mit der kirchlichen Rettergestalt, dem irdischen und erhöhten Christus Jesus, verbunden, entsteht fast notwendig die Präexistenzchristologie. Diese christliche Präexistenzchristologie wollte nicht das Christentum der Gnosis angleichen, sondern es im Gegenteil mit Hilfe einer gnostischen Kategorie gegenüber der Gnosis selbst behaupten. Die kirchliche Präexistenzchristologie spricht darum von Anfang an antignostisch von der Fleischwerdung des Christus (Joh 1, 14; 3, 16), der Erlösung des *Kosmos* (vgl. Röm 8, 3). Sie überwindet zugleich die mystische Identitätschristologie der Gnosis, das pneumatische 'Ich bin Christus' (s. S. 32. 63). *Jesus* ist als der Christus der Gesandte Gottes (1Joh 4, 1 ff.) und das *Gegenüber* des Menschen.

Die Ausbildung der Präexistenzchristologie ist also ein *kirchlicher* Vorgang, der mit antignostischer Tendenz die gnostische Vorstellung von himmlicher Erlösung und himmlischen Erlösern auf den Christus Jesus bezieht und so eine weitgehende Übernahme gnostischer Begriffe und Vorstellungen bei Eliminierung des eigentlichen gnostischen Daseinsverständnisses ermöglicht und zugleich erforderlich macht. – Vgl. Weinel, 1928, 318 f.; Schmithals, 1961, 121 ff.; 1978; Schenke, 1973; Goulder; Baird; s. auch Meeks, 1979.

In diesem Zusammenhang (s. Bultmann, 1952, 11 Anm. 1) ist auf 1Kor 2, 8 zu verweisen. V. 8 hat Paulus in eine übernommene Tradition eingefügt, anscheinend durch V. 9ab provoziert. Mit V. 6b bereitet er den sachlich störenden Einschub vor. Das ἥν zu Beginn von V. 8 ist eine sekundäre Dublette zu dem ἥν in V. 7b, was darauf hinweist, daß wir es im übrigen (in V. 7+9) mit einem Traditionsstück zu tun haben. Mit Fug und Recht wird weithin angenommen, daß uns in V. 8 ein gnostisierendes Motiv begegnet: Der auf Erden weilende Erlöser versteckt sich vor den Weltmächten, und zwar mit Erfolg; hätten die Weltmächte ihn erkannt, hätten sie ihn nicht gekreuzigt (= von dem Gefängnis des Leibes befreit und zum Himmel aufsteigen lassen), sondern gefangengehalten (vgl. Weinel, 1928, 319; Schlier, 1929, 22; Bultmann, 1965, 179). Die gelegentlich begegnende Meinung, die 'Weltmächte' seien die politischen Machthaber, scheitert schon daran, daß diese ihren *erkannten* Konkurrenten erst recht gekreuzigt hätten.

V. 6 legt die Annahme nahe, daß Paulus mit dem Nebengedanken V. 8 auf 1, 18 ff. zurückgreift, die Weltweisheit einmal mehr zu diskreditieren, indem er den Kosmos, der statt auf die Weisheit Gottes auf die eigene Weisheit aus ist, ausdrücklich unter die Herrschaft der vergehenden Archonten dieses Äons stellt, welche die Weisheit Gottes nicht erkannt und den Herrn der Herrlichkeit gekreuzigt haben. Dabei *denkt* Paulus *selbst* das in V. 8 aufgenommene Motiv nicht mehr gnostisch, sondern christlich bzw. apokalyptisch: Mit der

Kreuzigung Jesu wird die Macht der Sünde entmachtet, so daß die Archonten dieser Weltzeit sich selbst ihrer Macht berauben.

c) Die 'Christusmystik'

Bei Paulus begegnet ein charakteristisches Sprachfeld, das man oft unter dem Stichwort 'mystische Erlösungslehre' oder 'Christusmystik' zusammenfaßte. Dazu gehören:

- die Sammlung und Zusammengehörigkeit der Pneumatiker im 'Leib Christi' (1Kor 10,16bf.; vgl. Schlier, 1958, 90ff.), in den man hineingetauft wird (1Kor 12,13; Gal 3,27);
- die Identifizierung von 'Christus' bzw. 'Leib Christi' und Pneuma (Röm 8,9f.; 1Kor 12,13);
- die Gleichsetzung von 'Kirche' und 'Christus' als der Summe der Erlösten (1Kor 1,13; 12,12; Gal 3,16. 29);
- die Anteilhabe der Glaubenden am Geistleib des Christus (2Kor 13,13; Phil 2,1);
- das dem entsprechende 'Wir in Christus' bzw. 'Christus in uns' (Gal 1,22; 2,20; 3,27f.; 4,19; Röm 16,7; 2Kor 13,5; Kol 1,26f.) sowie das bloße Χριστοῦ εἶναι (1Kor 3,23; 15,23; Gal 3,29; 5,24);
- das Bild von dem *einen* Geistleib mit den Pneumatikern als den Gliedern (1Kor 6,15; 12,13.27; Röm 12,5);
- die Formeln der präsentischen Eschatologie, für die das 'Sein in Christus' schon die totale Wende bedeutet (2Kor 5,17; Röm 6,23; 8,1; vgl. Röm 6,4. 11. 13), auch wenn die definitive Erlösung 'vom Leibe' noch aussteht (2Kor 4,16–18), sowie vom entsprechenden Leben 'im Geist' statt 'im Fleisch' (Röm 8,2ff.; Gal 5,16 – 6,1);
- die Brotmahl-Formel 1Kor 10,16bf., welche die Einheit und das Brechen des Brotes auf die Einheit und die Vielheit des 'Leibes Christi' deutet (vgl. Schmithals, 1969/70, 373ff.);
- die Ansage des pneumatischen Universalismus für den, der imstande ist, sich von der Schöpfung und ihren Ordnungen zu emanzipieren (Gal 3,28; 1Kor 12,13; Kol 3,10f.);

– die dualistisch-enthusiastische Entgegensetzung von Geist und Buchstabe (2Kor 3,6; Röm 3,29; 7,6; vgl. Röm 10,5ff. und Käsemann, 1973, 274f.);
– die Ämter- und Charismenlehre des Paulus sowohl hinsichtlich ihrer grundsätzlichen enthusiastischen Struktur (1Kor 2,10–16; 12,4ff.; Röm 12,5) wie in vielen Einzelzügen (1Kor 12,8. 10.28ff.; 14,18; 2Kor 5,11ff.; Gal 1,1. 11f.; vgl. Bultmann, 1965, 182f.).

Zu diesem räumlich gedachten und ekklesiologisch auf die Gesamtkirche ausgerichteten Sprachfeld gehört entgegen vielen religionsgeschichtlichen Analysen nicht die Rede vom Sterben und Auferstehen des einzelnen Gläubigen *mit* Christus (Röm 6,1ff.), die vielmehr auf die Mysterienfrömmigkeit zurückgeht (vgl. Hegermann, 4; Jonas, II 53ff.; Schenke, 1965, 117f.). Die in der Theologie des Paulus begegnende Vermischung beider Sprachfelder darf die Analyse nicht leiten.

Im übrigen muß man von einer Einheitlichkeit dieser 'mystischen' Sprach- und Vorstellungswelt ausgehen. Man darf insonderheit nicht die Rede vom 'Sein in Christus' bzw. 'im Geist' und die vom 'Leib Christi', dem 'Geistleib' (1Kor 12,12f.), voneinander trennen.

Schon vor dem Aufkommen der Religionsgeschichtlichen Schule im engeren Sinn beobachtete man religionsgeschichtliche Voraussetzungen dieses 'Sprachspiels'. Man verwies gerne auf die mit Gedanken der stoischen Kosmologie verbundene hellenistisch-jüdische Weisheitsspekulation (Philo), der zufolge die göttliche Weisheit „die Seelen, in welchen sie ihre bleibende Wohnung finde, zu Freunden Gottes und Propheten mache, mit allem Wissen und aller Tugend ausstatte und selbst des ewigen Lebens theilhaftig mache" (Pfleiderer, 1887, 257; vgl. heute z. B. Hegermann, 138ff.; Dupont, 427ff. 471f.; Lohse, 1968, 93ff.; Weiß, 1973, 316f.). Indessen ist der Weg von der kosmologischen Allgott-Vorstellung oder vom Logos-durchwalteten Leib des Kosmos zum ekklesiologisch-soteriologischen Christusleib sehr weit (vgl. Schnackenburg, 1982, 307f.). Holtzmann (II 175ff.; vgl. Weinel, 1928, 319) erkannte, daß der stoische Organismusgedanke nur den Rahmen abgibt, in den Paulus in 1Kor 12,4ff.; Röm 12,3ff. seine Vorstellung vom Christusleib hineinzeichnet, und machte den unzureichenden Versuch, die 'Leib Christi'-Vorstellung mit den hellenistischen Mysterien in Beziehung zu setzen.

Schmidt verweist 1919 richtig auf die jüdischen Vorstellungen vom Menschensohn, vom kosmischen Riesenleib Adams und vom zweiten Adam, die Paulus durch hellenistische Anschauungen vom Himmelsmenschen weiter ausgestaltet habe.

Die Religionsgeschichtliche Schule setzte die pln. 'Christusmystik' mit Nachdruck in Beziehung zu der anthropogonischen Gestalt eines 'Urmenschen' oder 'himmlischen Menschen', die dem gnostischen Mythos von Fall und Erlösung des Pneuma zugrunde liegt und ohne welche die pln. 'Christusmystik' nicht zu verstehen sei (vgl. Bousset, 1921, 104ff. 140ff.; Reitzenstein, 1921, 131ff.; 1927, 66ff. 168ff. 177ff. 278ff.). Nun wurden die Formel 'In Christus' (Deissmann, 1925, 111f. Lit.) und die Vorstellung vom 'Leib Christi' zu einem bevorzugten Gegenstand der Forschung.

Besonders Bultmann und seine Schüler griffen die Anregungen der Religionsgeschichtlichen Schule auf und verstanden die 'Christusmystik' des Paulus als eine 'Vergeschichtlichung' des gnostischen Erlösungsmythos, der von der Einheit aller Pneumatiker in dem 'oberen Menschen' ausgeht (Bultmann, 1965, 182f.; Käsemann, 1933; Schlier, 1929, 88ff.; 1930, 49ff.). Dabei wurden freilich die Gedankenwelt der Gnosis und die der Mysterienkulte nicht immer hinreichend deutlich unterschieden, und vor allem verleitete der Begriff bzw. Name 'Christus' ('in Christus'; 'Leib Christi') dazu, 'Christusmystik' und 'Erlösermythos' aufeinander zu beziehen, obschon die Vorstellung vom Abstieg eines himmlischen Erlösers in die Gestalt eines Menschen in der vorchristlichen Gnosis nicht begegnet (s. S. 60f.) und in der 'Christusmystik' auch nicht vorausgesetzt wird.

Diese Mängel der 'gnostischen' Ableitung haben zu wachsender Skepsis ihr gegenüber geführt. Als wissenschaftlich nicht seriös ist dabei freilich der Versuch zu bezeichnen, auf eine religionsgeschichtliche Ableitung überhaupt zu verzichten und den uneigentlichen 'geschichtlichen' bzw. 'entmythisierten' Gebrauch der räumlichen Sprache der 'Christusmystik', wie er bei Paulus zweifellos vorliegt, für original, die eigentliche Verwendung in der Gnosis aber für nachpaulinisch zu halten (Percy, 1942; Mußner, 1955; Colpe, 1981, 602ff.).

Andere Forscher versuchen in unterschiedlicher Weise im Rahmen der atl. und jüdischen Vorstellung von einer 'Gesamtpersönlichkeit' eine Ableitung aus protologischen Adamspekulationen oder eschatologischen Logos- oder Weisheitsspekulationen, an die anknüpfend Paulus im wesentlichen selbst die Sprache der 'Christusmystik' geprägt habe (de Fraine, 209ff.; Best, 1955, 95f.; Schweizer, 1963, 272ff.; Meuzelaar, Lit.; vgl. Quispel, 1954, 195ff.). Aber die bestimmende raumhafte Ausprägung der 'mystischen' Sprache des Paulus läßt sich weder aus atl.-jüdischen noch aus pln. Voraussetzungen erklären.

An dieser Beobachtung scheitert auch die von Schweitzer 1930 im Rahmen der 'konsequenten Eschatologie' vorgetragene Konstruktion: Da der auferstandene Christus die himmlische Leiblichkeit besitzt, müssen auch die von ihm aus dem Tod ins Leben geführten Christen bereits – freilich unter der Hülle des Leibes – übernatürliche Wesen sein. Dieses gemeinsame naturhafte Sein führe zu der mystischen Sprache des Paulus. Und die spezielle Rede vom mystischen 'Leib Christi' entstehe „durch sinngemäße Vereinfachung" der Vorstellung jener „in Hinsicht auf die Auferstehung bevorzugten Leiblichkeit" (118).

Das Unbefriedigende solcher Erklärungen empfiehlt, den Weg der Religionsgeschichtlichen Schule nicht zu verlassen. Dazu bedarf es freilich der Einsicht, daß jenes jüdisch-gnostische System, dem Sprache und Vorstellung der pln. 'Christusmystik' entstammen, keine personhafte Erlösergestalt kannte, sondern nur die durch die Pneumatiker sich verbreitende erlösende Gnosis als solche: Der sich durch die Befreiung aus der Knechtschaft der Materie und dem Kerker des Leibes neu konstituierende 'Leib Christi' zieht selbst die versprengten Pneumasplitter wieder an sich. Dabei handelt es sich um einen für die frühe Gnosis anscheinend überhaupt charakteristischen Zug (Schmithals, 1961, 105 [Lit.]; Pokorný, 1965, 47ff.; Bultmann, 1967, 249f.; Schenke, 1973, 208f.; Fischer, 1973, 262f.; Colpe, 1961, 199; Talbert, 1975/76, 418f.).

Christus – und diese Einsicht ist der religionsgeschichtliche Schlüssel zum Phänomen der pln. 'Christusmystik' – ist in diesem vorchristlichen System einer jüdischen Gnosis nicht der himmlische Gesandte, sondern Bezeichnung für die himmlische und irdische, sowohl protologische wie eschatologische, gefallene und sich selbst erlösende Zentralgestalt ('Anthropos'; 'Erlöster Erlöser'), deren 'Leib' sich aus der Summe der Pneumatiker zu dem 'vollkommenen Mann' (Eph 4,11f.), dem 'neuen Menschen' (Kol 3,10) restituiert (Eph 4,13); vgl. im einzelnen Schmithals, 1969, 32–80.

Im Rahmen dieses Mythos begegnen Sprache und raumhafte Vorstellung der pln. 'Christusmystik'. Zugleich wird der hermeneutische Vorgang verständlich, durch den schon vor Paulus, der die 'mystische' Sprache in 'entmythisierter' Gestalt bereits übernommen hat, unter Beibehaltung der gnostischen Begriffswelt und in Verbindung mit der christlichen Erlöservorstellung das gnostische Erlösungsgeschehen ganz auf die ekklesiologische Ebene transponiert und so in die christliche Wahrheit hinein 'aufgehoben' wurde (Schmithals, 1978).

3. Die paulinische Nebensammlung: Epheser – Kolosser (– Philemon)

a) Der Kolosserbrief

α) *Methodisches*

Einer allseits befriedigenden Lösung des Problems der kolossischen Häresie stehen mancherlei methodische Schwierigkeiten entgegen. Obschon sich die in Kol bekämpfte Häresie, wie immer man sie bestimmt, sowohl in apostolischer wie in nachapostolischer Zeit unterbringen läßt (für pln. Verfasserschaft setzen sich heute z. B. ein: Lohmeyer, 1964; Lähnemann, 1971, 177ff.; Kümmel, 1973, 298ff.; Suhl, 1975, 168 Anm. 93: durch Epaphras; Schweizer, 1976: durch Timotheus; Ollrog, 1979, 236ff.: durch einen Mitarbeiter; für deuteropaulinischen Ursprung plädieren nach Vorgang von Mayerhoff, 1838, und den 'Tübingern' heute z. B. Lohse, 1968; Conzelmann, 1976; Schenke/Fischer, 1978, 165ff.; Lindemann, 1981), wiegt die Frage nach der Verfasserschaft von Kol nur scheinbar gering; denn das Problem kompliziert sich, wenn Holtzmann recht hat und der „Gegensatz, welchen unser Brief voraussetzt . . ., nichts weniger als ein einfacher" ist, so daß erst „die Doppelheit der Verfasserschaft . . . Licht in die Sache" bringt (1872, 286). Holtzmann zufolge handelt es sich bei Kol um einen interpolierten Originalbrief des Paulus (ähnlich Weisse, 1855, 146; 1867, 59f.; Hitzig, 1870, 22f. 26; Pfleiderer, 1873, 370f.; Masson, 1950, 159; Benoit, 1975, 254). Diesen Fall gesetzt, kann man versuchen, auch bei den antihäretischen Passagen von Kol zwei Schichten zu unterscheiden.

Gewichtig ist auch, wieweit das Bild der Irrlehre, das sich aus den polemischen Stellen in Kol 2 ergibt, aus den unpolemischen Teilen des Kol ergänzt werden darf, und zwar insbesondere aus den christologischen Digressionen in Kol 2,2f. 9–15. 17. 19, aber auch aus 1,8–29. Die Ausleger beantworten diese Frage durchweg positiv (vgl. schon Pfleiderer, 1873, 371ff.; von Soden, 1893, 7ff.), obschon diese christologischen Passagen weithin traditionelles Gut aufnehmen, auf die polemischen Ausführungen nicht ausdrücklich eingehen und in Eph ohne deutliche antihäretische Spitze wiederbegegnen (vgl. aber Schweizer, 1976, 100; von Soden, 1893, 7ff.).

Die direkt polemischen Passagen finden sich in 2,4. 8. 16–23. Abgesehen von der Frage nach ihrer literarischen Einheitlichkeit stellen sie dem Ausleger die Aufgabe zu entscheiden, wieweit der Verfasser Schlagworte der Häretiker zitiert, wieweit er solche Schlagworte polemisch parodiert oder wieweit er seine Polemik mit eigenen Begriffen vorträgt (vgl. Wikenhauser/Schmid, 467; Gewiess). Man muß, besonders unter der Voraussetzung pln. Autorschaft, auch fragen, ob der Autor die Gedanken und Absichten der Irrlehrer nicht „gelegentlich mißverstanden hat" (Lohmeyer, 1964, 3). Zu diesen methodischen Schwierigkeiten tritt eine sachliche Beobachtung: „In dem Bilde dieser kolossischen Irrlehrer mischen sich auffallend verschiedenartige Züge" (Jülicher/Fascher, 130).

β) *Die direkte Polemik*

Das Wirken der Irrlehrer wird vieldeutig beschrieben mit παραλογίζεσθαι ἐν πιθανολογίᾳ (2,4: täuschen, betrügen durch Schönrednerei, Überredungskunst) und συλαγωγεῖν (rauben, von der Wahrheit wegführen) διὰ τῆς φιλοσοφίας καὶ κενῆς ἀπάτης (2,8). Ihre Lehre steht in dem (unberechtigten) Rufe, 'Weisheit' zu sein (2,23: (λόγον ἔχοντα σοφίας). Sie gelten als grundlos aufgebläht (2,18: εἰκῇ φυσιούμενος ὑπὸ τοῦ νοὸς τῆς σαρκὸς αὐτοῦ). Dies alles ist Polemik und kann, wenn überhaupt, nur mit Vorsicht benutzt werden, das Bild der Häretiker zu zeichnen. Auch φιλοσοφία dürfte neben κενὴ ἀπάτη kaum Selbstbezeichnung der Irrlehrer sein (so z. B. Bornkamm, 1958, 143; Vielhauer, 1975, 192), sondern bezeichnet geringschätzig die Menschenlehre (παράδοσις τῶν ἀνθρώπων 2,8); vgl. Wikenhauser/Schmid, 467. Und σοφία meint 'Weisheit' im allgemeinen Sinn, nimmt aber kaum einen besonderen Ruhmestitel der Gegner auf (vgl. 1Kor 2,4f.).

(1) Die antijüdischen Passagen. – Besonders charakteristisch ist die Beachtung von Speisevorschriften (2,16.21), Reinheitsvorschriften (2,21) und jüdischem (vgl. Hos 2,13; Hes 45,17; 1Chr 23,31; 2Chr 2,3; 31,3; Num 28,11ff.) Festkalender durch die Irrlehrer. Der Verfasser nennt die jüdische Festordnung kritisch 'Schatten des Zukünftigen', während die 'Sache selbst' Christus zugehört (2,17; vgl. 1Kor 5,7f.; Hebr 8,5; 10,1), und bezeichnet die Speisen abwertend als vergängliche, zum Verbrauch bestimmte Dinge (2,22a). Er charakterisiert (und kritisiert) das judaisierende Verhalten als ἐθελοθρησκία (2,23: selbstgewählte oder vermeintliche Frömmigkeitsübung), ταπεινοφροσύνη (2,18.23: 'Demut' = Askese, Fasten wie HermSim. V 3,7), ἀφειδία σώματος (2,23: leibliche Enthaltsamkeit), auch wohl (ironisch?) als πλησμονὴ τῆς σαρκός (2,23: fleischliches Vergnügen? Befriedigung des Fleisches?). Wieweit er dabei Worte der Irrlehrer aufnimmt, muß offenbleiben.

Auf diese Frömmigkeitsübungen beziehen sich auch 2,8 (παράδοσις τῶν ἀνθρώπων) und 2,22 (ἐντάλματα καὶ διδασκαλίαι τῶν ἀνθρώπων). Reflektieren diese Wendungen auf ein besonderes Traditionsbewußtsein der Irrlehrer (so Bornkamm, 1958, 143f.), was mit dem in 2,18 bezeugten visionären Enthusiasmus nicht gut zusammengeht, oder handelt es sich nur um Polemik ('nur Menschenlehre'; vgl. 1Kor 2,5; Gal 1,11; 1Thess 2,13; Tit 1,14)?

Aus der Digression 2,11–13 zu schließen, die Irrlehrer hätten auch den Brauch der Beschneidung geübt, ist sehr gewagt. Positiv: Bleek, 1862, 439; Lohmeyer, 1964, 6 („scheint"); Dibelius/Greeven, 30 („vielleicht"); Saunders, 1967, 134.140; Schenke, 1964, 392; Schenke/Fischer, 1978, 158 („wahrscheinlich"); Lähnemann, 51. 78. 120ff. Kritisch: von Soden, 1893, 11; Käsemann, 1959; Kümmel, 1973, 297 Anm. 4.

(2) Die antignostischen Passagen. – Ließe sich alles bisher Genannte im Rahmen eines ritualistischen Judenchristentums ansiedeln (von Soden, 1893, 10f.; Lyonnet, 1967) – das Judentum selbst kommt als 'Irrlehre' nicht in Frage (so nach Eichhorn, 287ff., u. a. später z. B. noch Lueken, 1908, 342f.; Lohmeyer, 1964, 3ff.; Hooker; Caird, 163f.) –, so geht der Vorwurf der θρησκεία τῶν ἀγγέλων darüber hinaus (2,18). Stammt diese Wendung aus dem Begriffsschatz der Irrlehrer, oder gehört sie der polemisch-ironischen Sprache des Verfassers an (so z. B. Percy, 1946, 168ff.)? Im ersten Fall müßte es sich bei den Engeln um verehrungswürdige Mächte handeln, die von den Häretikern neben Christus respektiert werden (Bornkamm, 1958, 140f. 146; Lohmeyer, 1964, 4f. 8. 124; Gnilka, 1980, 167f.; Conzelmann, 1976, 193). Im zweiten Fall können es auch dämonische Potenzen sein, vor deren Macht sich die Irrlehrer noch fürchten müssen (Schenke/Fischer, 1978, 160ff.). Andere urteilen im Rahmen der gnostischen Emanationsvorstellung vermittelnd: Die 'Mächte' sind hierarchisch gegliedert und um so göttlicher, je höher sie stehen, aber um so böser, je mehr sie der Welt zugewandt sind; Christus ist ihr göttliches Haupt (Jülicher/Fascher, 131; Vielhauer, 1975, 193; vgl. Schweizer, 1970, 160ff.). Auf welche 'Gattung' gehen dann aber die 'Satzungen' zurück?

Für den Verfasser des Kol sind die ἄγγελοι von 2,18 offensichtlich mit den στοιχεῖα τοῦ κόσμου (2,8.20) identisch (Dibelius, 1953, 38; Weiß, 1973, 313; vgl. aber Delling, ThWNT VII, 685f.; Schweizer, 1976, 100ff.), die einerseits durch Christus geschaffen wurden und unter Christus stehen (1,15–20; 2,10), andererseits aber von ihm entmachtet wurden (1,13; 2,15). Diese widersprüchliche Angabe (Bornkamm, 1958, 146; Schenke, 1964, 399ff.; Schenke/Fischer, 1978, 163) erschwert den Versuch, den Sinn des Hinweises auf die θρησκεία τῶν ἀγγέλων aus den christologischen Ausführungen des Verfassers zu bestimmen, doch legt der enge Zusammenhang von 2,15 und 2,18 nahe anzunehmen, daß der Verfasser in 2,18 an die feindlichen Engelmächte denkt. Wenn er in Kap 1 – 2 die alle Mächte überragende Rolle Christi betont, geschieht dies nach der Meinung fast aller Ausleger (z. B. Dibelius, 1953, 33; Kümmel, 1973, 298; Weiß, 1973, 314) jedenfalls in der Absicht, die 'Mächte' entgegen dem Verhalten der Irrlehrer zu depotenzieren.

Stammt der Begriff στοιχεῖα τοῦ κόσμου aus der Sprache der Irrlehrer (so z. B. Bornkamm, 1958; Lohmeyer, 1964, 102ff.; Lohse, 1968, 149; Vielhauer, 1975, 193; Lähnemann; Conzelmann, 1976, 189f.; Gnilka, 1980, 121ff.), oder hat der Verfasser des Kol ihn selbst eingeführt, um diese Mächte deutlich auf die Seite des Kosmos zu stellen und damit ihrer Macht zu entkleiden? Ein Vergleich mit Gal 4,3.8f. empfiehlt die letztere Annahme (vgl. z. B. Percy, 1946, 166ff.; Foerster, 1966; Delling, ThWNT VII, 685f.; Hegermann, 161; Weiß, 1973, 313; Wikenhauser/Schmid, 467; Schenke/Fischer, 1978, 159f.). In jedem Fall zeigen 2,16–18.20–23 und – im Licht von 2,22 – auch 2,8, daß der Verfasser des Kol die ἄγγελοι, die στοιχεῖα τοῦ κόσμου bzw. die ἀρχαὶ καὶ ἐξουσίαι (1,16; 2,10.15) als Urheber der von ihm bekämpften ἐντάλματα καὶ διδασκαλίας τῶν ἀνθρώπων (2,22) ansieht, ebenso wie Paulus in Gal 4,8ff.

Konkret und vieldeutig zugleich ist schließlich das von dem Häretiker ausgesagte ἃ ἑόρακεν ἐμβατεύων (2,18). Da ἐμβατεύειν als Terminus technicus der Mysteriensprache bezeugt ist (Dibelius, 1953, 35; kritisch z. B. Schweizer, 1976, 123 Anm. 407) – anscheinend für das Betreten des Heiligtums –, erschließen manche Ausleger, der häretische Kult der Kolosser habe Mysteriencharakter besessen. Dem 'Betreten' (= Weihe?) wäre dann ggf. eine Vision vorausgegangen (ἃ ἑόρακεν), wofür man auf Apul. Met. XI 27 verweist: 'Betretend, was er geschaut hat' (vgl. Dibelius, 1953, 35f.; Vielhauer, 1975, 194), oder man bezieht das ἃ auf das Vorausgenannte, 'Demut und Engelkult', die „er bei seiner Einweihung geschaut hat" (Lohse, 1968, 177f.; vgl. Dibelius, 1953, 36; Schweizer, 1976, 123f.), oder man zieht die folgenden Worte ein: 'Grundlos eingebildet auf das, was er bei seiner Einweihung (oder beim visionären Eintritt in die obere Welt) geschaut hat' (Fridrichsen; vgl. Schweizer, 1976, 124). Nun ist es aber keineswegs erforderlich, ἐμβατεύειν aus der Mysteriensprache zu verstehen. Darum beziehen andere Forscher das 'Betreten' auf den postmortalen Seelenaufstieg: Der (gnostische) Visionär betritt, was er zuvor in Vision oder Ekstase geschaut hat (Schenke/Fischer, 1978, 159). Man kann auch übersetzen: 'Erforschend, was er gesehen hat' (Preisker, ThWNT II, 532; Lohmeyer, 1964, 8) oder 'Als Besitz antretend, was er gesehen hat'. Jedesmal wäre eine ekstatisch-visionäre 'Schau' Kennzeichen der Irrlehrer, ohne daß diese in Verbindung mit Mysterienfrömmigkeit gebracht werden müßten.

γ) *Das Bild der Irrlehrer*

Die Mehrdeutigkeit der oft sehr unbestimmten Angaben über die Irrlehre ermöglicht es den Forschern zwar, diese zugleich vielschichtigen Angaben auf ein bestimmtes Bild der Häresie hin zu vereinheitlichen, doch führt dies Verfahren zugleich zu durchaus unterschiedlichen Zeichnungen der Häresie. Insgesamt gilt: Je konkreter das Bild der Häresie bestimmt wird, um so mehr müssen die Aussagen des Kol einseitig gepreßt werden; je direkter diese Aussagen genommen werden, um so unpräziser wird das Bild der Häresie.

(1) Gnostiker. – Für Gnostiker im strengen Sinn dieses Begriffs hält die Häretiker nach Vorgang anderer (vgl. Burton, 84f. 112f. 126; Mayerhoff, 1838, 107f. 148f.; Neander, 1862, 396ff.: Kerinthianer; Hilgenfeld, 1875, 665ff.; Weinel, 1928, 392; vgl. auch Conzelmann, 1967, 345; Schulz, 1976, 91f.) in neuerer Zeit Schenke (1964; Schenke/Fischer, 1978, 160ff.; vgl. Rudolph, 1980, 320f.). Den 'Engeldienst' (2,18) bezieht er auf die Aufgabe der Gnostiker, den gefährlichen Weg durch die Dämonensphäre in das Reich des Lichtes sorgfältig vorzubereiten. Aber die in Kol angesprochenen

Frömmigkeitsübungen lassen einen dualistischen Hintergrund nicht erkennen. Gerade die sexuelle Askese, die freilich einige Forscher in 2,21 (trotz 2,16f.22) ggf. eingeschlossen sehen möchten (Schweizer, 1970, 160f.; 1976, 127), tritt nicht in den Blick. Es geht in 2,16.21 in jüdischer Sicht um die Reinheit und Heiligkeit der Dinge und Zeiten, nicht um die Verwerflichkeit des Leiblichen.

(2) Synkretisten. – In der Regel hält man die „Verehrung der Weltelemente für einen integrierenden Bestandteil des Christusglaubens" der Häretiker (Bornkamm, 1958, 141). Sie steht z. B. für Bornkamm im Zusammenhang mit einem „Wiedergeburtsmysterium" (1958, 145), und der Verfasser des Kol halte dieser Lehre entgegen, in Christus, neben dem andere Mächte keinen Platz haben, sei die Wiedergeburt bereits erfolgt. Die „Tabugebote und die asketischen Forderungen der Häretiker" (149) zeigen darüber hinaus, daß „die Irrlehre als eine Abart des synkretistischen Judentums" zu gelten habe (149), in der „jüdische und iranisch-persische Elemente, sicher auch Einflüsse chaldäischer Astrologie sich eigentümlich verschmolzen und mit dem Christentum verbunden haben" (153).

Dieses Bild eines kolossischen Synkretismus geht auf die Anfänge der historischen Erforschung von Kol zurück. Es konnte mit Verweis auf jüdisch-alexandrinische Philosophie (Schenkel, 1871, 567f.; von Soden, 1893, 11; 1905, 51ff.; Lipsius, 1869, 497ff.) oder die Essener bzw. neuerdings die Qumransekte (Michaelis, 1777, II 1079; Credner, 1836; 410f.; Thiersch, 1852, 148; Neander, 1862, 390ff.; Lipsius, 1860, 141; Klöpper, 76ff.; Lightfoot, 1892, 92f.; Godet, 1894, 264f.; Weiss, 1897, 241; Zedda; Moule, 1957, 31ff.; Guthrie, I 162ff.; Foerster, 1966; Saunders, 1967; Yamauchi, 1964; s. bei Lohse, 1968, 188 Anm. 2; kritisch z. B. Braun, I 228ff.; von Soden, 1893, 11) oder Kabbalisten (Kleuker, 136ff.; Osiander, 116ff.) oder die Sekte der Hypsistarier (Bornkamm, 1958, 153ff.) oder hellenistische Mysterienkulte (Dibelius, 1913, 85; Lähnemann) religionsgeschichtlich stärker verwurzelt werden und erlaubt auch mancherlei weitergefaßte Beschreibungen wie 'kosmische Spekulation' (Dibelius, 1953, 39), 'ebionitischer Gnostizismus' (Pfleiderer, 1873, 369), 'Jewish mysticism' (Evans) oder 'ascetic-mystic piety' (Francis). Es ist das heute vorherrschende Bild der kolossischen Häresie (Pfleiderer, 1873, 366ff.; Zahn, I 330ff.; Barth, 1914, 70f.; Appel, 1922, 59f.; Jülicher/Fascher, 130f.; Bieder, 1952; Albertz, 1955, 315f.; Hegermann, 161 ff.; Lähnemann, 100 ff.; Conzelmann, 1976, 193 f.; Schweizer, 1976, 176 ff.; Vielhauer, 1975, 192 ff.; Köster, 1980, 702), dessen Mangel freilich darin besteht, daß es ad hoc konstruiert und ohne deutliches religionsgeschichtlich aufweisbares Gegenstück ist (vgl. Weizsäcker, 1902, 543 f.; Dibelius, 1953, 39; Lohmeyer, 1964, 3; Lähnemann, 100 ff.: „Religionsgeschichtliche Eigenständigkeit"; Gnilka, 1980, 169) bzw. sehr wenig konkret bleiben muß (Ernst, 1974, 218 ff.), so daß auch der Begriff 'Gnosis' (Baur, 1845, 417 f.; Hilgenfeld, 1875, 663 ff.; Feine/Behm, 1936, 183 f.; Michaelis, 1954, 213; Moule, 31; Dibelius, 1953, 38; Lohmeyer, 1964, 8; Percy, 1946, 142 f.; Wikenhauser/Schmid, 467 f.; Vielhauer, 1975, 195; Conzelmann, 1976, 193 ff.; Marxsen, 1978, 182 f.; Lohse, 1968, 189: 'vorgnostisch'; Lueken, 1908, 343: 'Vorläufer der späteren sog. Gnostiker'; vgl. auch Hug, 1826, 421 ff.) für dieses Bild mit zweifelhaftem Recht verwandt wird (vgl. Percy, 1946, 176 ff.; Hegermann, 161 ff.; Lyonnet, 1956, 27 ff.; 1967; Lähnemann, 100 ff.; Schenke, 1964, 394 f.; Kümmel, 1973, 298; Schenke/Fischer, 1978, 160 f.; Köster, 1980, 702). „Die synkretistische Verschmelzung an sich miteinander unvereinbarer religiöser bzw. 'philosophischer' Tendenzen scheint in der Form, in der sie uns im Kolosserbrief als christliche Bewegung entgegentritt, ohne direkte Parallele zu sein" (Lindemann, 1983, 84).

(3) Doppelte Frontstellung. – Bei beiden bisher genannten Erklärungstypen bleibt das Phänomen der kolossischen Häresie unbefriedigend gedeutet, wie noch Lohmeyer richtig beobachtet hat: „... eine hellenistisch-philosophische ‚Gnosis' und eine jüdisch-ethische Praxis ... durchdringen sich seltsam und undurchsichtig" (1964, 3; vgl. Moule, 1957, 30 ff.). „Eben diese Verbindung setzt den kritischen Geschichtsforscher in Verlegenheit" (Hilgenfeld, 1875, 667), der nicht gern „absonderliche, nur hier vorkommende" (Reuß, 1874, 113) Lehren bzw. eine „Religionsgeschichtliche Eigenständigkeit" (Lähnemann, 100) der Irrlehrer annimmt, zumal wenn für das Bild dieser Irrlehre gegesätzliche religiöse Phänomene künstlich zusammengebracht werden müssen. Daß aber der Verfasser von Kol sich gegen unterschiedliche Häresien wende (Reuß, 1874, 113), gibt er selbst keineswegs zu verstehen; die verschiedenen häretischen Tendenzen verschlingen sich in Kol 2 vielmehr aufs engste. Darum schwanken die Forscher im Rahmen des herrschenden 'synkretistischen' Konsensus, ob sie das Juden(christen)tum, die 'Mysteriosophie' oder die gnostisierende Spekulation als Basis der kolossi-

schen Häresie ansehen sollen. „Solche Unklarheiten wurzeln in der Vielschichtigkeit des Kolosserbriefes selbst" (Lähnemann, 75).

Weizsäcker erwägt 1902 (544; vgl. schon Hilgenfeld, 1875, 668), ob nicht die Sätze gegen den 'Judaismus' der Irrlehrer nur „die grundlegende Einleitung nach paulinischem Vorbild" seien, während dem nachpaulinischen Verfasser sachlich nur an den 'dualistischen' Gedanken liege. Im Rahmen solcher Beobachtungen ist freilich die literarkritische 'Interpolationshypothese' Holtzmanns schon deshalb konsequenter, weil sie nicht mit Weizsäcker dem deuteropaulinischen Verfasser von Kol das 'Tübinger' Geschichtsbild unterstellen muß.

δ) *Die literarkritische Lösung*

(1) Der Originalbrief des Paulus. – Kol enthält sowohl Präskript (1,1–2) und Proömium (1,3–8) in durchaus authentisch pln. Manier als auch einen vollständigen pln. Briefschluß. In 4,18b findet sich der übliche Schlußgruß; 4,10–18a enthalten eine ausführliche Grußliste, zu der vor allem Röm 16,3–16 als formale Parallele verglichen werden kann; 4,7–9 bringen die persönlichen Bemerkungen, die bei Paulus in der Regel im Briefschluß stehen; 4,2–6 umfaßt die Bitte um Fürbitte für den Apostel, ein gleichfalls stereotypes Stück des pln. Briefformulars (vgl. 1Thess 5,25; 1Thess 3,11 = Thess E; 2Thess 3,1f.; Röm 15,30–32). Von den übrigen regelmäßigen Stükken des pln. Eschatokolls begegnet offenbar in 3,12–14 die Schlußparänese und in 3,15a die 'Klimax', der (jüdische) Friedenswunsch (vgl. Röm 16,20a; Phil 4,9b; 1Thess 5,23; 2Thess 3,16; 2Kor 13,11 u. ö.). Trifft diese Analyse zu, so hat der Autor des kanonischen Kol in den überlieferten Briefschluß den Abschnitt 3,15c – 4,1 sekundär eingelegt, also die Haustafel 3,18 – 4,1 und die Ermahnung zu rechtem Gottesdienst 3,16 mit den Überleitungen 3,15b.17, die das Thema 'Dank' aus 4,2 bereits vorziehen (vgl. 1,12).

Es gibt aus der Antike keinen Beleg dafür, daß ein pseudonymer Brief eines von seinem Autor so authentisch ausgearbeiteten Echtheitssiegels bedurfte, wie er in den Rahmenstücken von Kol vorliegt (vgl. nur Eph! sowie Holtzmann, 1872, 286ff.; Schweizer, 1976,

24). Ist aber ein authentischer und zugleich interpolierter Briefrahmen vorhanden, so dürfte auch das Briefcorpus (1,9 – 3,11) zweischichtig sein. Ich rechne zum originalen Schreiben des Paulus 1,24–29; 2,1. 5. 16f. 20–23; 3,1–11 als Briefcorpus mit 1,1–8 als Protokoll und 3,12–15a; 4,2–18 als Eschatokoll.

Dieses Corpus mahnt die Paulus persönlich unbekannten Christen Kolossäs vor judaisierender Gesetzlichkeit. Deren Hintergrund bildet die aus Röm 14,1ff.; 1Kor 8,1ff.; 10,23ff. bekannte Praxis der aus der Synagoge kommenden ehemals 'gottesfürchtigen' Heidenchristen, die jüdischen Reinheitsvorschriften und Festtage weiterhin zu beachten und dort, wo die rituelle Reinheit von Fleisch und Wein, die in der hellenistischen Welt in der Regel mit dem heidnischen Kult in Verbindung kamen, nicht garantiert war, auf deren Genuß überhaupt zu verzichten (vgl. Schmithals, 1973, 95ff.). Mit dualistischer Askese hatte dieser Brauch nichts zu tun. Paulus reagiert auf die kolossische Übung zwar prinzipieller als in Röm 14f. und in 1Kor 8.10, weil er anders als in Rom und Korinth nichts von einer bereits in Gang befindlichen Auseinandersetzung zwischen 'Starken' und 'Schwachen' weiß; anders als in Galatien aber befürchtet er keinen Abfall von Christus bzw. vom Glauben hin zum Gesetz.

(2) Die antignostische Bearbeitung. – Der deutero-pln. Verfasser des kanonischen Kol hat die originale Polemik des Paulus auf die gnostischen Irrlehrer seiner Zeit bezogen (vgl. Holtzmann, 1872, 288ff.). Seine eigenen antihäretischen Formulierungen in 2,4. 8. 18 bildet er im wesentlichen als Dubletten zu den originalen Angaben in 2,16. 20–23 (vgl. auch τοῖς δόγμασιν 2,14 mit δογματίζεσθε 2,21); nur das ἃ ἑόρακεν ἐμβατεύων (hingegeben an seine Visionen) und das εἰκῇ φυσιούμενος (grundlos aufgebläht; vgl. 1Kor 4,6. 18f.; 5,2; 8,1; 13,4) sind nicht vorgegeben. Auch andere Dubletten bestätigen die Doppelschichtigkeit von Kol: 1,5f./1,23; 1,6/1,9f.; 1,3/1,12; 1,25/1,23; 1,28/3,16 (jeweils zuerst die Stelle des originalen Briefes; vgl. Holtzmann, 1872, 121ff.).

Wollte der Verfasser des kanonischen Kol seine antignostischen Gedanken mit dem pln. Originalbrief verbinden, bedurfte es der von ihm in 1,13.16b.18c (vgl. Schweizer, 1976, 54f.69.73); 2,8. 10.15.18f. gewählten Übergänge und Interpretationen. – Dabei kommt es zu der Spannung zwischen der monistischen Vorstellung von Christus als dem Haupt und Versöhner *aller* Mächte, die der Verfasser des kanonischen Kol in 1,16–20 und 2,9–12, das Traditionsgut des Christushymnus in 1,15–20 (vgl. Eph 1,10) aufgreifend und ergänzend, formuliert, und der eher dualistischen in 2,15 (vgl. 1,13), mit welcher er direkt zu der Polemik gegen die als Gnostiker angesehenen Irrlehrer in 2,16ff. überleitet. So oder so akzeptiert er im Anschluß an den Brief des Paulus (2,20) die gnostisierende Ansicht, daß der Kosmos von dämonischen Mächten beherrscht bzw. bedroht wird. (Zu den Bezeichnungen dieser Mächte in 1,13.16;2,8.10.15.18.20 s. die gnostischen Texte bei Schlier, 1930, 6ff.) Er selbst dürfte dabei in 2,15, wie 2,14 zeigt, im Sinne der jüdischen Dämonologie die von Gott geschaffenen (1,15–17), aber abgefallenen Mächte vor Augen haben (vgl. 1Kor 2,8; 2Kor 4,4), denen die Sünder gehören und denen durch Jesu Tod das Recht auf die Sünder – der Schuldbrief – weggenommen wurde, so daß sie nun machtlos sind (vgl. 1,18b–20).

Mit diesen Beobachtungen ist noch nicht über den Anlaß des kanonischen Kol entschieden. Die insgesamt verschwommene Zeichnung der Häresie und die wenig präzisen und relativ unselbständigen Beschreibungen von der Hand des Interpolators in 2,8.18f. sprechen ebenso wie die unpolemischen sekundären Briefteile in Kap 1,3 und 4 eher gegen die Annahme, daß sich der Verfasser des kanonischen Kol in einer konkreten Auseinandersetzung mit gnostischen Irrlehrern befand, welche die Einheit der Gemeinde bedrohten. Er erwartet von der Gemeinde, daß sie im Glauben stehenbleibt (1,23) und an der überkommenen Lehre festhält (2,7f.), und er beschreibt die gnostischen Irrlehrer seiner Zeit als Leute, die außerhalb des Leibes Christi stehen (2,18f.). Seine Polemik ist eher prinzipiell theologisch als aktuell, ohne daß sie eines konkreten Anlasses ermangelt haben dürfte; s. im übrigen S. 83ff.

Zu diesen prinzipiellen antignostischen Gedanken gehört vor allem die schon traditionelle (vgl. Schweizer, 1976, 50ff.; 1976, 181ff.; Lohse, 1968, 77ff.; Benoit, 1975) antidualistische Aussage, daß alles durch Christus geschaffen und daß dementsprechend auch alles durch ihn erlöst wurde (1, 15–20. 23; 2, 10; vgl. 1, 28), die ihren deutero-pln. Charakter durch die Konzentration auf den Gedanken der 'Sündenvergebung' zu erkennen gibt (1, 13 f. 20; 2, 13 f.), gerade darin aber eine antignostische Spitze hat: Nicht der Pneumatiker wird erlöst, sondern der Sünder (vgl. Holtzmann, 1886, 278). Es war ein seltsamer Einfall, den in 1, 15 ff. aufgenommenen Christushymnus für ein seiner Herkunft nach gnostisches Traditionsstück zu halten (Käsemann, 1960, 39 ff.; dagegen Lohse, 1968, 84 Anm. 6; Schweizer, 1976, 72). Der Intention des Hymnus entsprechen die wiederholten Hinweise auf die Suffizienz Christi, in dem 'alle Schätze der Weisheit und der Erkenntnis verborgen sind' (2, 2 f. 8 f.; 1, 9 f. 19); vgl. Holtzmann, 1886, 278; von Soden, 1893, 8 f.; Schweizer, 1976, 108 f. 116. Begriffe wie σοφία, γνῶσις, ἐπίγνωσις und σύνεσις πνευματική nehmen dabei mit Bedacht gnostische Sprache auf.

ε) *Gnostische Sprache und Gedanken im Kolosserbrief*

Die anthropologische Sprache der pln. 'Christusmystik' (s. S. 63 ff.) findet sich in 1, 24–29 und 3, 9–11 (vgl. 1, 4; 3, 4), die ekklesiologische in 3, 15 sowie in der für Kol (und Eph) charakteristischen Differenzierung von 'Haupt' und 'Leib' in 1, 18 und 2, 19, offenbar ad hoc nach Analogie der gnostischen Vorstellung vom 'oberen' und 'unteren' Menschen durch den deutero-pln. Verfasser des Kol gebildet, und zwar provoziert durch die ursprünglich *kosmologische* Rede von Haupt und Leib im Rahmen des traditionellen Hymnus 1, 15–20 (Käsemann, 1960, 36 f. u. a.); vgl. auch Eph 1, 10 mit Eph 1, 22.

Ob die Aussage, daß in Christus das 'Pleroma' begegnet (1, 19; 2, 9 f.), sprachlich und (oder) sachlich in diesen Zusammenhang gehört (so schon Hilgenfeld, 1875, 666 f.), ist umstritten (Ernst, 1970; Lohse, 1968, 98 ff.; Lyonnet, 1956, 28 f.; 1967, 538 ff.). Im gnostischen Sprachgebrauch umfaßt das 'Pleroma' die Fülle der göttlichen Emanationen. Nun beziehen sowohl das Lied (1, 19) wie der deutero-pln. Autor des Kol (2, 9) 'Pleroma' auf Gott selbst und bleiben im

Rahmen des christlichen Offenbarungsgedankens (Lohse, 1968, 98ff.; Macdermot; Overfield u. a.). Darum dürfte die (auf Eph und Kol) bezogene Aussage Biedermanns insoweit nicht zutreffen: „Die christologischen Aussagen dieser Briefe sind die paulinischen Grundgedanken, gegen die Gnosis gekehrt, aber selbst in der Form der Gnosis." Vgl. aber noch S. 88.

Hinter 2,11.13 ('Durch welchen ihr auch beschnitten seid mit einer Beschneidung, die nicht mit Händen geschieht, nämlich mit der Ablegung des Fleischesleibes, der Beschneidung Christi') steht offenbar eine Vorstellung, welche die Beschneidung „mit der völlig unjüdischen, aber aus der Gnosis verständlichen Wendung ἀπέκδυσις τοῦ σώματος τῆς σαρκός interpretiert" (Bornkamm, 1958, 145): Die Beschneidung symbolisiert die Befreiung des πνεῦμα von dem Gefängnis der σάρξ. Der nachpaulinische Verfasser des Kol ethisiert diese Vorstellung und bezieht sie betont antignostisch auf den Tod des sündigen Menschen in der Taufe (2,11–14; vgl. Röm 6,1ff.), und zwar offenbar im Anschluß an die paulinische Rede von der Tötung der 'irdischen Glieder' (3,5) und dem Ausziehen des 'alten Menschen' (3,9).

Die Präexistenzchristologie wird man nicht (mehr; s. S. 57ff.) als gnostisierend bezeichnen können, und die auffällige Tatsache, daß die Eschatologie von Kol mehr räumlich (1,12) als zeitlich (vgl. aber 3,4) orientiert ist (Bornkamm, 1971; Weiß, 1973, 318f.), bedarf zwar einer hellenistischen, nicht aber notwendigerweise einer gnostischen Ableitung.

Indessen wird oft ein gnostisierender 'Triumphalismus' bzw. 'Perfektionismus' in Kol erkannt, besonders in 2,12f.15; vgl. 3,1 (Weiß, 1973, 317f.); der 'eschatologische Vorbehalt' fehle. Das trifft in gewisser Weise zu, ohne daß man deshalb jedoch von „einer gemäßigten Form christlicher Gnosis, die der Verfasser vertritt" (Schenke/Fischer, 1978, 163; vgl. schon Hilgenfeld, 1875, 667; Holtzmann, 1872, 292ff.), reden dürfte; denn der Dualismus ist in Kol von vornherein ausgeschlossen (1,15ff.; 2,9ff.). Bei dem Triumph Christi über die Mächte (2,15; 1,13) handelt es sich zwar um ein ursprünglich gnostisches, aber offensichtlich antignostisch eingesetztes Motiv: Den Mächten ist der *Schuldbrief* entrissen, so daß sie keinen Anspruch mehr auf den *Sünder* haben (s. o.), und der *Glaubende* braucht deshalb keine Mächte mehr zu fürchten (vgl. 2,5; Schweizer, 1976, 108f.); der eschatologische Vorbehalt aber kommt in der Paränese (3,1ff.) ausführlich zur Sprache (Weiß, 1973, 223f.; Conzelmann, 1976, 195; Klein, 1982, 286f.).

b) Der Epheserbrief

Die Authentizität des sogenannten Epheserbriefes wurde seit Ende des 18. Jahrhunderts bezweifelt und von der 'Tübinger Schule' entschieden bestritten. Sie wird in der Gegenwart nur noch selten energisch und ohne vermittelnde Hypothesen ('Sekretärshypothese' seit Schleiermacher) verteidigt (Schlier, 1958, und einige andere meist katholische Exegeten). Die in den Kommentaren und Einleitungen dargelegten Gründe gegen die pln. Verfasserschaft sind zahlreich und überaus gewichtig.

Die Frage nach der Verfasserschaft verbindet sich mit dem diffizilen Problem der Adresse von Eph sowie mit den Fragen nach dem Verhältnis von Kol und Eph zueinander und nach dem Anlaß des Epheserbriefs. Jede Analyse hat von der engen Verwandtschaft zwischen Kol und Phlm einerseits (hinsichtlich der Situation) sowie Kol und Eph andererseits (hinsichtlich des Inhalts) auszugehen, durch die auch Eph und Phlm indirekt miteinander verbunden werden. Es spricht alles für die zuerst von von Dobschütz (1927, 9; vgl. schon Weizsäcker, 1902, 541ff.; Schmithals, 1965, 194) geäußerte Annahme, daß wir es bei Eph/Kol/Phlm mit einer ursprünglich selbständigen Briefsammlung zu tun haben (vgl. 1/2Tim; Tit sowie 1/2/3Joh). Dem entspricht die 'katholische' Adresse des sogenannten Epheserbriefs. Auch in der joh. Briefsammlung folgen aufeinander ein 'katholisches' Schreiben, ein Gemeindebrief und ein Privatbrief (vgl. Goodspeed, 1927, 33.44). Die Annahme, Eph habe die älteste Sammlung der Paulus-Briefe überhaupt eingeleitet (Weiss, 1917, 534; Goodspeed, 1933; 1956; Mitton, 1951), hat dagegen keinen literarischen Grund für sich.

Das umstrittene Verhältnis von Eph und Kol zueinander muß literarischer Art sein (Holtzmann, 1886, 293; Vielhauer, 1975, 210). Es stellt sich u. a. deshalb kompliziert dar, weil vieles auf denselben Verfasser beider Schriften, vieles aber auch auf unterschiedliche Autorschaft hinweist, wobei in letzterer Hinsicht die Priorität von Kol in der Regel nicht bestritten wird (vgl. aber Coutts), obschon es auch Anzeichen für eine größere Ursprünglichkeit von Eph in parallelen Passagen gibt (Holtzmann, 1872; Coutts; Schille, 1957). – Die Lösung dieses Problems ergibt sich aus dem zu Kol Gesagten: Der authentische Brief des Paulus nach Kolossä (s. S. 75f.) wurde von dem Verfasser des Eph ergänzt. Der Verfasser des Eph und der deuteropln. Bearbeiter von Kol sind also identisch; er ist auch der Herausgeber der Sammlung Eph/Kol/Phlm. Eine analoge Ergänzungstheorie zu Eph (Goguel, 1935/36) ist angesichts dieses Lösungsvorschlags unnötig; sie scheitert auch an der literarischen und theologischen Einheit des Epheserbriefs.

α) *Der Anlaß des Epheserbriefes*

Aus dem Gesagten folgt: Die Frage nach dem Anlaß von Eph muß im Zusammenhang mit der Frage nach dem Anlaß der deuteropaulinischen Bearbeitung des Kolosserbriefes beantwortet werden. Insgesamt gesehen gilt: „Die ‚Situationslosigkeit des Briefes' scheint beinahe der einzige Punkt zu sein, der von allen Seiten anerkannt ist" (Fischer, 1973, 14). „Der Brief scheint im Niemandsland geschrieben zu sein. Seine Absicht tritt nicht klar hervor" (ebd., 202). „Das Fehlen konkreter Bezugnahmen auf lokale Verhältnisse oder aktuelle Anlässe erschwert eine präzise Bestimmung des Zweckes dieses Schreibens. Aber Anlaß und Zweck muß es gehabt haben, denn es macht nicht den Eindruck einer privaten Etüde" (Vielhauer, 1975, 213). – In der Tat enthält Eph auch eine zu spezielle Thematik, als daß man den Brief als allgemeine (nachpaulinische) Zusammenfassung oder Einschärfung der Lehre des Paulus in kritischer Zeit ansehen (so mit unterschiedlicher Akzentuierung z. B. Reuß, 1874, 110f.; Goodspeed, 1927; Percy, 1946; Mitton, 1951; Dahl, 1951; Beare, 1953; Schlier, 1958, 27f.; Gnilka, 1971, 47ff.) oder auf die

Frage nach dem Anlaß ganz verzichten könnte (Marxsen, 1978, 186ff.; von Soden, 1905, 247: „Über alles Konkrete geht der Blick des Verfassers hoch hinaus"). Die spezielle Thematik von Eph (vgl. 3,4) betrifft die Einheit von Judenchristen und Heidenchristen in dem einen Gottesvolk (2,11–22), und zwar in spezieller Anrede an die Heidenchristen (2,1–10), die ihre Bekehrung als Mit-Erbschaft (3,6!) an den Juden- wie Heidenchristen gemeinsamen Christusgaben zu verstehen haben (3,1–21). Schon im Briefeingang wird die *Einheit* der Kirche in diesem Sinn beschworen (1,22f.), und die Paränese in 4,1–6 und in 4,25–32 ermahnt zu gegenseitiger Annahme und begründet diese Mahnung erneut mit der Einheit des Christusleibes (4,7–16).

Man beobachtet in diesem Zusammenhang in der Regel „eine allgemeine geistige Krise des nachpaulinischen Heidenchristentums" (Kümmel, 1973, 321) oder hält es „für ein allgemeines Phänomen", daß den Heidenchristen das Bewußtsein der heilsgeschichtlichen Einheit von Judenchristen und Heidenchristen abhanden gekommen war (Vielhauer, 1975, 213; vgl. Jülicher/Fascher, 134f.; Käsemann, 1958, 517; Chadwick, 1960). Indessen dürfte der Anlaß von Eph konkreter gefaßt werden müssen und können, auch wenn der pseudonyme Charakter des Schreibens, das heißt seine Versetzung in die Situation des Paulus, dem Verfasser nicht erlaubte, diesen Anlaß direkt zu nennen. – Fischer will 1973 erkennen, daß die Heidenchristen in den nachpaulinischen Gemeinden die Judenchristen, sofern diese sich nicht völlig assimilieren lassen wollen, aus dem Gemeindeverband auszustoßen versuchen (vgl. Schenke/Fischer, 1978, 180f.; Pfleiderer, 1873, 431f.) – eine historisch sonst nicht begegnende und überdies unvorstellbare Situation, da die pln. Gemeinden von Anfang an rein heidenchristliche Gemeinden waren (vgl. Gal 2,1–10). Auch der Brief selbst redet die Gemeinde als eine heidenchristliche an (1,13; 2,11ff.). Von einem drohenden Schisma ist in Eph überdies nichts zu erkennen (Vielhauer, 1975, 213). Näher liegt deshalb die konkrete Vermutung, Eph sei geschrieben worden, als um 70 Judenchristen aus Palästina nach Kleinasien strömten (Grundmann, 1958/59, 194 Anm. 1). Indessen wissen wir von einer solchen Flucht sonst nichts, und auch Eph reflektiert nicht auf die Situation des Jüdischen Krieges (Gnilka, 1971, 46f.).

Als historische Situation von Eph bietet sich viel eher der 'Aposynagogos' an (s. S. 113ff.). Jüdische und gottesfürchtige Christen, die bis zur pharisäischen Restauration der Synagoge im Synagogenverband lebten, suchen nunmehr Anschluß an die (nach)pln. Gemeinden, die von Anfang an außerhalb des Bereichs der Synagoge organisiert waren. Der Hauptzweck von Eph besteht darin, den Heidenchristen der pln. Gemeinden die Aufnahme der aus dem Synagogenverband kommenden Glaubensbrüder nahezulegen und diese zugleich mit der pln. Tradition aktuell vertraut zu machen. – Unter dieser Voraussetzung empfangen auch die Ermahnungen vor einem Rückfall in die Unsittlichkeit des Heidentums (4,17–24; 5,1–21; vgl. schon 2,1ff.) einen unmittelbar situationsbezogenen Sinn: Ohne den aus der Synagoge kommenden Christen *dogmatische* Konzessionen zu machen (vgl. besonders 2,15), bekennen sich auch die (nach)paulinischen Heidenchristen weiterhin zur synagogalen Sittlichkeit entsprechend ihrer eigenen überkommenen Lehre (4,20f.). Auch die Aufnahme der (synagogalen) Haustafel in 5,22 – 6,9 (vgl. Kol 3,18 bis 4,1) hat diese verbindende Funktion.

Dieselbe Situation und Intention ist dann für die entsprechenden sekundären, deuteropaulinischen Passagen des Kol vorauszusetzen (Kol 1,9–23; 2,19; 3,15b – 4,1), die zur Eintracht mahnen und (im Anschluß an die pln. Vorlage: 3,5–11) die synagogale Sittlichkeit der Haustafel-Ethik einschärfen. Die Aufnahme des mit Kol ursprunghaft verbundenen Philemonbriefs in die Sammlung Eph/Kol/Phlm gehört, weil Phlm ein Beispiel für die Haustafel-Ethik bietet, gleichfalls in den Rahmen dieser Intention (vgl. Weizsäcker, 1902, 544f.).

β) *Die antignostische Polemik*

Zugleich fehlt auch die an den originalen Paulus-Brief angeknüpfte antignostische Polemik der sekundären, deutero-pln. Teile von Kol in Eph nicht (Hammond, II 187.199; Burton, 83f. 115f. 125f.; Hilgenfeld, 1875, 677ff.; Michaelis, 1777, 1091:

Essener; Mitton, 1951, 31), wie vor allem 4,12–14 (Holtzmann, 1886, 290; vgl. Kol 2,8), 4,20f. und 5,6ff. zeigen. Auch der wiederholte Hinweis auf den apostolischen Grund der einen Kirche (2,20; 3,5.7; 4,11f.) aus Judenchristen und Heidenchristen dürfte wie in vielen anderen antignostischen Dokumenten eine Polemik gegen die pneumatischen Enthusiasten enthalten. 4,20f. weist Schlier zufolge gar wegen der auffälligen Differenzierung von 'Christus' und 'Jesus' „auf eine Gnosis hin, die den Christus und den Jesus voneinander trennen, so wie etwa die im 1. Johannesbrief und durch Ignatius von Antiochien bekämpften Irrlehrer" (1958, 217 unter Verweis auf Estius; vgl. von Soden, 1893, 140f.).

In Verbindung mit den parallelen Passagen von Kol (s. S. 76ff.) lassen sich auch andere theologische Aussagen von Eph aus antignostischer Intention interpretieren, vor allem die antidualistische Feststellung, daß *alles* (durch Christus) geschaffen und erlöst wurde (1,10; 3,9; vgl. 3,15), der starke Hinweis auf die Entmachtung aller Mächte (1,10.20ff.; 3,10; vgl. 2,2; 6,12) sowie die Beschreibung der Erlösung als Sündenvergebung durch das Blut Christi (1,7; 2,5.13f.16; 5,2.25), wobei erneut mit σοφία, γνωρίζειν, ἐπίγνωσις, γινώσκειν usw. (1,8f.17f.; 3,10; 4,13; 5,5.17) mit Bedacht gnostisierende Sprache aufgenommen wird, wie es besonders deutlich auch im Rahmen eines geprägten Gebetsformulars in 3,19 der Fall ist. In 3,10 scheint auch insofern reflektierte Polemik vorzuliegen, als die Behauptung aufgestellt wird, der Heilsratschluß Gottes sei erst jetzt den (dämonischen) Weltmächten (vgl. 1,20ff.; 2,2; 6,12) *durch die Kirche* bekannt geworden (vgl. Schlier, 1958, 154ff.).

Trotz alledem tritt in Eph die für „Kol konstitutive Auseinandersetzung mit der Irrlehre zurück . . . hinter einer Belehrung über Wesen und Einheit der Kirche" (Weiß, 1973, 314; vgl. Conzelmann, 1976, 86). Eph wurde also nicht allein und auch nicht vor allem als „eine Homilie geschrieben, die in einem weiteren Umkreis die kleinasiatischen Gemeinden angesichts der drohenden gnostischen Gefahr ermahnen und zurüsten soll" (Pokorný, 1965, 15; vgl. Albertz, 1955, 18). Wenn man Eph und Kol verschiedenen Verfassern zuschreibt bzw. für beide Schreiben eine unterschiedliche Situation voraussetzt, kann man sogar versuchen, eine antignostische Tendenz des Eph überhaupt zu bestreiten und 4, 12–14. 20 f. sowie 5, 6 f. für allgemeine Paränese zu halten (vgl. Weiß, 1973, 314).

Geht man indessen von gemeinsamer Verfasserschaft aus, so liegt es nahe, wie für die Grundthese des Eph von der Einheit der Kirche so auch für die antignostische Grundtendenz (der deuteropaulinischen Bearbeitung) des Kol und die entsprechenden Aussagen des Eph die Situation des 'Aposynagogos' vorauszusetzen, zumal angesichts dessen, daß sich das Hauptthema jedes Briefes im anderen Brief als Nebenthema wiederfindet.

Da der Verfasser des Eph und der deutero-pln. Passagen des Kol keinem durch missionarisch tätige gnostische Irrlehrer provozierten innerkirchlichen Schisma entgegenzutreten scheint (s. S. 77; Vielhauer, 1975, 213), erwächst seine antignostische Polemik entweder derart aus der Situation des 'Aposynagogos', daß auch Vertreter einer judenchristlichen Gnosis aus der Synagoge hinausgedrängt werden und in den Gesichtskreis der Gemeinde treten, oder derart, daß der von Eph und Kol propagierten Einheit der (nach)pln. und der aus der Synagoge kommenden Christen von enthusiastischen Gliedern der (nach)pln. Gemeinde, die sich eher dem gnostischen Christentum öffneten, widersprochen wird. Auf diesen zweiten Fall tendiert das Urteil von Pfleiderer (1887, 684), Eph bekämpfe „eine Gnosis, welche zu heidnischem Libertinismus sich neigte und die Erhabenheit des Christenthums über das Judenthum zu einem Antijudaismus überspannte, welcher nicht blos das Verhältniss zu dem judenchristlichen Theil der Gemeinde trübte, sondern auch die geschichtlichen Wurzeln des Christenthums in der alttestamentlichen Religion in Frage stellte."

Im ersten Fall müßte uns dagegen eine dezidiert judenchristliche Gnosis begegnen (so z. B. Schlier, 1958, 19. 27; Pokorný, 21). Dies ist indessen nicht der Fall. Vor allem aber scheint sich der gnostische Einfluß auf die Adressaten von Kol und Eph gerade gegen die konservative synagogale Paränese zu wenden (4, 19 ff; 5, 6 f.), wenn auch keine unmittelbar libertinistische Tendenz der falschen Lehre zu erkennen ist.

Darum ist der zweite Fall vorzuziehen, so daß die Situation in Eph und Kol in etwa der in 1/2Joh entspricht (s. S. 106ff.): Die wesentlich durch den 'Aposynagogos' ausgelöste Notwendigkeit der Gemeinden, sich institutionell neu zu formieren, führt auch zu einer Besinnung auf die Lehrgrundlagen der entstehenden einheitlichen Kirche (4, 12–14) und insofern zu einem Konflikt mit der christlichen Gnosis bzw. mit einem gnostisierenden Flügel des eigenen Gemeindeverbandes. – Für diese Sicht spricht auch die große Rolle, die gnostisierende Begrifflichkeit im Rahmen der Sprache des Eph spielt.

γ) Gnostische Sprache und Gedanken im Epheserbrief

„Religionsgeschichtlich ist der Epheserbrief ein synkretistisches Dokument . . . Von dem spekulativen Charakter des Epheserbriefs läßt sich unschwer eine gerade Linie zur reinen Gnosis vorstellen" (Vielhauer, 1975, 214). Es lassen sich „besonders die Vorstellungen von Christus als dem Urmenschen, von der Syzygie zwischen Christus und der Kirche und von der Kirche als dem kosmischen Leib des Christus nur auf dem Hintergrund einer christianisierten mythologischen Gnosis verständlich machen" (Kümmel, 1973, 322; vgl. schon Baur, 1845, 417ff.; ferner Lindemann, 1975, 240ff. Dieses Urteil bestreiten z. B. Percy, 1946; Mußner, 1955; Kuhn, 1960/61; Colpe, 1960; Hegermann, 1961; Dupont, 1960, 427ff. 471f.; Gnilka, 1971 u. a.).

Gnostisierende Sprach- und Gedankenwelt läßt sich in Eph nicht übersehen. Dabei stellt sich diese Begriffswelt ähnlich dar wie in Kol, und zwar sowohl hinsichtlich der übernommenen Tradition wie der eigenen Sprache des Autors.

Für das hymnische Stück 5, 14 hat man mit guten Gründen oft vermutet, daß es einem gnostischen Weckruf folgt (Schlier, 1958, 240ff.; Bultmann, 1965, 178; Fischer, 1973, 140ff.).

Die gnostisierende Sprache der 'Christusmystik' (s. S. 63ff.) begegnet ganz formelhaft, das 'in Christus' etwa 35mal; vgl. 1, 3f. 10f. 12; 2, 5–7. 10. 13. 15. 21; 4, 21. Die entsprechende ekklesiologische 'Leib Christi'-Vorstellung findet sich in der für Eph und Kol charakteristischen Differenzierung von 'Haupt' und 'Leib' (s. S. 78) in

1, 22 f.; 2, 16; 4, 12. 15 f.; 5, 23 f. 29 f.; vgl. 4, 25. Sie steht im Dienste des zentralen Motivs von Eph, der Einheit der Gemeinde (vgl. 4, 3 f.; Pokorný, 1965, 33 ff.; Conzelmann, 1976, 109 f.). Dabei läßt sich in 4, 12 f. die zugrundeliegende 'Urmensch'-Vorstellung besonders deutlich erkennen:

'... zur Erbauung des Leibes Christi,
bis wir alle gelangen ... zu dem vollkommenen Menschen,
zum Vollmaß des Pleroma Christi',

eine formelhafte Wendung 'mystischer' Eschatologie (Schlier, 1958, 202 Anm. 1; 1930, 27 ff. 49 ff.; Dibelius/Greeven, 1953, 82), welche die Differenzierung von 'Haupt' und 'Leib' noch nicht kennt und die der Verfasser von Eph im Zusammenhang mit 4, 1 ff., dem Grundthema von Eph, in V. 13 auf die Einheit des Glaubens und der christlichen Erkenntnis bezieht.

Entsprechendes gilt von 2, 14 ff., wo der ursprünglichen mythischen Vorstellung zufolge, die der Verfasser von Eph auf die Einheit von Juden und Heiden und die Abrogation der sie trennenden Tora bezieht (vgl. Arist 139), der Erlöser die Trennwand zerstört, welche die himmlische und die irdische Sphäre und damit himmlisches und irdisches Pneuma voneinander trennt, 'damit er die beiden erschaffe ... zu einem neuen Menschen ... in einem Geist'. „Formal und allgemein gesagt handelt es sich also in unserem Abschnitt bei der paulinischen Interpretation gnostischer Motive um eine Überdeckung der letzteren durch die apostolische Auslegung" (Schlier, 1958, 133, der Eph für paulinisch hält). Vgl. Schlier, 1930, 18 ff. 27 ff.; Dibelius/Greeven, 1953, 69 f.; Käsemann, 1933, 145 f.; Schille, 1962, 24 ff.; Fischer, 1973, 131 ff.; Schenke, 1973, 223 f.; Conzelmann, 1976, 99 f. Dabei kann schon in der gnostischen Vorlage diese Trennwand mit dem Gesetz identifiziert gewesen sein, das nach jüdisch-gnostischer Anschauung von den dämonischen Weltschöpfern zur Fesselung der Lichtmenschen gegeben wurde (Iren. I 24, 5; Epiph. Haer. 28, 1; vgl. Gal 3, 19; Schlier, 1958, 131 ff.).

In dem Gebetsformular 3, 14–21, das der Verfasser von Eph aus der Gemeindeliturgie übernommen haben dürfte, heißt es, der Glaubende verstehe, 'was die Breite und die Länge und die Höhe und die Tiefe sei' (V. 18), und diese rätselhafte und in sich unbestimmte Formulierung wird im folgenden in deutlich antignostischer Polemik auf die Erkenntnis der *Liebe* Christi bezogen, die alle *Gnosis* übersteigt (V. 19; vgl. 1Kor 13). Mit gutem Grund hat man deshalb unter Hinweis auf gnostische Parallelen vermutet, die fragmentarische Formel in V. 18 habe ursprünglich Christus als weltumfassenden Anthropos bezeichnet (Schlier, 1958, 173). Der antignostische Verfasser des Gebetsformulars hat diese Formel 'entmythisiert' und auf die Größe der Liebe Christi und seines Heilswerks bezogen (Conzelmann, 1976, 105f.).

In diesen Zusammenhang gehört auch die Exegese von Gen 2,24, die der Verfasser in 5,19–32 vorlegt, wo er ἄνθρωπος und ἡ γυνή (V. 31) auf 'Christus' und die 'Kirche' (V. 32) bzw. auf 'Haupt' und 'Leib' (V. 30) bezieht. Der gnostische Hintergrund dieser 'Heiligen Hochzeit' bzw. Syzygie, die Vereinigung von himmlischem und irdischem Teil des 'Urmenschen' bzw. des 'Leibes Christi', wurde genugsam aufgewiesen (2Cl 14; Exegese über die Seele, NHC II p. 127,18ff.). Vgl. z. B. Schlier, 1958, 262ff.; 1930, 60ff.; Schmithals, 1969, 75ff.; Batey; Fischer, 1973, 176ff.; Schenke/Fischer, 1978, 183; Schenke, 1973, 224f.; Berliner Arbeitskreis, 36ff.

Auch die Gleichsetzung von 'Leib' und 'Geist' bzw. die Einheit des 'Christusleibes' und der räumlich vorgestellten 'Gemeinschaft des Geistes' (2,16.18.22; 4,3f.) verrät den gnostischen Hintergrund der Begriffs- und Vorstellungswelt von Eph (vgl. auch 3,5.16; 5,18; 6,18).

Der schwer zu durchschauende Begriff 'Pleroma' (s. S. 78f.) findet sich in 3,19 im Rahmen eines dem Verfasser von Eph bereits vorliegenden Gebetsformulars, und zwar ähnlich wie in Kol 1,19; 2,9 bezogen auf die Offenbarung der (stark räumlich vorgestellten) göttlichen Fülle in Christus. Diese räumliche Fassung der Pleroma-Vorstellung begegnet verstärkt in 1,23 und 4,10 sowie in einer offensichtlich vorgeprägten Wendung in 4,13, und zwar stets bezogen auf den pneumatischen, die himmlischen und die irdischen Glieder umfassenden Christusleib. Er dürfte deshalb dem Verfasser von Eph im Zusammenhang mit der übrigen ekklesiologischen Begrifflichkeit gnostischer Provenienz zugeflossen sein (vgl. neben Schlier, 1958, 96ff. schon Holtzmann, 1872, 297ff. und Hilgenfeld, 1875, 679).

Ein uranfänglicher kosmischer Dualismus wird, was dem für die hier begegnende Gnosis vorauszusetzenden jüdisch-christlichen Milieu entspricht, in Eph nicht aktuell, sondern nur formelhaft bekämpft (1,10; 3,9); 2,2 enthält den *apokalyptischen* Dualismus.

Auch der anthropologische Dualismus tritt wie in Kol zurück, was sich teilweise aus dem ekklesiologischen Thema von Eph erklären mag. Bemerkenswert ist aber die Formulierung 'Innerer Mensch' im Rahmen des Gebetsformulars 3,14–21 in 3,16 (vgl. Röm 7,22; 2Kor 4,16ff.), zumal angesichts der im Hintergrund von 3,16f. stehenden substanzhaften Gleichung: Innerer Mensch = Pneuma = Christus, die der Verfasser des Formulars freilich aufhebt bzw. geschichtlich interpretiert (vgl. 4,24; Kol 3,9f.; 1Petr 3,4).

Die in Eph als selbstverständlich vorausgesetzte Präexistenzchristologie (s. S. 57ff.) wird man wie in Kol trotz 4,8ff. (Schlier, 1930, 1ff.) ebensowenig wie bei Paulus als *unmittelbar* gnostisierend bezeichnen können, und hinsichtlich der Eschatologie von Eph (1,18ff.; 2,6) gilt das zu Kol (s. S. 79f.) Gesagte; vgl. Hilgenfeld, 1875, 679f.; Schille, 1962, 104ff.; Lindemann, 1975; Schenke/Fischer, 1978, 179.

4. *Die Pastoralbriefe*

Die Past werden heute aus vielen mehr oder weniger überzeugenden Gründen mit Recht in der Regel als deutero-pln. Schreiben angesehen. Sie sind zur Abwehr einer gnostischen Irrlehre geschrieben worden. – Daß die Irrlehre einerseits als zukünftige Neuerung ausgegeben wird (1Tim 1,4), andererseits als aktuelle Bedrohung erscheint, weist ebenso auf den nachpaulinischen Ursprung der Past hin wie die Tatsache, daß in Briefen, die zu verschiedenen Zeiten an mehrere Adressaten in unterschiedlichen Ortschaften gesandt sein sollen, dieselbe häretische Richtung in völlig gleicher Weise bekämpft wird; der früher gelegentlich unternommene Versuch, in den einzelnen Briefen jeweils verschiedene Gegner anzunehmen, hat sich auch unter der Voraussetzung der Authentizität der Past wegen der einheitlichen Zeichnung der Irrlehre mit Recht nicht durchgesetzt (Vertreter dieser Ansicht bei Holtzmann, 1880, 150ff.).

Einerseits betonen die Past die überkommene *Lehre überhaupt* (1Tim 4,13.16; 5,17; 6,1; 2Tim 2,8.24; 3,13ff.; 4,2). Dies geschieht gegenüber einem gnostischen Enthusiasmus, der auf eine Lehrtradition zugunsten der Autorität des freien Pneuma verzichtet. In den Past tritt (deshalb?) die Rede vom Pneuma stark zurück. πνεῦμα begegnet im vorgeprägten Formelgut (1Tim 3,16; 2Tim 4,22; Tit 3,5). Im übrigen ist der Geist unlösbar an die Lehrtradition gebunden (2Tim 1,6f.14; vgl. 1Tim 1,18; 4,13f.) und deckt die Irrlehre als solche auf (1Tim 4,1). – Andererseits betonen die Past die *rechte Lehre*. Schlier (1955) hat dreizehn verschiedene Begriffe für 'lehren' in den Past gezählt; vgl. z. B. 1Tim 1,10; 4,6; 6,3; 2Tim 4,3; Tit 1,9; 2,1.7f. Diese Lehre wird als solche kaum entfaltet, sondern vorausgesetzt und gelegentlich formelhaft zitiert (1Tim 1,5.15; 2,4ff.; 6,13–16; 2Tim 1,9f.; 2,8–13; Tit 2,11–14; 3,4–7). Zur rechten Lehre gehört auch das richtig verstandene AT (2Tim 3,13ff.). Direkte Kenntnis von Paulusbriefen läßt sich nicht nachweisen. – Die *Lehrtradition* geht von Paulus aus, der für alle Welt (1Tim 2,3–7) die rechte Lehre empfangen hat (1Tim 1,1.11f.16; 2,7; 2Tim 1,1.11; Tit 1,1–3), sie an seine Schüler Timotheus (1Tim 1,18; 3,14f.; 4,14; 2Tim 1,12ff.; 2,2; 3,10f.14) und Titus (Tit 1,4; 2,15) überlieferte, die sie bis ans Ende (2Tim 1,12) rein bewahren (1Tim 1,18f.; 6,13f.; 2Tim 1,12ff.; 2,8; 3,14–17) und auch nach des Paulus Tod weitergeben sollen (1Tim 1,3; 4,6.16; 5,22; 6,11; 2Tim 2,2.14f.; 4,2.5; Tit 1,5–9; 2,1.15; 3,8). – Das *Lehramt* garantiert die Authentizität der Lehrtradition. Den gnostischen Pneumatikern setzt die Kirche den unter Handauflegung ordinierten (1Tim 4,14; 5,22; 2Tim 1,6), in 'apostolischer Sukzession' (2Tim 2,2; Tit 1,5) an die Lehre gebundenen (1Tim 3,2.8; 2Tim 2,2; Tit 1,9) und besoldeten (1Tim 5,3.17f.; 2Tim 2,6f.) Amtsträger entgegen. Die Past kennen das Amt des Apostels (1Tim 1,1.11f.; 2,7; 2Tim 1,1.11), der Apostelschüler (1Tim 1,3f.18; 4,6; 4,12 – 5,2; 2Tim 1,13f.; 2,15; Tit 2,7f.), des (einen) Episkopen (1Tim 3,1–7; Tit 1,7ff.), der Presbyter (1Tim 5,17–21; Tit 1,5f.), der Diakone (1Tim 3,8–13) und der Witwen (1Tim 5,3–16). Diese Ämter setzen nicht notwendig eine ausgebildete Ämterhierarchie voraus; entscheidend ist die Verbindung von Lehrtradition und Lehramt.

Darum sind die Past anders als die authentischen Paulus-Briefe an Amtsträger adressiert.

Auch die *Irrlehre* wird als solche bezeichnet (1Tim 1,3. 6f. 10. 19f.; 4,1f.; 6,3–5.20f.; 2Tim 1,15; 2,16ff.25; 3,6f.; 4,3f.; Tit 1,9–16; 3,9–11), aber nicht im einzelnen vorgestellt und widerlegt, wie es in den authentischen Paulusbriefen geschieht. Vielmehr untersagen die Past jede Beschäftigung mit der Irrlehre (1Tim 6,20; 2Tim 2,16–23; 3,9). Das zeugt nicht von mangelnder Kenntnis der Irrlehren bei dem Verfasser der Past (so Marxsen, 1978, 208f.). Erst recht darf man daraus nicht schließen, die Past hätten es nur mit 'praktischen Verirrungen' jüdischer Herkunft oder (und) spekulativen Sondermeinungen in Nebenfragen, nicht aber mit eigentlicher Irrlehre zu tun, weil Paulus diese nach Ausweis seiner Briefe heftig und konkret zu bekämpfen pflege – eine These, die meist aufgestellt wurde, um an der Authentizität der Past festhalten zu können. (Vgl. z. B. Wiesinger, 177.207f.; Reuss, 1874, 123ff.; von Hofmann, 1874, 50f.207; Zahn, I 471ff.; Weiss, 1897, 285; Appel, 75.) Vielmehr befinden wir uns in nachpaulinischer Zeit, und das Verbot, mit den Irrlehrern zu diskutieren, spricht einerseits für ihre Gefährlichkeit (1Tim 1,19f.; 4,1f.; 6,3–5.20f.; 2Tim 2,17; 3,6f.13; Tit 1,10f.; 3,10), weist aber andererseits darauf hin, daß die Irrlehrer nicht dem Gemeindeverband angehören, sondern von außen eindringen (vgl. Ign. Eph. 9,1). Sie sind 'Goeten' (2Tim 3,13), die sich in die Häuser einschleichen (2Tim 3,6f.). Demgemäß wird ihnen polemisch Gewinnsucht statt missionarischen Eifers vorgeworfen (1Tim 6,5ff.; Tit 1,11). – Man kann nicht ausschließen, daß die Irrlehrer sich anders als die Past auf Briefe des Paulus beriefen (vgl. 1Tim 1,8.19f.; 2Tim 1,15; 4,10.14f.), und in diesem Fall (Haufe, 1973, 333f.; von Lips, 1979, 155) bestünde ein Nebenzweck der Past darin, „Paulus unmißverständlich in die antihäretische Front einzugliedern" (Bauer, 1934, 228).

Die Tatsache, daß die Past nicht in das Lehrgespräch mit der Irrlehre eintreten, erschwert den Versuch, diese Irrlehre präzise zu charakterisieren. Die Irrlehrer berufen sich auf *jüdische Tradition*; sie erkennen also die Autorität des AT an (1Tim 1,7–10; Tit 1,10–16; 3,9). Daraus ist nicht zwingend zu erschließen, daß es sich um geborene Juden handelt, erst recht nicht, daß wir es mit 'Judaisten' zu tun haben, wie z. B. Chrysostomus und Hieronymus behaupteten. Dem letzteren widersprechen alle anderen Wesenszüge der Irrlehre, und für die Behauptung, die Past wendeten sich sowohl gegen Judaisten wie gegen Gnostiker ('doppelte Frontstellung'), gibt es keinerlei Anzeichen. Ältere Vertreter dieser Ansicht bei Holtzmann, 1880, 150ff.; dann Hilgenfeld, 1875, 762; Michaelis, 1930.

Die Berufung auf das AT schließt andererseits den Versuch aus, die Irrlehrer als Marcioniten zu identifizieren. (So seit Baur, 1835, 8f. 137f.; neuerdings noch Rist, 1942; Bauer 1934, 229, mit Vorbehalt; v. Campenhausen, 1951, 11f.: nicht „ausschließlich auf Markion zu beziehen"; Vielhauer, 1975, 228, mit Vorbehalt.)

Bei den 'Antithesen der fälschlich sogenannten Gnosis' (1Tim 6,20) handelt es sich überhaupt nicht um eine Schrift, geschweige denn um die gleichnamige Schrift Marcions, sondern um die 'leeren Behauptungen' der sich mit Unrecht als 'Gnostiker' (= Wissende) bezeichnenden Irrlehrer. Diese Irrlehrer nehmen jedenfalls für sich in Anspruch, 'Gnosis' bzw. 'Gotteserkenntnis' zu besitzen (1Tim 6,20; Tit 1,16; 2Tim 3,5).

Ihre *enthusiastisch-spiritualistische* Grundhaltung ergibt sich direkt aus 2Tim 2,18, der konkretesten Angabe über die Irrlehre. Die Vergeistigung der Auferstehungsvorstellung (ἀνάστασιν ἤδη γεγονέναι) ist für die Gnosis typisch (s. zu 1Kor 15,12, s. S. 31f.; 2Thess 2,2, s. S. 47; Iren. I23,5; II31,2; Justin. Dial. 80; Tert. haer. 33,7; Acta Pauli 7,14; De resurrectione [NHC] 49,13ff.; vgl. Röm 6,11; Joh 5,24; 11,23ff.). Indirekt erschließen läßt sich der Enthusiasmus der Irrlehrer in den Pastoralbriefen möglicherweise aus der Einschärfung des auf den Leib bezogenen Erlösungsgedankens (2Tim 3,2ff.; Tit 2,11–14), aus dem universalen Gerichtsgedanken (2Tim 4,1.8) und aus dem Vorwurf der Aufgeblasenheit (1Tim 6,3f.; 2Tim 3,4). – Der Enthusiasmus liegt ohne Frage den asketischen Tendenzen der Irrlehrer zugrunde, mit denen die Schöpfungsgaben abgewertet werden (1Tim 4,3–5.8; Tit 1,13ff.; vgl. 1Tim 2,15; 5,14f.23), sowie den emanzipatorischen Tendenzen, die der Verwerfung des Geschaffenen, Irdisch-Leiblichen zugunsten des Pneumatischen dienen. So wenden sich die Past gegen die entsprechende 'Emanzipation' der Frau und verlangen von den Christen gegenüber der pneumatischen Demonstration der Irrlehrer ein konkretes Bekenntnis zum Schöpfungsglauben, zur Leiblichkeit und zu den natürlichen Unterschieden der Geschlechter (1Tim 2,11–15; 5,13; vgl. 2Tim 3,6; Tit 2,5). Sie wenden sich gegen die Verneinung des Staates (1Tim 2,1f.; Tit 3,1f.) und der sozialen Ordnungen (1Tim 6,1ff.; Tit 2,9f. 15) sowie gegen die asketische Verwerfung der Ehe (1Tim 4,3; 5,14f.) bzw. gegen die Emanzipation von der Hausgemeinschaft als dem Hort der öffentlichen Ordnung und der rechten Lehre (1Tim 3,4f. 12; 5,3f. 8. 11. 13f.; Tit 2, 1–10).

Deutlich wenden sich die Past auch gegen die Ansicht, das Angebot der Erlösung gehe nicht an alle Menschen, sondern nur an die Pneumatiker (1Tim 2,1–6; 4,10; 2Tim 4,1; Tit 2,11; 3,3). Der Verfasser der Past scheint es auch nötig zu haben, die wahre Menschheit Jesu zu betonen (1Tim 2,5; 3,16; 2Tim 2,8).

Undeutlich bleibt die wiederholte Anspielung auf 'jüdische Mythen und Genealogien' (1Tim 1,4; 4,7; 2Tim 4,3f.; Tit 1,13f.; 3,9). Der Zusammenhang dieser Anspielungen mit den anderen Angaben legt zwingend nahe anzunehmen, daß die Irrlehrer unter Verwendung atl. Stellen (z. B. Gen 4,17ff.; 5,1ff.; 6,1ff.) mythische Äonenspekulationen vortrugen, wie sie in den erhaltenen gnostischen Schriften vielfältig bezeugt sind und mit denen die jüdischen Gnostiker, die nicht von einem uranfänglichen Dualismus ausgehen können, die Emanierung des Bösen aus der Einheit Gottes zu erklären versuchen.

Geht man von der Einheitlichkeit der Frontstellung in den Past aus, so wenden diese sich also gegen eine im weitesten Sinn judenchristliche Gnosis. Dies ist die heute vorherrschende und seit alters vertretene Meinung.

Paulinische Verfasserschaft setzen dabei voraus z. B. Hammond, Burton, 81ff. 113ff. 134ff.; von Mosheim; Lütgert, 1909; Feine/Behm, 1936, 203f.; Albertz, 346f.; Jeremias, 1975; Holtz, 1980; van Bruggen. Deuteropaulinischer Ursprung wird vorausgesetzt z. B. von de Wette, 1848, 309f.; Holtzmann, 1880, 126ff.; Lipsius, 1869, 499ff.; Jülicher/Fascher, 181ff.; Wikenhauser/Schmid, 527f.; Brox, 1969, 31ff.; Schulz, 1976, 102f.; Marxsen, 1978, 208ff.

Es ist insoweit erlaubt, von einem wissenschaftlichen Konsensus zu sprechen. Eine Zuschreibung dieser Gnosis zu einem der uns aus dem 2. Jahrhundert bekannten Systeme ist jedoch nicht möglich und auch aus chronologischen Gründen verfehlt. (Anders Tert. haer. 33 und mit Bezug auf 1Tim 1,4 Iren. I Vorrede [Valentinianer] oder z. B. Schenkel, 1872, 399ff. [Ophiten].)

Indessen liegt kein Grund vor, nur mit einem Prä-Gnostizismus zu rechnen, wie es vor allem früher unter der Voraussetzung bzw. zur Verteidigung der Authentizität der Past mit wechselnden Bezeichnungen oft geschah (Christliche Essener; Theosophen; philonische Christen; Neupythagoräer; Chaldäer; hellenistische Philosophie; christianisierte Kabbala). Vgl. Hug, II 241ff.; Baumgarten, 1837; Mangold, 1856; Neander, 1862, 414f.; Schmid, 477f. und viele andere (s. Holtzmann, 1880, 142ff.); Barth, 1914, 99f.; Schaefer/Meinertz, 180f.; Guthrie, I229. Die Bezeichnung der Irrlehrer als Proto-Montanisten (Ford, 1970/71) dient der Erklärung nicht, was immer an gnostischem Enthusiasmus von den Montanisten aufgegriffen worden sein mag, und widerspricht der apokalyptischen Ausrichtung des Montanismus. Nahe liegt dagegen auch aus zeitlichen Gründen der oft angestellte Vergleich der Irrlehrer der Past mit den Irrlehrern von Agp 20,29ff. (s. S. 128f.), des Kol (s. S. 76ff.) und der Ignatiusbriefe.

Gegen die jüngst geäußerte Annahme, der Verfasser der Past habe unterschiedliche Häretiker von verschiedener Herkunft vor Augen und wende sich gegen häretische Bestrebungen überhaupt, nicht gegen eine bestimmte Häresie (Müller, 1976, 53ff.; Köster, 1980, 742f.), spricht nachdrücklich, daß die Past die Gemeinden in höchster Bedrängnis durch die aktuell eindringenden Irrlehrer sehen und dabei die häretische Propaganda als ein einheitliches Phänomen vorstellen.

Es ist übrigens bemerkenswert, daß die Past die gnostisierende Sprache des Paulus weithin vermeiden (s. S. 48ff.); die 'dualistische' Begrifflichkeit fehlt ebenso wie die 'mystische'. Man könnte diese Beobachtung als einen bewußten Verzicht deuten, um jedem Mißbrauch vorzubeugen. Indessen begegnen in den Past auch andere pln. Theologumena nicht. So fehlen die Sünden-, Gesetzes- und Rechtfertigungslehre des Paulus, seine Pneumatologie, die Dialektik von Indikativ und Imperativ usw. Die Past scheinen also überhaupt nicht fundamental in pln. Tradition zu stehen; die originale pln. Sprache bzw. die Briefe des Paulus dürften ihnen unbekannt sein. Sie erkennen die Autorität des Paulus an, aber es ist denkbar, daß sie diese Autorität vor allem deshalb herausstellen, weil sie den Irrlehrern auf deren eigener Traditionsgrundlage begegnen und ihnen die Berufung auf Paulus erschweren wollen, nicht aber, weil die hinter den Past stehende Schul- und Gemeindetheologie pln. Herkunft ist.

II. DAS CORPUS JOHANNEUM

Das JohEv bildet zusammen mit 1/2/3Joh einen johanneischen 'Kanon'; alle vier Schriften dürften erstmals im Rahmen dieses 'Kanons' publiziert worden sein.

Dieser Kanon setzt möglicherweise bereits einen analogen Kanon voraus, wie uns ein solcher spätestens seit Marcion bezeugt ist, der das LkEv mit 10 Paulus-Briefen verbindet. Auch die Past dürften ursprünglich den Briefteil eines deuteropaulinischen Kanons gebildet haben, dessen erster Teil aus Paulusakten bestand (Schmithals, 1982, 188ff.).

Die Dreizahl der Briefe ist bedeutungsvoll. Die Drei, die 'Anfang, Mitte und Ende' hat (Philo, Div. heres. 126), symbolisiert die Einheit und Vollkommenheit. Vgl. die analogen, ursprünglich in sich geschlossenen Sammlungen 1/2Tim/Tit; Eph/Kol/Phlm; Mt/Mk/Lk; die kürzere Rezension der Ignatiusbriefe (Eph/Röm/Pol). Der Kanon aus JohEv und 1/2/3Joh ist also primär als Einheit zu verstehen, und auch die Sammlung oder Bildung von *drei* Briefen beruht nicht zuerst auf dem besonderen Wert der je einzelnen Briefe, sondern auf der Notwendigkeit, einen Kanon mit *drei* Briefen zu bilden (vgl. Past).

1. Die Problemlage

a) Die Intention des Evangelisten

Das Problem des Verhältnisses der joh. Schriften zur Gnosis hat schon die alte Kirche beschäftigt.

Die sogenannten Aloger verwarfen das JohEv – das Logos-Evangelium (Joh 1,1f. 14) –, weil sie es für ein Werk des Gnostikers Kerinth hielten (Epiph. Haer. 51,12; vgl. Iren. III 11,9; Euseb KG III 28; Hieron. de viris illustr. 9). Demgegenüber erklärte Irenäus (I 26,1; III 11,1ff.), Johannes habe sein Evangelium *gegen* Kerinth und andere Gnostiker geschrieben; mit Kerinth sei er in Ephesus feindlich zusammengestoßen (Iren. III 3,4); vgl. Neugebauer, 1968,

28ff.; Jaschke, 344f. Dieser Streit wurde durch die Kanonbildung (um 200) zugunsten der Kirchlichkeit (= des antignostischen Charakters) der joh. Schriften entschieden. Das änderte nichts an der Hochschätzung des JohEv durch die Gnostiker (Jaschke, 338ff.); Herakleon, Schüler des Gnostikers Valentin, schreibt (nach 150) den ersten Kommentar zum JohEv (vgl. Pagels). In der Folgezeit stützen sich Theologen mit spiritualisierenden oder idealistischen Ansichten gerne auf das JohEv, das 'geistliche Evangelium' (Clem. Alex.), das Evangelium 'im höheren Ton' (Herder), das Evangelium 'der vollendeten Religion' (Schelling), das 'Adlerevangelium' (Hilgenfeld). Andererseits zieht aber auch Luther das JohEv den Synoptikern vor, weil es ein Evangelium 'des Wortes' sei.

In der Frühzeit der historischen Erforschung des NT galt den einen das JohEv gnostisierend als Spiegel des reinen Geistes, für dessen Verfasser „zuletzt sogar die geschichtliche Wirklichkeit nur eine äußere, das an sich Wahre für das Bewußtsein vermittelnde Form ist" (Baur, 1864, 407). Es kommt der Gnosis nahe, bleibt aber „auf der Grenzscheide stehen, von welcher aus die Entscheidung ebenso gut auf die eine als die andere Seite fallen kann" (ebd. 362), ein Urteil, dessen Ambivalenz andere Forscher aufhoben: „. . . die Tendenz des Evangeliums ist eine ausgesprochen antignostische" (Lipsius, 1869, 503). Andere sahen weiterhin in ihm einen Augenzeugenbericht und ordneten das JohEv hinsichtlich Entstehungszeit und historischer Zuverlässigkeit den Synoptikern vor (Schleiermacher, 1802). Damit trat die Frage nach der joh. 'Gnosis' in den Hintergrund, wenn man natürlich auch mit den Kirchenvätern nach wie vor einen antignostischen Charakter des apostolischen JohEv behaupten konnte (vgl. Burton, 167ff. 193ff.).

Befruchtet wurde die Frage nach dem (anknüpfenden oder widersprechenden) Verhältnis von Joh zur Gnosis in neuerer Zeit nicht zuletzt durch die Begegnung mit der im Zweistromland verbreiteten mandäischen Religion, einer gnostisierenden Sekte, deren Anfänge in die ntl. Zeit zurückgehen und deren Texte seit dem 17. Jh. durch Missionare und Reisende in Europa bekannt, freilich erst seit der Mitte des 19. Jh. stärker wissenschaftlich erforscht wurden (zum Forschungsstand zuletzt Rudolph, 1982).

1886 urteilt Holtzmann: „Die rein gedankenmäßige Ableitung der johanneischen Geschichtsbilder und Redenmassen aus den Prämissen des in das Christenthum herüberragenden Philonismus einerseits, aus den gnostischen Gedankenelementen der Zeit andererseits herrscht fast allenthalben im Lager der strengeren Kritik und ist auch bereits in populäre Darstellungen übergegangen" (450; vgl. 458).

Intensiv nahm sich die Religionsgeschichtliche Schule der alten Kontroverse an und rückte sie unter das Stichwort 'Antiker Synkretismus'. Vgl. Pfleiderer, 1887, 742ff.; Gunkel, 1903, 18; Wrede, 1903, 30; Bauer, 1933, 3ff.; Heitmüller, 1908, 697ff. Die Auseinandersetzung des Judentums und des werdenden Christentums mit gnostischen Gedanken und eine Beeinflussung durch sie erschien vielen als selbstverständlich. Der Protest gegen diese Ansicht war um so heftiger, je mehr die Vertreter der Religionsgeschichtlichen Schule nicht nur Sprache und Begrifflichkeit, sondern auch das *Denken* des JohEv als gnostisierend ansahen. Man bedenke in diesem Zusammenhang z. B. ein (die ganze joh. Theologie betreffendes) Urteil schon von Pfleiderer (1887, 770), der im Übergang von der Tübinger zur Religionsgeschichtlichen Schule steht: „Daß diese Lehre der alttestamentlichen und urchristlichen Anschauung sehr fern steht, dagegen mit der philonischen Lehre von der scheidenden Thätigkeit des Logos sehr nahe verwandt ist und noch näher mit der basilidianischen Gnosis, nach welcher die Erlösung in der Scheidung der Lichtnaturen vom finsteren Weltwesen besteht, das ist eine Thatsache, welche man wohl ignorieren, aber nicht bestreiten kann."

In neuerer Zeit wurde die alte Kontroverse vor allem zwischen Bultmann und seinem Schüler Käsemann ausgetragen. Bultmann hat in seinen Kommentaren zum JohEv (1941) und zu 1/2/3Joh (1967), in seiner ›Theologie des Neuen Testaments‹ (1965, §§ 41–50) sowie in den Vorarbeiten dazu (abgedruckt in ›Exegetica‹, 1967) die Ansicht vertreten, Joh nehme gnostische Sprache und Vorstellung auf, benutze sie aber in einem betont antignostischen Sinn. Viele sind ihm in dieser Ansicht gefolgt (Conzelmann, 1967, 349ff.; Baumbach, 1972; Fischer, 1973, 245ff.; Schmithals, 1973, 374ff.; Matern, 1979, 279ff; Wengst, 1981, 117ff.). Käsemann hat demgegenüber, von derselben Voraussetzung ausgehend, die Meinung zu begründen versucht, Johannes sei ein 'naiver Doketist', ein unfreiwilliger bzw. unbedachter Gnostiker (1971; ähnlich z. B. Schottroff, 1970, 228ff.; Schulz, 1972; 1976, 227ff.; Lattke; Rudolph, 1980, 324f.). „Johannes ist das erste uns ausführlicher bekannte System einer Gnosis, die sich christliche Traditionen adaptiert. Mit dem Johannesevangelium ist die gnostische Heilslehre in den Kanon gelangt" (Schottroff, 1970, 295).

b) Das literarische Problem

Aus dem beschriebenen Dilemma versuchen nicht wenige Forscher herauszukommen, indem sie im Anschluß an ältere literarkritische Analysen, die in der Regel eine (ggf. apostolische) Grundschrift von einfacher oder mehrfacher Bearbeitung zu scheiden unternahmen (z. B. Weisse, 1838, I 106ff.; Schweizer, 1841; Spitta, 1910; Wendt, 1900; 1911; 1925, 125ff.; Loisy, 1921), im JohEv mehrere Schichten annehmen, von denen sie die eine(n) als gnostisch oder gnostisierend, die andere(n) als antignostisch bzw. kirchlich bezeichnen. Sie erweitern damit die verbreitete These einer sekundären Redaktion des JohEv (Bultmann: 'Kirchliche Redaktion') in charakteristischer Weise (Wellhausen, 1907. 1908; Schwarz, 1907f.; Soltau, 1916; Hirsch, 1936; Bultmann, 1941. 1967; vgl. Schulz, 1957, 48ff.; 1983, 268ff.).

Delafosse nimmt 1925 eine marcionitische Grundschrift an, Loisy (1934. 1936) eine gnostische Urschrift. Thyen (1971; 1976; 1977) unterscheidet eine gnostisierende Grundschrift, die sich nur partiell rekonstruieren läßt, und eine ausgedehnte 'antidoketische' joh. Bearbeitung und Uminterpretation dieser Grundschrift. Ähnlich sein Schüler Langbrandtner (1977), der sich aber zutraut, Grundschrift und Redaktion deutlich zu unterscheiden. Er kommt zu dem Ergebnis, „daß die Theologie der G(rund)s(chrift) den extremen Positionen der Johannesexegese von E. Käsemann und L. Schottroff ... recht nahe kommt und daß die Ansichten der konservativen Exegeten, z. B. Schnackenburgs, der r(edaktio)nellen Konzeption im

Großen und Ganzen entsprechen" (120f.). Die Redaktion hat also die Aufgabe bewältigt, die (freilich schon stark verchristlichte) 'joh. Gnosis' zu überwinden – „eine Pionierleistung" (404), die freilich erst durch den Verfasser von 1Joh vollendet wird (389ff.).

Becker (1979; 1981, wo auf S. 32 die Vorarbeiten Beckers angeführt sind) leitet das JohEv aus der Arbeit einer vorgnostischen theologischen Schule ab. Die theologisch geschlossene Gesamtansicht des ursprünglichen Evangeliums ist dagegen (durch äußere Einflüsse) „gnosisnahe" (55); es wurde später von verschiedenen Händen 'kirchlich' zum kanonischen JohEv hin überarbeitet. Müller (1974; 1975) urteilt ähnlich wie (Bultmann und) Becker, rückt das ursprüngliche Evangelium jedoch deutlicher in den Bereich gnostisierender Theologie.

Richter (1977) unterscheidet eine judenchristliche Grundschrift, die gegenüber der Synagoge erweisen will, daß Jesus der Messias sei, von dem Evangelium, das die Grundschrift im Sinne der 'hohen' Präexistenzchristologie bearbeitet hat, vermutlich auf gnostischem (mandäischem) Hintergrund, aber nicht mit gnostischer Intention. Dieses Evangelium wurde einer antidoketischen Redaktion zu unserem JohEv hin unterzogen, die im Zusammenhang mit dem Ursprung von 1/2Joh steht.

Brown (1979) urteilt: Am Anfang der joh. Tradition steht eine Gruppe christlicher Palästinenser, die unter dem Einfluß einer eher samaritanischen Gruppe die Präexistenzchristologie entwickelt (50–80). Als diese Gemeinde um 90 mit der Heidenmission in der Diaspora beginnt, entwickeln sich in ihr Dualismus und Doketismus. Diese Entwicklung führt zur Spaltung in der joh. Gemeinde und zu jener Situation, die uns um 100 1/2/3Joh erkennen lassen. Ähnlich Martyn und Painter.

Haenchen unterscheidet (1980, nach vielen Vorarbeiten) eine Wunderschicht, den Evangelisten und die Redaktion; der Evangelist 'gnostisiert'. Vgl. auch Boismard, 1977.

c) Das religionsgeschichtliche Problem

Von der Frage nach der (gnostisierenden oder antignostischen) *Intention* des JohEv ist die Frage nach der *Herkunft* seines gnostischen bzw. dualistischen Begriffs- und Vorstellungsmaterials zu unterscheiden (Conzelmann, 1967, 360ff.; MacRae, 1970, 13ff.). Für die Lösung dieses religionsgeschichtlichen Problems bieten sich drei Grundmodelle an, deren Übergänge freilich fließend sind:

(1) Im Hintergrund der joh. Theologie steht eine *ausgebildete Gnosis,* die Joh, ggf. unter direkter Aufnahme gnostischer Schriften, polemisch oder in positiver Absicht rezipiert (Becker, 1979. 1981), sofern solche Rezeption nicht bereits in der vor-joh. Gemeindetheologie vorgegeben war. Mit der Aufnahme (vorchristlicher) gnostischer Originalquellen ('Redenquelle') durch den Evangelisten bzw. den Verfasser von 1Joh rechnen z. B. von Dobschütz, 1907, 1ff.; Bultmann, 1952; 1967, 105ff.; 1967; Becker, 1956; Vielhauer, 1975, 426f.; Schenke/Fischer, 1979, 182.188f.; vgl. Wendt, 1925, 137. Freien Anschluß an gnostische Sprache, Vorstellung, Denkweise, an Stil und Mythos der Gnosis nehmen von den Älteren (durchweg im Anschluß an die Ansichten der Kirchenväter und mit der Voraussetzung polemischer Absicht) z. B. an: Michaelis (1777, II 975f.: „Und in der That erfordern die Gesetze einer guten Streitschrift, daß man so viel möglich die Worte seines Gegners wenigstens alsdenn beybehalte, wenn man die Antithese formieren will: thun wir das nicht, sondern gebrauchen die Wörter unseres eigenen Systems, so wird selten der status controversiae deutlich genug gesetzt, und wir stehen in Gefahr, uns ins endliche zu zanken und zu vergleichen, ohne uns einander zu verstehen, oder dem Zuhörer verständlich zu werden."), sowie Hug, II 185ff.; Bertholdt, 1813, 1318; Schneckenburger 1832, 60ff.; vgl. weiter S. 153ff. Mit positiver Anknüpfung an die Gnosis rechnen die 'Tübinger', die im Rahmen der entwicklungsgeschichtlichen Linie Paulus–Gnosis–Johannes mit der Abfassung des JohEv bis gegen 170 hinaufgehen konnten: Baur, 1864; Volkmar, 1857, 483; Hilgenfeld, 1875, 697ff.; Lipsius, 1869, 503f.; vgl. ferner Wrede, 1897, 72; Schmiedel, 1906, 129f.; Kreyenbühl, der 1900/1905 den syrischen Gnostiker Menander als Verfasser des

JohEv zu erweisen versuchte, sodann Käsemann und die S. 99 Genannten. Mit missionarischer Absicht bei der Übernahme gnostischer Gedanken rechnet z. B. Fischer, 1973, 262ff.; vgl. Schweizer, 1939; Gaugler, 1964, 8ff.; Conzelmann, 1967, 360ff.; Kümmel, 1973, 183ff.

(2) Im JohEv zeigt sich die *Gnosis in statu nascendi*, sei es, daß die joh. Theologie selbst Quelle der Gnosis ist (Weizsäcker, 1902, 539; Wengst, 1976, 13f.; 1978; 1981, 16f.; Richter, 1977, 373f.; vgl. Müller, 1975, 65ff.; Robinson, 1960/61, 56ff.), sei es, daß sie nur im breiten Strom des zur Gnosis drängenden Synkretismus mitschwimmt (Scott, 1908; Wetter, 1916. 1918; Bauer, 1933, 3.245ff.; Guthrie, III 297f.; Grant, 1957, 162f.; Stemberger, 1973; Smith, 1974/75, 240; Becker, 1979, 54).

(3) Für das JohEv ist die Gnosis nicht vorauszusetzen. Das scheinbar gnostische Begriffs- und Gedankengut erklärt sich aus ungnostischen bzw. vorgnostischen Quellen. Dabei spielen in unterschiedlicher Gewichtung eine Rolle: das AT, die jüdisch-alexandrinische Theologie (Philo), der hellenistische Weisheitsmythos, jüdische Esoterik oder Apokalyptik, samaritanisches Judentum, die Schriften von Qumran. Vgl. z.B. Weizsäcker, 1902, 530ff.; Wendt, 1925, 140; Percy, 1939; Dodd, 1953; Braun, 1964, 65ff.; Stauffer, 1945, 26; Feuillet, 1962, 72ff.; Brown; Bühner; Eckle; Kuhn, 1951/52, 72ff.; Baumbach, 1958; Wilson, 1956; Böcher, 1965, Charlesworth, 1968/69; Bergmeier, 1980; Miranda; Leidig.

d) Das historische Problem

Die unterschiedlichen Positionen in der Frage des Verhältnisses des JohEv zur Gnosis gewinnen die Forscher in der Regel unter Verzicht auf eine präzise Bestimmung des historischen Ortes bzw. des konkreten Anlasses des joh. Schrifttums. So enthält z. B. der Kommentar von Bultmann überhaupt keine Einleitung, und auch Bultmanns Art. ›Johannesevangelium‹ in RGG[3] III 1959 geht auf die Frage, was den Evangelisten zur Abfassung seines Evangeliums veranlaßte, nicht ein. Der Evangelist erscheint als Schreibtischgelehrter, der sich mit dem gnostischen Denken theologisch-prinzipiell auseinandersetzt. Käsemann beginnt sein Büchlein über das JohEv (1971) mit dem 'Geständnis', er werde über etwas sprechen, was er zutiefst nicht verstehe. „Wir tappen mehr oder weniger im Dunkel, wenn wir über den historischen Hintergrund des Evangeliums eine das Ganze bestimmende Auskunft geben sollen." Er will die theologische Frage nur so weit entfalten, „daß sie als Schlüssel für die historische Frage verwendbar wird". Der historische Ort wird dann freilich doch nur dogmatisch bestimmt: „Dogmatische Verhärtung und Verengung"; „Konventikel"; „Frühkatholizismus". Historischer Ursprung und Anlaß der angeblichen Konventikelbildung bleiben weiterhin im Dunkel (11f. 15. 136. 152).

Früher nahm man in der Regel an, der Evangelist Johannes wolle die synoptischen Evangelien ergänzen oder verdrängen (s. bei Kümmel, 1973, 197f.). Heute gibt es die These, Joh suche bewußt die Verbindung mit der synoptischen Tradition, wenn er das Bekenntnis zum Erhöhten mit Bedacht als Bericht vom Inkarnierten vorlege (Cullmann, 1975, 12ff.). Ein im engeren Sinn historischer Anlaß tritt auch mit diesen Thesen noch nicht in den Blick. Oft geht man davon aus, das JohEv verfolge den konkreten Zweck, Juden für den christlichen Glauben zu gewinnen (Bornhäuser, 1928; van Unnik, 1959; Robinson, 1959/60; Bowker, 1964/65; Freed, 1970; Cribbs, 1970). Demgegenüber gilt für die meisten Forscher als gesichert, daß sich das JohEv an Christen wendet (vgl. z. B. Conzelmann, 1967, 362; Richter, 1977, 222; Wengst, 1981, 33ff. Lit.). Wittichen zufolge wendet es sich gegen eine ebionitische Christologie.

Eine *direkte* Bedeutung der historischen Fragestellung für das Thema 'Johannes und die Gnosis' wäre dann gegeben, wenn man Anlaß und Zweck des Evangeliums in einer Auseinandersetzung des Evangelisten mit der Gnosis findet, sei es in einer bloß theologisch-schriftgelehrten, sei es in einer konkreten missionarischen (s. S. 102) oder polemischen Auseinandersetzung, die ggf. von einem ehemaligen Mitglied der gnostischen Gemeinde geführt wird (Schmiedel, 1906, 129f.).

Diese Ansicht, die der altkirchlichen Auffassung entspricht, vertreten, oft von 1/2Joh geleitet, z. B. Michaelis, 1777, II 970ff.; Semler, 1771, 24; Bertholdt, III 1318; Hug, II 185ff.; Schneckenburger, 1832, 60ff.; Burton, 167ff.; 193ff.; Scholten, 1867, 426ff.; Lipsius, 1869, 503; von neueren Forschern z. B. Stauffer, 1945, 242 Anm. 77; Wilkens, 1958; Michaelis, 1954, 122; Lagrange, 1936, LXXIIf.; Robinson, 1960/61; Feuillet, 1964, 62ff.; Bultmann, 1965, 367ff.; Neugebauer, 1968, 10ff. 28ff.; Ruckstuhl, 1972, 156; Stemberger, 1973, 435ff.; Kümmel, 1973, 195ff.; Vielhauer, 1975, 451. Zur Kritik vgl. z. B. Thyen, ThR 39, 1974, 51.

Es gibt nur eine historische Angabe im JohEv, die „der Historiker unmittelbar auswerten kann" (Becker, 1979, 43), nämlich die Tatsache des Ausschlusses der Christen aus der Synagoge (Joh 9,22; 12,42; 16,2). Dieser 'Aposynagogos' wird in der Regel und aus gutem Grund mit der pharisäisch-rabbinischen Restauration des Judentums nach der Katastrophe des Jahres 70 und dem Verlust des Tempelkultes in Verbindung gebracht (Wengst, 1981, 52ff. Lit.). Die Christen mußten die Rechtskörperschaft der Synagoge verlassen, was tiefgreifende soziale Auswirkungen und zunehmend die permanente Verfolgung durch den römischen Staat zur Folge hatte (vgl. S. 83.113ff.).

Während Richter (1977, 304.402ff.) den Konflikt mit der Synagoge in der von ihm rekonstruierten Grundschrift des JohEv verankert sieht, erkennt Wengst neuerdings in diesem Synagogenauschluß den Anlaß des JohEv selbst: Das JohEv führt eine durchgehende Auseinandersetzung mit dem (pharisäischen) Judentum und erbringt in deren Rahmen den Nachweis, daß Jesus der Messias sei (1981). Der Zweck dieses Nachweises sei, die Christen zum Bleiben im Glauben aufzufordern. Die Juden sind also im JohEv nicht, wie weithin vorausgesetzt wird, nur Repräsentanten der ungläubigen Welt, sondern konkrete Kontrahenten. Unter dieser Voraussetzung liegt der Anlaß des JohEv nicht in einer Auseinandersetzung mit der Gnosis.

e) Die Briefe des Johannes

Die genannten Problemkreise werden von der Frage überlagert und durch diese Überlagerung zugleich kompliziert, wie sich das JohEv und 1/2/3Joh zueinander verhalten. Dabei konzentriert sich diese Fragestellung auf das Verhältnis des JohEv zu 1Joh; 2Joh führt neben 1Joh kein Eigenleben, obschon einige Forscher mit zweifelhaftem Recht stilistische bzw. theologische Unterschiede zwischen 1Joh und 2Joh beobachten wollen (Bergmeier, 1966; Haenchen, 1968, 307; Klein, 1971, 306f.), und 3Joh nimmt die theologische Fragestellung von 1/2Joh nicht direkt auf. Bei 3Joh handelt es sich möglicherweise um einen echten Brief.

Die Meinung, daß JohEv und 1/2/3Joh denselben Verfasser haben, entspricht dem Selbstverständnis des joh. 'Kanons' aus Evangelium und drei Briefen. Sie herrschte früher unbeschränkt (de Wette, 1848, 364; Bauer, 1929, 138) und führte zu der Frage, wie sich die vier Schriften zeitlich zueinander verhalten. Manche Forscher setzen 1Joh zeitlich vor das JohEv (Michaelis, 1777, II 1228; Bertholdt, 1813, III 1318; Zeller, 1845, 589; Weiss, 1897, 444; Appel, 196f.; Büchsel, 1933, 7; Strathmann, 1968, 363f.), viele andere dagegen nach dem JohEv an (de Wette, 1848, 368; Eichhorn, II 2, 309; Weizsäcker, 1902, 539f.; Wurm, 1903, 52; vgl. Kümmel, 1973, 392; Langbrandtner, 1977, 394), während noch andere von gleichzeitiger Abfassung ausgehen (vgl. schon Hug, II 252f.; Storr, 1786 u. v. a.). – Mit demselben Autor von JohEv und 1/2Joh rechnen heute noch z. B. Michaelis, 1954, 293f.; Thüsing, 296f.; Schnackenburg, 1963, 34ff. Die Folge dieser Ansicht für das Verständnis des JohEv ist nicht gering. Denn da nach überwiegender Meinung in 1/2Joh gnostische Irrlehrer bekämpft werden (s. u.), legt sich bei identischer Autorschaft eine analoge Frontstellung bzw. historische Situation auch für das JohEv nahe (s. o.), obschon sich im JohEv eine der Frontstellung in 1/2Joh entsprechende Polemik nicht oder nicht zentral findet. Man urteilt dann: „Die Wahrheit des Sohnes Gottes wird gegen den doketischen Gnosticismus in den Briefen antithetisch, im Evangelium thetisch verfochten" (Lipsius, 1869, 502f.). Da diese Lösung wenig befriedigt, gibt es unter der Voraussetzung identischer Autorschaft auch den Schluß, daß, weil das JohEv sich nicht mit gnostischen Gegnern auseinandersetze, auch 1/2Joh nicht aus antignostischer Frontstellung verstanden werden dürften (Semler, 1792, 26ff.; Eichhorn, II 2, 291ff.; Tittmann, 179; Bleek, 1862, 589ff.; Karl, 1898, 57ff. 97f; Wurm, 1903; Bardy, 349; O'Neill, 1966).

Unter religionsgeschichtlichem Aspekt führt die Beobachtung, daß (erst) 1Joh eine antignostische Schrift sei, in Verbindung mit 1Joh 2,18 oft zu der These, 1Joh lasse eine Spaltung der joh. Gemeinde in einen gnostischen und einen antignostischen Flügel erkennen (Wengst, 1978, 25ff.).

In der Regel rechnet man heute damit, daß JohEv und 1/2Joh von verschiedenen Autoren stammen und der Verfasser von 1/2Joh, der sich durchgehend mit gnostischen Irrlehren auseinandersetzt, das JohEv voraussetzt; so seit Lange, 4ff.; Cludius, 52ff.; Ammon. Methodisch vorbildlich haben Conzelmann, 1954, und Klein, 1971, die Differenz von JohEv und 1Joh dargelegt, indem sie auf den unterschiedlichen Gebrauch derselben Begriffe achteten. Vgl. auch Weizsäcker, 1902, 539f.; Dibelius, 1929; Vielhauer, 1975, 446ff.; Schenke/Fischer, 1979, 208ff. Verhält es sich so, kann der Anlaß von 1/2Joh, die Bekämpfung gnostischer Irrlehrer, nicht unmittelbar das Verhältnis des JohEv zur Gnosis bestimmen.

Das Verhältnis von JohEv und 1/2/3Joh wird freilich zusätzlich durch die literarische Problematik kompliziert: Ist im JohEv und (oder) in 1/2Joh jeweils das Werk verschiedener Hände zu beobachten, und handelt es sich dann ggf. *partiell* um dieselbe Hand (s. S. 99f.)? Beliebt ist heute die Vermutung, der Verfasser von 1/2Joh sei zugleich der Endredaktor des JohEv und wolle das Evangelium im Sinne seiner antignostischen Polemik verstanden wissen (s. S. 115ff.). Unter dieser Voraussetzung stellt sich die Aufgabe, theologische Absicht und historischen Ort des vor-redaktionellen JohEv und des uns vorliegenden JohEv gesondert zu bestimmen.

2. *Lösungen*

a) Die gnostischen Gegner im ersten und zweiten Johannesbrief

(1) Die Irrlehrer bestreiten, daß *Jesus* der Christus bzw. der Sohn Gottes ist (1Joh 2,22f.; 4,2f.). Da es sich bei ihnen im übrigen um Christen handelt, urteilen sie entweder wie oder ähnlich wie der Gnostiker Kerinth (nach Iren. I 26,1; Hipp. Ref. 7,33; 10,21), daß

Jesus nur von der Taufe an bis vor der Kreuzigung die irdische Wohnung des himmlischen Christus gewesen sei, der als Geistwesen selbst kein Fleisch habe annehmen können (so z. B. Storr, 1786, 232ff.; Hug, II 185ff.; Lipsius, 1869, 502; Haupt, 1869, 394f.; Thiersch, 1852, 263f.; Weiss, 1897, 435; Appel, 194; Feine/Behm, 1936, 251f.; Wilson, 1971, 42; Wengst, 1978, 171), oder sie sind Doketen wie die Irrlehrer, die Ignatius (Trall. 10,1; Sm. 2; 4,2; 5,2; 6,2) bekämpft und die dem Geistchristus nur einen Scheinleib zusprechen (hierzu siehe schon die Kirchenväter – vgl. Tert. de carne Christi 24 –; dann z. B. de Wette, 1848, 358; Reuss, 1874, 235f.; Holtzmann, 1886, 494; Credner, 1836, 682f.; Lütgert, 1911, 9ff.; Balz, 1973, 151f.; Vielhauer, 1975, 470ff.; Müller, 1975, 59ff.), oder der Verfasser setzt sich mit beiden gnostischen Anschauungen auseinander (Michaelis, 1777, II 1230ff.). – Auf eine präzise Bestimmung der gnostischen Christologie verzichten z. B. Windisch, 1930, 127; Schneider, 1961, 138f.; Conzelmann, 1967, 331f.; Thüsing, 282ff.; Kümmel, 1973, 388ff.; Marxsen, 1978, 266f.; Schenke/Fischer, 1979, 220ff.

Für einen ausgesprochenen Doketismus der Gegner spricht schon 1Joh 1,1 ('betasten'; vgl. Lk 24,39; Joh 20,24–29); 4,2; 2Joh 2,7 (ἐρχόμενον ἐν σαρκί) und die sekundäre Lesart λύει τὸν 'Ιησοῦν ('den Jesus auflösen') in 1Joh 4,2 als Interpretation des ursprünglichen μὴ ὁμολογεῖ τὸν 'Ιησοῦν. In diesem antidoketischen Sinn sind dann auch Stellen zu deuten, die für sich genommen auf die jüdische Bestreitung der kirchlichen Christologie bezogen werden können, im Rahmen von 1Joh aber betonen, daß der *irdische Jesus* der *Christus*, der Sohn Gottes also wirklich ins Fleisch gekommen sei (1Joh 2,22; 4,15; 5,1.5).

Auch 1Joh 5,6–8 ordnet sich gut in den so verstandenen Rahmen von 1Joh ein (die Interpretation ist im einzelnen unterschiedlich: Weiss, 1888, 153ff.; Neugebauer, 1968, 16ff.; Schnackenburg, 1963, 20ff.; Richter, 1977, 120ff.; Wengst, 1978, 18ff.; Venetz): Die Irrlehrer behaupten, daß bei der Taufe Jesu ('Wasser') der himmlische Geistchristus (in Gestalt der Taube? Joh 1,31–34) herniedergekommen sei, bestreiten aber seine Fleischwerdung ('Blut') und damit seinen realen Tod am Kreuz (vgl. Joh 19, 30).

Ihnen gegenüber insistiert der Verfasser des 1Joh (vgl. Joh 19,34) auf der wahren Menschheit des Sohnes Gottes und identifiziert anscheinend den 'Geist' der Tauferzählung Joh 1,31–34 bewußt nicht mit dem himmlischen Christus, sondern versteht ihn als *Zeugen* der realen Fleischwerdung im Sinne von 1Joh 2,17 (vgl. Joh 14,17; 15,26; 16,13; Wengst, 1976, 21f.).

(2) Die Gegner sind Pneumatiker, die ihre Lehre unter Berufung auf den 'Geist' verkündigen, so daß der Verfasser von 1Joh das Bekenntnis zur Inkarnation als Kriterium für die Unterscheidung der Geister einführen muß (1Joh 4,1–6). Man hat deshalb davon auszugehen, daß die Irrlehrer in der Anthropologie ähnlich dualistisch dachten wie in der Christologie und den Leib des Menschen als Gefängnis des Pneuma-Selbst entsprechend abwerteten (vgl. 1Joh 4,17). Den Christen werfen sie vor, bloß 'aus der Welt' bzw. 'vom Teufel' zu sein (1Joh 3,7ff.). Der Verfasser des 1Joh kontert mit dem Vorwurf, *sie selbst* seien 'aus der Welt' (1Joh 4,5), die rechtgläubigen Christen dagegen seien zwar nicht 'göttlich', wohl aber 'Kinder Gottes' (1Joh 3,1–3), 'aus Gott' (1Joh 4,5f.) bzw. 'aus Gott geboren' (1Joh 3,5; 4,7; 5,1–4.18f.), 'in Gott' (1Joh 4,12–16). *Sie* seien in Wahrheit im Besitz des 'Pneuma' (1Joh 3,24; 4,1–6.13; 5,6–12).

Die Vermutung, daß die Gnostiker sich geradezu χριστοί genannt haben (Büchsel, 1933, 38; Lindeskog, 49), erscheint durch den Verweis auf χρῖσμα (1Joh 2,20) und ψευδόχριστοι (1Joh 2,18.22; 4,3; 2Joh 8) nur schlecht begründet.

(3) Die Irrlehrer beanspruchen für sich 'Erkenntnis' Gottes bzw. Christi (1Joh 2,4) und entsprechend 'Liebe zu Gott' (1Joh 4,20). Der Verfasser des 1Joh wirft ihnen dagegen mangelnde 'Erkenntnis' Gottes vor (1Joh 2,3f.; 3,6; 4,8) und beansprucht die rechte 'Gnosis' für die 'orthodoxe' Gemeinde (1Joh 2,5.13f.20; 3,14.16.19f.24; 4,6.7.16; 5,1f.; 2Joh 1).

(4) Ihrem Selbstverständnis als 'Pneumatiker' und 'Gnostiker' entsprechend, beanspruchen die Irrlehrer für sich 'Sündlosigkeit'. Sie haben 'Gemeinschaft mit Gott' (1Joh 1,6), sie 'sind' bzw. 'bleiben' in Gott (1Joh 2,6) und 'im Licht' (1Joh 2,9–11). Sie erklären direkt: 'Wir haben keine Sünde' (1Joh 1,8.10; vgl. 3,9); vgl. Bogart,

1977. Das pneumatische göttliche Sein ist gnostischem Denken zufolge als solches unverletzlich und kann nicht beschmutzt werden; es *tut* nicht Böses, sondern *erleidet* das ihm dualistisch gegenüberstehende Böse, die Finsternis, die Gefangenschaft im Kosmos bzw. im Leib. Darum bedarf es keiner 'Vergebung der Sünde' und keiner 'Reinigung von Ungerechtigkeit' (1Joh 1,9), sondern nur der Befreiung des Pneuma aus dem bösen Kosmos. – Die Ablehnung des 'für uns' geschehenen Kreuzestodes (1Joh 2,1–2; 3,5.8.16; 4,10), die sich mit der Ablehnung der Inkarnation notwendigerweise verbindet, ist im Rahmen der Irrlehre konsequent; vgl. Müller, 1975, 59ff.

Der substanzhaften Sündlosigkeit der Gnostiker stellt der Verfasser des 1Joh die 'geschichtliche' Sündlosigkeit der rechtgläubigen Gemeinde gegenüber, welche 'die Brüder liebt' (1Joh 3,9f.), weil sie von Gott geliebt wurde (1Joh 4,7ff.).

(5) Der Verfasser des 1Joh wirft den Irrlehrern vor, sie 'wandelten in der Finsternis' (1Joh 1,6) und sündigten (1Joh 3,6). Konkreter Ausdruck ihres unsittlichen Wandels ist die Verleugnung der christlichen Bruderschaft und Bruderliebe (vgl. Schnackenburg, 1963, 23; Weiß, 1973, 351; Wengst, 1976, 57ff.; Segovia), nämlich die Separation der Irrlehrer von der Gemeinde und die Verachtung der bloß Glaubenden durch die 'Wissenden' (1Joh 1,7; 2,19; 3,10.15; 4,17–21). Daß sie die Gebote nicht halten (2,3–6), heißt konkret, daß sie die Liebe zu den 'kirchlichen' Brüdern verleugnen (1Joh 2,9–11; 3,23f.; 4,7; 2Joh 5f.). Offenbar hat diese fehlende Bruderliebe auch soziale Folgen für die Gemeinde (1Joh 3,17; vgl. 2,16). Wollen die Irrlehrer durch finanziellen Druck die bedürftigen Gemeindeglieder zum Übertritt bewegen?

Libertinistische Tendenzen, die manche Forscher den Irrlehrern zuschreiben, lassen sich aus 1Joh 2,15–17; 3,8; 2Joh 11 schwerlich erschließen (anders z.B. Hilgenfeld, 1875, 687ff.; Holtzmann, 1886, 494; Jülicher, 1906, 210f.; Windisch, 1930, 127; Bogart 93ff.).

(6) Aus 1Joh 2,19 ist zu erschließen, daß die Irrlehrer nicht (mehr) zur Gemeinde des Verfassers gehören; vgl. auch 1Joh 2,13f.; 4,4; 5,4f.; 2Joh 10. Dies ist die übliche Ansicht (vgl. z.B. Weiss, 1897,

436; Schulz, 1976, 241). Anders urteilt Wengst (1976, 12), weil dann der Brief entbehrlich wäre (vgl. Bultmann, 1967, 41 f. 44; Vielhauer, 1975, 470). Aber es geht dem Verfasser des 1/2Joh darum, der Agitation der Irrlehrer entgegenzutreten (2Joh 10) und weiteren Abfall zu verhindern.

Der Verfasser nennt die Irrlehrer 'Antichristen' (1Joh 2,18.22; 4,3; 2Joh 8), 'Lügner' (1Joh 2,4.22; 4,20), 'Verführer' (1Joh 2,26; 3,7; 2Joh 7f.) und 'Lügenpropheten' (1Joh 4,1). Ihr Abfall wird anscheinend als 'Todsünde' betrachtet (1Joh 5,17f.). Sie scheinen ein eigenes Sakrament – die Salbung – zu besitzen (1Joh 2,20.27; vgl. Hipp. 5,22; Ev. Phil. 68; Baumgarten, 1908, 878f.; Bultmann, 1967, 42f.).

(7) Die Tatsache, daß sich aus 1/2Joh ein deutliches, in sich geschlossenes und widerspruchsfreies Bild einer wie auch immer einzuordnenden (Kirchenväter: Kerinthianer; Bogart: Proto-Valentinismus) gnostischen Irrlehre ergibt, erledigt andere Ansichten über den Anlaß von 1/2Joh.

Mit Juden, welche die Messianität Jesu leugnen, rechnen im Blick auf das JohEv viele der S. 113 Genannten. Verschiedene Fronten nimmt Brooke, 1912, XXXIXff. an. An christlich-essenische Ebioniten denkt Wittichen, 1869, 68f. Undeutlich bleibt die Zeichnung der Gegner z. B. bei Schnackenburg, 1963, 16ff.; Weiß, 1973.

b) Das Johannesevangelium

Das hervorragende Thema des JohEv ist wie das herrschende Thema von 1/2Joh die Christologie. „Der Zweck des Evangeliums liegt einzig in dem Beweise der messianischen und göttlichen Würde Jesu" (de Wette, 1848, 199; vgl. Wrede, 1903, 43ff.; Hug, II 184). Dieser Inhalt des JohEv bestätigt die entsprechende ausdrückliche Angabe des Evangelisten in 20,31 (vgl. Wittichen; Heitmüller, 1908, 692; Matsunaga, 1981, 124ff.). Während dieses Thema aber in 1/2Joh deutlich in antignostischer (antidoketischer) Frontstellung angegangen und demzufolge *Christen* gegenüber verhandelt wird, die mit den rechtgläubigen Christen das Christusbekenntnis als solches nicht bestreiten, erweist das Evangelium die Messianität Jesu gegenüber den *Juden,* die das christ(o)l(og)i(s)che Bekenntnis in jeder Form ablehnen.

Konkrete jüdische Argumente gegen das Christusbekenntnis der Gemeinde erfährt man (vgl. de Jonge, 1972/73) in 12,34; vgl. 3,14f.; 6,61f. (Der wahre Messias *bleibt,* wenn er kommt, geht aber nicht – durch den Tod am Kreuz – zum Vater zurück); 7,40–44.52; vgl. 1,46 (Der wahre Messias kommt nicht aus Galiläa, sondern als Davidssohn aus Bethlehem); 1,31.33; 6,41f.; 7,25–27 (Der wahre Messias bleibt bis zu seiner Salbung verborgen; seine Herkunft kennt man nicht); 5,9–18; 7,19–24; 9,16 (Der wahre Messias hält das Gesetz); 5,18; 10,33; 19,7 (Der wahre Messias macht sich nicht Gott gleich); 14,8 (Es genügt, den Vater zu kennen).

Anscheinend beruft sich die Synagoge auch auf Überlieferungen aus Täuferkreisen und bestreitet die Vorläuferrolle des Johannes (1,8.20.31.33; 3,22–30; 4,1f.) bzw. das Recht der *christlichen* Taufe neben der Taufe des Johannes (3,22–30; 4,1f.), sofern wir nicht ein *selbständiges* Konkurrenzverhältnis zwischen Christen- und Täufergemeinde, die Johannes den Täufer für den Messias hält, anzunehmen haben – eine verbreitete Annahme –, das durch den 'Aposynagogos' (s. u.) aktualisiert wurde, der auch die Täufergemeinde betroffen haben dürfte. Jedenfalls berichtet der Evangelist mit Bedacht die Taufe durch Johannes nicht, obschon 1,32 zeigt, daß ihm der synoptische Taufbericht bekannt war. Vgl. Wrede, 1903, 64f. und Weizsäcker, der aufgrund von 3,25; 13,8ff. vermutet, die Juden hätten eingewandt, die einmalige christliche Taufe könne keine genügende Reinigung sein. Auch scheint die Synagoge die Gestalt bzw. die Tat des Judas Iskariot als Beleg dafür vorzubringen, daß Jesus nicht der Messias war; Joh dürfte nämlich aus diesem Grund Judas in besonderer Weise moralisch disqualifizieren (6,64.70f.; 12,4–6; 13,2.21–30) und seinen 'Verrat' aus der Schrift begründen (13,18; 17,12).

α) *Die Argumentation des Evangelisten*

Der Beweis dafür, daß Jesus der (jüdische! 1,41.45.49; 3,10.28; 4,25.30; 6,14f.; 10,24) Christus sei, wird im JohEv geführt

a) durch das Zeugnis des Evangelisten: 1,1–5.9–14.16–18;
b) durch das Zeugnis Johannes des Täufers: 1,6–8. 15. 19–34.35–36; 3,27–30.31–36;
c) durch das Zeugnis der Jünger bzw. Nachfolger: 1,41.45; 4,39–42; 6,68f.; 15,27;
d) aus der Einheit der Gemeinde: 17,20–23;
e) durch das Selbstzeugnis Jesu: 2,16f.; 3,11–21; 4,10–26.31–38; 5,18–23. 30–37; 6,27–35. 36–51a; 7,16–18. 28f. 33f. 37f.; 8, 12–20. 21–29. 33–59; 9,5; 10,7–10. 22–39; 11,25–27; 12,44–50; 13,20. 31–33; 14,1–14; 16,27f.; 17,8; 18,36f.;
f) durch seine Auferstehung bzw. Erhöhung oder Verherrlichung: 2,18–22; 7,39; 8,28.54; 12,16.23.28; 13,31f.; 16,14f.; 17,1.5; 20,8.28f.;
g) aus den Wundern Jesu: 2,11.23; 3,2; 4,45.53; 5,20.36; 6,2.14.30; 7,31; 9,35–38; 10,21.25.38; 11,4.15.42–45.48; 12,9–11.17f.37f.; 15,24; 20,30f.;
h) aus dem wunderbaren Vorherwissen Jesu: 1,41f.47–50; 2,24f.; 4,19.25.39; 6,6.61.64; 13,3.19; 14,29; 16,29f.; 18,4ff.; vgl. 6,70f.; 13,2.11.18f.21–30;
i) aus dem AT: 1,45; 5,39.45–47; 7,38; 8,56; 12,13–15; 15,25; 19,33–37;
j) aus der Tatsache, daß Jesus sein eigenes Geschick souverän in seiner Hand hat: 6,6; 7,30; 8,20; 13,1.3.21–30; 18,4; 19,28;
k) aus dem nachösterlichen Zeugnis des Geistes: 14,16f.26; 15,26; 16,13f.; vgl. 3,5–8; 4,23f.; 7,39; 16,7; 6,63;
l) durch das Zeugnis des AT: 1,23; 2,17; 12,13–16. 41.

β) *Der Anlaß des Johannesevangeliums*

Das JohEv ist „eine aus dem Kampf geborene und für den Kampf geschriebene Schrift" (Wrede, 1903, 40), und zwar des näheren „eine Apologie des Christusglaubens gegenüber dem Judentum" (von Soden, 1905, 208; vgl. Weizsäcker, 1902, 524ff.; Wrede, 1903, 42ff.; Wurm, 1903, 24ff.; Jülicher, 1906, 384ff.; Heitmüller, 1908, 692f.; Holtzmann, 1908, 29f.). Die Kontrahenten Jesu im Evangelium sind die *Juden*: 1,19; 3,25; 5,31–47; 6,41–51a; 7,1; 8,33–59; 9,13–41; 10,31–33. Diese Juden werden mit der *Welt* identifiziert, wodurch die Trennung von christlicher Gemeinde und Judentum radikal vollzogen ist: 7,7; 18,20; vgl. besonders die harten Urteile 5,37f.; 8,19.23.44.55. Die Juden begegnen im JohEv also nicht als repräsentative Exempel der Welt (so oft; vgl. Bultmann, 1952, 59; Gräßer, 1973, 83; Vielhauer, 1975, 432.450; s. im übrigen Wengst, 1981, 37ff.). Vielmehr benutzt Joh den ihm geläufigen und im Rahmen seiner dualistischen Sprache negativ besetzten Begriff 'Welt', um das konkrete Verhalten der Juden theologisch zu disqualifizieren (vgl. Thyen, 1980, 180).

Die Juden sind konkret die *Pharisäer*: 1,24; 3,1; 4,1; 7,32.45.47; 8,13; 9,13–34.40f.; 11,46. Das Judentum orientiert sich dementsprechend am *Gesetz* bzw. an Mose: 5,9–18; 6,32; 9,28f.; 12,34; 19,7; die Juden halten den Christen ihre Unkenntnis des Gesetzes vor: 7,48f. Auffälligerweise begegnet das pharisäische Judentum in einer rechtlich-behördlichen Position: 5,9–18; 7,11–13. 32. 45; 9,13–34; 11,45–47.57. Im Blick auf diese Beobachtung kommt schon Aberle zu dem Schluß, „... daß dieses Evangelium den Umtrieben des nach der Zerstörung Jerusalems sich energisch wieder zusammenraffenden und zum Rabbinismus consolidierenden Judenthums seinen Ursprung verdankt" (1864, 24); vgl. von Dobschütz, 1904, 34ff.; Hickling; Kossen, 1970; Leistner, 17ff.; Smallwood, 1976, 120ff.; Brown, 1979; Martyn, 1979; Wiefel, 1979; Thyen, 1980, 180ff.; Wengst, 1981, Anm. 131, Lit. Die vom JohEv vorausgesetzte rechtliche Position erhielten die Pharisäer in der Tat erst nach 70, als sie nach dem Verlust des Jerusalemer Tempels von Jamnia aus unter der Leitung zunächst von Jochanan ben Zakkai und dann von Gamaliel dem Judentum in dem pharisäisch verstandenen Gesetz eine neue Mitte gaben (vgl. Schäfer, 1975; Stemberger, 1977; Horbury). Im Verlauf dieser Reorganisation des weltweiten Judentums, die sich bis in das 2. Jh. hinzog, wurde die bis dahin pluralistische Synagoge zu einer einseitig pharisäisch (rabbinisch) bestimmten umgestaltet. Das bedeutete konkret, daß das in der Synagoge als einer selbständigen sozialen und rechtlichen Körperschaft mit weitgehenden jurisdiktionellen Befugnissen über ihre Angehörigen (vgl. Smallwood, 1976, 128ff.) geltende Gesetz mit der pharisäisch verstandenen Tora zusammenfiel. Wer sich diesem zugleich 'bürgerlichen' und religiösen Gesetz nicht beugen konnte, mußte die Synagoge verlassen (Aposynagogos). Er verlor damit den Rechtsschutz der Synagoge, der ihm auch ungestörte Religionsausübung im Römischen Reich gewährte (religio licita).

Die Christen, die sowohl als Judenchristen wie als gottesfürchtige Heidenchristen im Rechtsverband der Synagoge lebten, vermochten ihr Bekenntnis im Rahmen der pharisäischen Synagoge nicht festzuhalten. Austritt bzw. Ausschluß aus der Synagoge waren darum ein Akt des *Bekennens,* dessen soziale Folgen freilich von nicht wenigen Gliedern der christlichen Gemeinschaft gescheut wurden. Dokumente dieser Situation und des entsprechenden Ringens um die Glieder der Gemeinde sind z. B. das MtEv, der Hebr und das JohEv. Da die pharisäische Reorganisation des Judentums nach dem jüdischen Aufstand mit Billigung und Unterstützung der römischen Behörden und ihrer Politik der inneren Befriedung erfolgte, finden die aus der Synagoge ausgestoßenen Christen bei den römischen Behörden keinen Schutz (vgl. Neugebauer, 1968, 13ff.; Smallwood, 1976, 348ff.). Sie werden von der Synagoge als potentielle Aufrührer denunziert und angesehen; es beginnt die Verfolgungszeit (15, 18–20; 16, 20–33), der die politische Apologetik der christlichen Schriftsteller entspricht (11, 48ff.; 18, 28–38; 19, 6. 12).

Die geschilderte Situation wird im JohEv direkt sichtbar in 9, 22; 12, 42; 16, 1–4: Das christliche Bekenntnis führt zum Ausschluß aus der Synagoge. Die Furcht vor der Machtstellung der pharisäischen Synagoge ist groß. Selbst Gewalttätigkeiten gegen die Christen bis hin zum Martyrium kommen vor. Im 'Haß' der 'Welt' werden die

Christen wie ihr Herr verfolgt: 15,18–25; 16,20.33; 17,14; vgl. auch 20,16: die versammelte Gemeinde verschließt ihre Türen aus Furcht vor den Juden. Nikodemus (3,1f.) und Josef von Arimatia (19,38), einflußreiche Juden, halten aus Furcht vor ihren Volksgenossen ihre Sympathien mit den Christen geheim, ähnlich wie die Eltern des Blindgeborenen (9,22f.; vgl. Meeks, 1972, 52ff.). Für die Christen ist es gefährlich, sich den Juden anzuvertrauen (2,24f.). Man kann nicht offen über Jesus Christus sprechen (7,13). Anscheinend ist der Abfall von der Gemeinde, für den Judas das Exempel bildet (6,64.71; 13,11.21; 17,12), nicht gering: 6,60–71; vgl. 16,32; 17,20–23. Vor allem die einflußreichen Mitglieder der Synagoge verleugnen ihr christliches Bekenntnis: 7,48–52; 12,42f. Die Einheit der Gemeinde ist bedroht (10,16; 11,51f.; 17,11ff.).

Die Trennung von christlicher Gemeinde und Synagoge ist im wesentlichen vollzogen. Von den 'Juden' spricht das JohEv durchweg im Unterschied von und im Gegensatz zu den 'Christen', auch wo die letzteren selbst Juden im völkischen Sinn sind: 2,6.13; 5,1; 6,4.49; 7,2; 8,17; 10,34; 11,55; 15,25.

Das JohEv richtet sich an die Christen und setzt sich mit der Synagoge auseinander. Das bedeutet: Joh führt seine Auseinandersetzung mit der Synagoge um das Christusbekenntnis, um der christlichen Gemeinde dies ihr Bekenntnis gewiß zu machen, sie zur Auseinandersetzung mit der Synagoge zu befähigen und sie zum *Bleiben* (8,31; 15,3f.5–8) in der weltweiten Gemeinde aus Juden- und Heidenchristen (10,16; 11,53) zu ermutigen. Die Unentschlossenen werden zur Entscheidung aufgerufen (3,1–10); denen, die nicht glauben, wird das Gericht angesagt (5,22–27; 8,21.24; 9,39).

γ) *Die antignostische Bearbeitung des Johannesevangeliums*

Der Verfasser von 1/2Joh, der zugleich das JohEv in der vorliegenden Gestalt mit den drei Briefen als joh. 'Kanon' herausgegeben haben dürfte (vgl. schon Wellhausen, 1907, 12.14.24.38; Hirsch, 1936, 186; Schulz, 239ff.; Richter, 1977, 354ff.; s. auch S. 80), will die Christologie des JohEv (von 1,14 aus) im antidoketischen Sinn verstanden wissen (vgl. 2Joh 2,7).

Er schreibt das JohEv nicht nur einem Augenzeugen zu (19,35; 21,24), sondern hebt es (und damit indirekt auch 1Joh; vgl. 1Joh 1,1ff.) in apostolischen Rang, indem er den Verfasser des JohEv mit dem 'Lieblingsjünger' Jesu identifiziert, einer Gestalt, die erst er in das JohEv einführt und mit Petrus parallelisiert (13,23–25a; 18,15bf.; 19,26f.; 20,2–10; 21,15–23.24; vgl. Weiss, 1908, 36; Goguel, II 361ff.; Hirsch, 1936, 186; Kragerud; Schulz, 1976, 237f.; Schenke/Fischer, 1979, 177f.; Haenchen, 1980, 601ff.; Thyen, 1977; vgl. Hoffmann, 461); auch 1,35–39 dürfte in diesen Zusammenhang gehören (Cullmann, 1975, 75). Er will anscheinend dem joh. Kanon mit seiner 'hohen Christologie' neben petrinischer (synoptischer) Überlieferung Geltung verschaffen.

Mehrdeutige Formulierungen wie 1Joh 2,22–25; 3,23; 4,15; 5,15 (vgl. auch 1,3; 2,2; 3,8; 4,9f.; 5,10ff) schlagen die Brücke von der antisynagogalen konfessorischen Christologie des JohEv zur antihäretischen Christologie von 1/2Joh. Dementsprechend stellt der Verfasser von 1/2Joh die Lehre Jesu, wie sie im JohEv vorliegt, dem Leser als verbindliche Wahrheit vor Augen. Die zahlreichen sachlichen und terminologischen Anknüpfungen des 1/2Joh an das JohEv (vgl. z. B. 1Joh 3,9; 4,7; 5,1–4.18f.) dienen ebenso wie 1Joh 1,1–4 der Identifizierung des antignostischen Verfassers von 1/2Joh mit dem Verfasser des JohEv und somit der Einordnung des JohEv in den antidoketischen Abfassungszweck des 1/2Joh. Die Mahnungen zur Einheit (10,16; 11,51f.; 17,11ff.) bezieht der Verfasser von 1/2Joh auf das Verhältnis seiner Gemeinde zu den Irrlehrern.

Einzelne Einschübe mit antignostischer/antidoketischer Tendenz, die sich im JohEv finden und die sich oft auch formal als Zusätze erweisen, dürften auf den Verfasser des 1/2Joh, den Redaktor des JohEv, zurückgehen: Antidoketisch sind

a) 6,51b–58 (vgl. Thyen, 1978, 338ff.; 1979, 107ff.); 19,34bf. (im Zusammenhang mit 1Joh 5,6–8); 20,20a und 20,24–29 (ganz oder teilweise); 21,1–14;
b) die realistische Eschatologie: 5,28–29; 6,39b.40b.44b; 12,48b;
c) aus antidoketischem Interesse möchten auch Hinweise auf die

natürliche Familie Jesu eingefügt worden sein: 2,1.3–5.12 (zum Teil).

d) Ansätze zur Wunderkritik dienen vielleicht der 'Verleiblichung' bzw. der Vergeschichtlichung Jesu; die Doketen könnten sich für ihre Geistchristologie auf die Wunder des Evangeliums berufen: 4,48f.; 20,29.
e) Wenn die Irrlehrer von 1/2Joh wie spätere Gnostiker (Iren. I 31,1) Judas Iskariot zu ihrem Gewährsmann gemacht haben, möchte auch 6,70f. auf den antidoketischen Redaktor zurückgehen.
f) Das auf die Irrlehre zielende Bild vom wahren und falschen Hirten gehört eher der Situation von 1/2Joh als der des JohEv an: 10,1–6.11–15.
g) Auch die antignostische (s. o.) Betonung der Bruderliebe in 13, 12–17.34f. und 15,9–17 verrät die Hand des Redaktors, der einen wichtigen Gedanken aus 1/2Joh auch in das JohEv überträgt.
h) Da zu den genannten Stellen die Hinweise auf die Heilsbedeutung des Todes Jesu in 6,51c; 10,11.15; 15,13 gehören, dürfte auch die entsprechende Bemerkung in 11,51f. auf den antidoketischen Redaktor zurückgehen.

δ) *Die gnostisierenden Begriffe und Vorstellungen des Johannesevangeliums*

Die gnostisierende Denkweise des JohEv deckt ein ganzes gnostisches 'System' ab (Hilgenfeld, 1875, 721ff.; Holtzmann, 1886, 470; Pfleiderer, 1887, 742ff.; Bultmann, 1965, 362ff.).

a) Der kosmische Dualismus (von) oben – (von) unten (3,31; 8,23); Gott – Kosmos (8,23; 15,18f.; 17,14.16; 18,36); Licht – Finsternis (1,4f.; 3,19–21; 12,35f.46; 8,12; 11,9f.); Wahrheit – Lüge (8,44; 17,15f.; 18,37); von Gott – vom Teufel (8,44–47).
b) Der anthropologische Dualismus (3,6; 6,63; 15,19).
c) Das entsprechende Motiv der Prädestination (3,6.27; 6,44.65; 8,43–47; 10,26; 14,17; 17,9; 18,37b).
d) Die Präexistenzchristologie ('Erlösermythos') (1,1ff.; 3,13.31f.;

8,23 u. ö.) mit dem Fehlen von Geburts- und Berufungsgeschichten.

e) Das Kreuz Jesu als 'Erhöhung' bzw. 'Verherrlichung' (3,14f.; 8,28; 12,23.28.32.34; 13,31f.; 17,1.5).

f) Das 'Sein in Christus' ('Christusmystik') (14,20; 15,5).

g) Die präsentische Eschatologie (3,18f.; 5,25–27; 8,51; 11,25f.; 12,31.47f.). Klein, 1982, 288ff.

h) Das Motiv des Seelenaufstiegs (12,26; 14,1ff.; 17,24).

i) Das Motiv der Offenbarung (1,18; 8,38.45; 12,46; 15,22; 17,21; 18,37 u. ö.).

j) Erlösung als 'Gnosis' (6,69; 7,17; 8,28.32; 10,14.38; 14,17.20.31; 17,3 u. ö.).

k) Das 'Pneuma' als Wahrheit (4,23f.; 6,63; 7,39; 14,17.26; 16,13).

Dazu treten viele einzelne Begriffe, Gedanken und Vorstellungen (vgl. die Register bei Bultmann, 1952, und Jonas, 1934, sowie Bultmann, 1967, 55ff.). Besonders charakteristisch sind die joh. Ich-bin-Worte, die ihre engsten Parallelen in den mandäischen Texten haben (Schweizer, 1939). Die stilistische Verwandtschaft der Reden des JohEv und gnostischer Offenbarungsreden läßt sich nachweisen (Becker, 1956).

Die gnostischen Begriffe und Vorstellungen des JohEv *im einzelnen* lassen sich in den meisten Fällen auch außerhalb der Linie Gnosis – JohEv nachweisen, und zwar vor allem in biblischen und nachbiblischen Texten des Judentums. Dabei ist freilich hinsichtlich Philos (s. S. 54ff.), der Schriften von Qumran (Braun, II 137f.; Vielhauer, 1975, 448f.) und der Oden Salomos (Hennecke/Schneemelcher, II 576ff.), ggf. auch hinsichtlich des Weisheitsmythos (Schmithals, 1969, 70f. Lit.) zu bedenken, inwieweit in diesen Fällen bereits gnostische Einflüsse vorliegen.

Wie dem auch sei: Das systematische Gesamtgefüge der entsprechenden Begriffe und Vorstellungen begegnet nur im Bereich und Umfeld des gnostischen Denkens. An dieser Beobachtung scheitern die Versuche (s. S. 102), die 'Gnosis' des JohEv aus vor- bzw. ungnostischen Quellen abzuleiten (vgl. Vielhauer, 1975, 445). Es hat „keinen Sinn, für diesen oder jenen Ausdruck des Johannes auch einmal eine synoptische oder paulinische Analogie anzuführen, oder einen johanneischen Terminus (z. B. 'Licht' oder 'Leben') als isolierten mit Termini des AT oder des Judentums zu vergleichen; denn die johanneische Sprache ist ein Ganzes, innerhalb dessen der einzelne Terminus erst seine feste Bestimmung erhält" (Bultmann, 1967, 233; vgl. 242.251 f.).

Es geht auch nicht an, das systematische Gesamtgefüge der joh. 'Gnosis' als originales Werk des Evangelisten anzusehen, der dabei im Strom des antiken Synkretismus mitschwimmt und für die Entstehung der *späteren* Gnosis mehr oder weniger mitverantwortlich zeichnet. Denn abgesehen davon, daß man Johannes hinsichtlich der Frage nach den Ursprüngen der Gnosis nicht in dieser Weise von der übrigen 'gnostisierenden' Literatur des Urchristentums, insonderheit von Paulus, isolieren kann, begegnen die entsprechenden Begriffe, Vorstellungen und Gedanken des JohEv bei Joh schon in *sekundärer* Interpretation: Der sie tragende substanzhafte Dualismus ist christlich vergeschichtlicht.

Vgl. Bultmann, 1952; 1965, 367ff.414ff.; 1967, 252; Bornkamm, 1968, 104ff.; Schmithals, 1973, 374ff.; Ruckstuhl, 1972, 143ff.; Schottroff, 1970, 235ff.; Stemberger, 1973, 435ff.; Fischer, 1973, 262ff.; Meeks, 1972, 44ff.; MacRae, 1970, 24; Baumbach, 1972; Tröger, 1976; Lieu, 1979; Lindemann, 1980, 133; Haenchen, 1980, 105ff.; Köster, 1980, 615ff.; Wengst, 1981, 98ff.

Klassisch wurde in diesem Zusammenhang Bultmanns Formulierung, aus dem kosmologischen Dualismus der Gnosis sei bei Joh ein Entscheidungsdualismus geworden (1965, 373 u. ö.). Der Einwand (z. B. Schottroff, 1970, 96ff.286f.), auch die Gnosis kenne einen Entscheidungsdualismus, geht an Bultmanns Meinung vorbei: Sofern der Gnostiker sich entscheidet, dem 'Ruf' der Gnosis zu folgen, entscheidet er sich für das, was er immer schon (substanzhaft) ist, während der joh. Theologie zufolge die Entscheidung für das Wort des Offenbarers den sündigen Menschen allererst in die Wahrheit seines Daseins bringt.

Andererseits hat sich die Ansicht Bultmanns (s. S. 101), daß der Verfasser des JohEv schriftliche Quellen gnostischer Observanz bearbeitet und den Reden Jesu zugrunde gelegt habe, mit Recht nicht durchgesetzt. Dem steht schon die Einheit des joh. Stils (in den Reden einerseits, den sonstigen Darlegungen mit Ausnahme des Prologs andererseits) entgegen (vgl. Holtzmann, 1886, 461; Dodd, 1937, 129ff.; Schweizer, 1939, 82ff.; Ruckstuhl, 1951), und im übrigen legt die Auslegung des JohEv und der Briefe eine entsprechende Quellenhypothese nicht nahe.

Die historische Situation des JohEv (s. S. 113ff.) schließt auch aus, daß das ursprüngliche JohEv sich direkt mit der Gnosis auseinandersetzt und dabei polemisch, apologetisch, missionarisch oder rein denkerisch die gnostische Sprache und Vorstellungswelt adaptiert (vgl. Wrede, 1903, 60), wie jene Forscher gerne annehmen, die im Anschluß an die altkirchlichen Nachrichten das JohEv aus solcher unmittelbaren Begegnung mit der zeitgenössischen Gnosis interpretieren (s. S. 101). Johannes dürfte also mit seiner gnostisierenden Begrifflichkeit im wesentlichen (ähnlich wie Paulus) der Schul- und Gemeindetheologie folgen, in der er lebt (Schulz, 1972, 9ff.; Becker, 1979, 55; Schenke/Fischer, 1979, 192f.; Cullmann, 1975, 11; Rudolph, 1980, 324f.; vgl. Köster, 1980, 619), so daß sich das Problem der joh. Gnosis nicht quellenkritisch lösen läßt (anders Köster/Robinson, 216ff.).

Für diese Sicht der Dinge spricht auch, daß Joh nie ein Bewußtsein von der 'Fremdheit' seiner Sprache zu erkennen gibt, sondern mit ihr als mit einer ihm selbst und seinen christlichen Lesern vertrauten Sprache umgeht. Der 'Synkretismus' dieser Sprache, besonders die unlösbare Verbindung von gnostischen und apokalyptischen Begriffen und Vorstellungen (z. B. 5,21.25–27; 7,39; 8,43f.; 12,31.37ff.47f.; 14,20.30f.; 15,19), läßt sich nicht aus dem theologischen Ansatz des Evangelisten oder aus dem Anlaß seines Evangeliums erklären (vgl. z. B. Schulz, 1957, 175f. 179; Bergmeier, 1980). Der in 1,1–18 verarbeitete Logos-Hymnus (vgl. Schmithals, 1979) weist seinerseits bereits gnostisierende Begrifflichkeit auf und polemisiert überdies in 1,3 deutlich gegen den kosmischen Dualismus der Gnosis. Der Verfasser von 1/2Joh geht mit der gnostisierenden Sprache in gewissem Maße selbständig um und imitiert nicht nur das JohEv.

Man kann die joh. Gemeindetheologie ein 'gnostisierendes Judenchristentum' nennen (Schulz, 1972, 9ff.; 1976, 227ff.), muß freilich beachten, daß wir Theologie und 'Bekenntnis' des joh. Kreises entsprechend dem begrenzten christologischen Anlaß des JohEv (20,31) vermutlich nur auszugsweise kennenlernen. So fehlen Schöpfungsaussagen (außer in 1,1ff.) im JohEv offensichtlich nur deshalb, weil sie zwischen Joh und der Synagoge nicht kontrovers waren, so daß diese Beobachtung nicht geeignet ist, ein gnostisierendes *Denken* von Joh zu belegen (gegen Becker, 1979, 54f. u.a.). Jede theologische Interpretation des JohEv hat also zu beachten, daß das JohEv nur einen Sektor der joh. Theologie überliefert; das JohEv setzt das umfassendere Taufbekenntnis voraus. Eine definitive Beurteilung der Theologie des Joh ist deshalb nur möglich, wenn es gelänge, das Ganze der joh. Theologie, in welche das Evangelium nur eingebettet ist, sichtbar zu machen (Bedeutung der Schöpfung; Bedeutung der Inkarnation; Bedeutung des Todes Jesu; *Inhalt* der Offenbarung des himmlischen Gesandten Jesus: 3,11; 8,26.28; 12,49; 14,24; Taufverständnis; Abendmahlsverständnis; Amtsverständnis; Bedeutung des AT usw.).

Die Verbindung der ihm vertrauten Schul- und Gemeindetheologie mit der synoptischen Tradition (Sprüche, Wundergeschichten, Passionserzählung), die erst der Evangelist (in sehr freier Fortbildung) in seine Gemeinden einführt, ist anscheinend seine originale Leistung (Schulz, 1972, 9; Vielhauer, 1975, 437ff.; Schenke/Fischer, 1979, 192f.), die ein im wesentlichen einheitliches Werk entstehen läßt (Cullmann, 1975, 1ff.; Lindemann, 1980, 135ff.; Wengst, 1981, 28). Dabei benutzt der Evangelist (entgegen einer heute verbreiteten Meinung) zumindest das LkEv, dessen *redaktionelle* Schicht er kennt (vgl. auch Kittlaus); die Annahme einer besonderen 'Zeichenquelle', ohnedies unzureichend begründet, ist daneben nicht nötig.

Die historische und die religionsgeschichtliche Frage nach dem Ursprung der joh. 'Gnosis' dürfte angesichts des Gesagten im wesentlichen mit der entsprechenden Frage nach dem Ursprung der gnostisierenden Begriffs- und Vorstellungswelt im urchristlichen Denken überhaupt, insonderheit bei Paulus, zusammenfallen. Während spezifische Phänomene der paulinischen Theologie wie die *theologia crucis* und die Rechtfertigungslehre bei Joh (begrifflich) nicht begegnen, ist die Verwandtschaft in den gnostisierenden Vorstellungen sehr eng (vgl. Pfleiderer, 1887, 770ff.; Heitmüller, 1908, 698; Bauer, 1933, 245f.; Bultmann, 1965, 357ff.; Schnackenburg, 1983). Die Antwort auf die Frage nach der *gemeinsamen* Wurzel dieser Vorstellungen in der paulinischen *und* joh. Theologie muß deshalb in sehr frühen Entwicklungen des Urchristentums gefunden werden (s. S. 153ff.), und wir haben damit zu rechnen, daß insofern mit dem paulinischen auch „das johanneische Christentum einen älteren Typus darstellt als das synoptische" (Bultmann, 1967, 102; vgl. Cullmann, 1975, 41ff.).

3. Der dritte Johannesbrief

Der dritte Johannesbrief unterscheidet sich stilistisch nicht wesentlich von 1/2Joh, weist freilich einerseits formal und inhaltlich einen stärker brieflichen Charakter auf, enthält andererseits keine explizite Auseinandersetzung mit der gnostischen Irrlehre. Der Leser des joh. 'Kanons' soll den Verfasser von 3Joh, den Presbyter, mit dem Evangelisten und dem Autor von 1/2Joh identifizieren (vgl. 3Joh 1 mit 2Joh 1; 3Joh 12 mit Joh 19,35; 21,24; 1Joh 1,2; 4,14).

Meist hält man 3Joh für einen echten Brief. Diese Annahme muß als höchst zweifelhaft gelten. Wie es damit aber auch steht: Die im Brief geführte Auseinandersetzung gibt ihren unmittelbaren Anlaß nicht zu erkennen. Handelt es sich um kirchenrechtliche Probleme (Harnack, 1897), so interessiert dieser Anlaß unter der Fragestellung 'Neues Testament und Gnosis' nicht. Oft nimmt man Lehrdifferenzen an: Der Presbyter vertritt die orthodoxe Gemeinde; Diotrephes gehört zu den gnostischen Neuerern (Bauer, 1934, 95ff., u. v. a.). Oder: Der Presbyter vertritt ein gnostisierendes Christentum; Diotrephes hält die Fahne der joh. Orthodoxie hoch (Käsemann, 1960, 168ff.). Oder: Der Presbyter steht als Vertreter des joh. Kreises zwischen dem orthodoxen Diotrephes und den in 1/2Joh bekämpften gnostischen Irrlehrern (Wengst, 1978, 249; Langbrandtner, 1977, 395ff.). Da 3Joh keine Lehrfragen erörtert, läßt sich dem Brief, seine Authentizität vorausgesetzt, über seine Stellung zur Rechtgläubigkeit bzw. zur Häresie nichts entnehmen. Insoweit sind die genannten Deutungen in gleicher Weise hypothetisch.

Im Rahmen des joh. Kanons dagegen kann der 'Presbyter' von 3Joh wie der 'Presbyter' von 2Joh und der Verfasser von JohEv und 1Joh nur die joh. Orthodoxie vertreten. Im Rahmen dieses Kanons bilden 2Joh und 3Joh deshalb, ob es sich bei diesen Schriften nun um echte Briefe oder um literarische Fiktionen handelt, in jedem Fall ein sich ergänzendes Paar: 2Joh warnt die 'orthodoxe' Gemeinde vor den missionarischen Bemühungen der gnostischen Irrlehrer; 3Joh ermutigt 'orthodoxe' Christen innerhalb häretisch gewordener Gemeinden zum Festhalten an ihrer Orthodoxie, auch wenn sie deshalb von der heterodoxen Gemeinde exkommuniziert werden. Beide Situationen sind im Bereich des 'joh. Kreises' zur Zeit und in der Situation, in welcher der Verfasser von 1Joh lebte, gleichzeitig gegeben. 2Joh und 3Joh konkretisieren demzufolge im Verbund miteinander die antihäretischen Prinzipien von 1Joh (und des entsprechend gedeuteten JohEv) im Blick auf die beiden unterschiedlichen Grundsituationen, in denen sie praktiziert werden müssen.

III. DIE SYNOPTISCHE TRADITION UND DIE APOSTELGESCHICHTE

1. Das Markusevangelium

Gnostische Gedanken und Motive in den Einzeltraditionen des MkEv wurden m. W. bisher nicht behauptet. Schenk (1973) vermutet allerdings, der Evangelist Mk ringe mit einer gnostisierenden Interpretation der Jesusgeschichte, die in einer der ihm bereits vorliegenden Passionserzählungen begegnete – wenig überzeugend. Raschke hat, ohne Zustimmung zu finden, 1924 mit Hilfe einer stark allegorisierenden Interpretation die These vertreten, das MkEv sei das Evangelium des marcionitischen Kanons, „aus dem doketischen System des Markion hervorgegangen" (72). Im fliehenden Jüngling von Mk 14,51 erkennt Raschke z. B. das himmlische Geistwesen Christus, das sich vor der Kreuzigung von seiner irdischen Hülle trennt (vgl. Iren. I 24,4).

Schreiber hat (1961, 154ff.; 1967, 218ff.; vgl. Robinson, 1978, 125ff.) nachzuweisen versucht, daß der Evangelist Mk seine Traditionen durch die gnostische Vorstellung von dem in Verborgenheit kommenden Erlöser (Phil 2,6ff.; 1Kor 2,8) überformt habe. Das markinische Messiasgeheimnis solle die Verborgenheit Jesu gewährleisten. Jesu Leidensweg nach Jerusalem sei eine Abzeichnung der Anabasis des Erlösers in das himmlische Jerusalem. Die Präexistenzchristologie soll Mk wegen 12,1–12 vertraut sein. Diese bemerkenswerte Ansicht ist nicht haltbar (vgl. Vielhauer, 1964; Kümmel, 1973, 60; Schenke/Fischer, 1979, 83f.). Auch wenn man von der Frage absieht, wieweit Erniedrigung und Verborgenheit des irdischen Erlösers in der Gnosis bereits die kirchliche Christologie voraussetzen (s. S. 57ff.), beruht die Strukturverwandtschaft dieser mythologischen Vorstellung mit der Messiasgeheimnistheorie, wenn man die letztere überhaupt (unnötigerweise: Schmithals,

1979, 417ff.) religionsgeschichtlich verankern will, auf dem überall verbreiteten Gedanken des unerkannt auf Erden weilenden Gottes (1Mose 18,1ff.; 32,22ff.; Mt 25,31ff.). Im gnostischen Mythos ist der Erlöser den Dämonen verborgen (s. S. 62f.), den Pneumatikern bekannt; im MkEv kennen dagegen gerade die Dämonen Jesus, während die Jünger unverständig sind. Und die Präexistenzvorstellung kann man aus der 'Sendung' des Sohnes im Gleichnis vom Weinberg schon deshalb nicht entnehmen, weil auch die Knechte (= Propheten) nicht anders als der Sohn gesandt werden. Auch könnte Jesu Leidensweg höchstens die Erniedrigung des Erlösers, nicht aber seine Erhöhung widerspiegeln.

Lediglich programmatisch vorgetragen wird die exegetisch weder begründete noch begründbare Ansicht von Schulz (1976, 225; vgl. Käsemann, 1960, 195ff.; Schweizer, 1964, 337f.), Mk bringe in seinem Evangelium durchgehend die Historie Jesu gegen einen gnostischen Enthusiasmus zur Geltung.

Die in der synoptischen Tradition singuläre Bezeichnung der Christen mit 'Χριστοῦ εἶναι' in Mk 9,41 hat pln. Färbung (Röm 8,9; 1Kor 1,12; 3,23; 15,23; 2Kor 10,7; Gal 3,29; 5,24) und gehört bei Paulus zum Sprachfeld der gnostisierenden Christusmystik (s. S. 63ff.). Die Bezeichnung geht auf den Evangelisten selbst zurück und könnte aus pln. Tradition aufgenommen worden sein (Schmithals, 1979, 61.432).

2. Die Spruchquelle (Q)

Die alte Spruchüberlieferung apokalyptischen und weisheitlichen Charakters, die in Q aufgenommen wurde, steht in keiner religionsgeschichtlich aufweisbaren Beziehung zur dualistischen Gnosis. Von den Stücken der späteren hellenistischen Redaktion dieser Spruchüberlieferung durch den Autor der Spruchquelle hat man das an Joh erinnernde Offenbarungswort Mt 11,27/Lk 10,22 gelegentlich in Beziehung zum gnostischen Denken gesetzt (Wilckens, 1959, 198ff.; Arvedson, 1937, 171ff.). Indessen gehört der Gedanke, daß Gott, der dem Menschen unzugänglich ist, einen Offenbarer, den 'Sohn', sendet, in dem er sich, sein Wesen oder seinen Willen bekannt macht, zur Gedankenwelt hellenistischer Offenbarungsreligion überhaupt (vgl. z. B. Mk 13,32; Joh 1,18; 10,15; Corp. Herm. I 27f. 31; Od. Sal. 33; Norden, 1913, 277ff.; Bousset, 1921, 46ff.). Spezifisch gnostische Gedanken enthält Mt 11,27/Lk 10,22 nicht, auch wenn dieser Spruch verständlicherweise zu den Lieblingszitaten der christlichen Gnostiker gehört.

3. *Das Matthäusevangelium*

Matthäus hat die Masse seines Stoffes aus Mk und Q genommen. Auch sein Sondergut ist ebenso frei von gnostischen oder antignostischen Tendenzen wie die matthäische Theologie selbst.

Den antidoketischen Charakter des MtEv hatte allerdings Burton (163) behauptet; vgl. heute Schulz, 1976, 197ff. Diese Ansicht hat keinen exegetischen Grund. – Daneben gibt es eine alte, auf die Tübinger Schule zurückgehende Ansicht, der zufolge Mt sich nicht nur mit dem pharisäischen Judentum, sondern auch mit Libertinisten ('Pauliner'; 'ultrapaulinischer Antinomismus'; 'gnostisierende Antinomisten'; 'hochmütige gnostische Stimmungen' o. ä.) auseinandersetze (vgl. Holtzmann, 1897, I 430ff. mit älterer Lit.; Weiss, 1907, 266ff.; 1917, 586; Bacon, 1930, 73f. 153; Brandon, 242; Käsemann, 1964, 82ff.). Diese Ansicht hat Barth (1960, 60ff. 149ff.) mit Zustimmung anderer (Bornkamm, 1964, 180f.; Hummel, 64ff.) erneuert: Mt kämpfe gegen ein libertinistisches Pneumatikertum (nicht gegen eine „Gnosis im solennen Sinn", 154). Barth beruft sich für diese Ansicht zunächst darauf, daß Mt die Geltung des *ganzen* Gesetzes betone (3,15; 5,17ff.; 23,3); doch erhebt Mt mit dieser Betonung *gegenüber den Pharisäern* den Anspruch Christi bzw. der Christen, (allein) das ganze Gesetz zu *lehren*. Sodann verweist er darauf, daß die 'falschen Propheten' in 7,15–23 als Antinomisten bezeichnet werden, was aber 23,27f. (vgl. 13,42; 24,12) zufolge ein polemischer Vorwurf gegenüber den Pharisäern ist, die das Gesetz zwar lehren, aber nicht tun (5,20; 23,1ff.). Schließlich entnimmt Barth 7,22b, die falschen christlichen Propheten hätten sich auf hellenistische Charismen berufen, übersieht aber, daß Mt in 7,22b keine Beschreibung der konkreten Gegner geben will, sondern einfach Mk 9,38f. (vor Mt 18,6 gestrichen!) reproduziert. – Libertinistische Antinomisten welcher Ausprägung auch immer stehen dem Evangelisten Mt also nirgendwo vor Augen: vgl. Trilling, 1964, 211; Walker, 135ff.; Kümmel, 1973, 88 (Lit.).

4. Evangelium und Apostelgeschichte des Lukas

Dem lukanischen Doppelwerk wurde in neuerer Zeit mehrfach und von verschiedenen Beobachtungen vor allem von der Apostelgeschichte aus eine antignostische Tendenz unterstellt.

a) Klein (1961; vgl. auch Barrett, 1961, 62ff.) richtete die Aufmerksamkeit auf den Apostelbegriff und das Paulusbild des Lukas. Er beobachtete mit Recht, daß die lk. Konzeption der 'Zwölf Apostel' dazu dient, das authentische kirchliche Zeugnis den zwölf Jüngern des irdischen Jesus zuzuschreiben und Paulus, an dessen Hochschätzung durch Lk dennoch kein Zweifel besteht, als sekundären Zeugen der apostolischen Autorität der Zwölf Apostel zu unterstellen. Den Grund für diese originale Konzeption des Lk sucht Klein „in der objektiven Situation der Kirche zur Zeit des Lukas" (213), nämlich in der Abwehr einer gnostischen Richtung, die sich exklusiv auf Paulus beruft und der diese Berufung auf Paulus unmöglich gemacht werden soll. Vgl. auch Käsemann, 1957, 20f.

Gegen diese redaktionsgeschichtliche Deutung des lk. Doppelwerkes spricht vieles (vgl. van Unnik, 1967; Haenchen, 1961, 676ff.; Schmithals, 1961, 266ff.; Schenke/Fischer, 1979, 141; Marshall, 1980, 27; Weiser, 1981, 33f.): Eine antignostische Frontstellung bestimmt im übrigen das lk. Doppelwerk nicht; ein dualistischer Enthusiasmus wird nirgendwo bekämpft; Simon Magus wird zwar als Irrlehrer, nicht aber als Gnostiker dargestellt (s. S. 130ff.); die Sprache des Lk ist frei von gnostisierenden Elementen; und Gnostiker, die sich *gegen* die Zwölf auf Paulus beriefen, so daß man ihnen Paulus entwinden kann, indem man ihn den Zwölf Aposteln unterstellt, sind uns nicht bezeugt.

Dagegen ordnen sich Apostelbegriff und Paulusbild des Lk, wie

Klein sie überzeugend beschrieben hat, zusammen mit anderen ebenso wesentlichen Zügen der lk. Redaktion und Schriftstellerei einer Tendenz ein, die sich gegen eine hyperpaulinische Irrlehre richtet, wie sie später von Marcion vertreten wird (Loisy, 1933, 58; Knox, 1942; Schmithals, 1982).

b) Allerdings begegnet in der Abschiedsrede des Paulus in Milet (Agp 20, 17–38) unzweifelhaft eine Polemik gegen Gnostiker (vgl. z. B. Haenchen, 1961, 528f.; Conzelmann, 1963, 117; Talbert, 1966, 50ff.; Schulz, 1976, 153ff.; Schneider, 1977, 56f.; 1977, 34; 1980, I 143f.; Hengel, 1979, 57; Karris, 1979, 96; Roloff, 1981, 303; Maddox, 1982, 21f.), die sich außerhalb der suffizienten, von Paulus herkommenden (20, 27) und von den Ältesten und Bischöfen überlieferten (20, 28) Lehrtradition stellen. Zwar wird die Irrlehre der in die Herde eindringenden reißenden Wölfe (20, 29f.) nicht beschrieben, aber die engen Parallelen der Abschiedsrede in Milet zu den Past (s. S. 89ff.), in denen die gnostische Irrlehre gleichfalls als allgemein bekannt vorausgesetzt wird, zwingen dazu, beidemal mit derselben Häresie zu rechnen.

Auch in den Past blickt Paulus wie in Apg 20, 18b–19a zurück (1Tim 1, 22f.) und läßt wie in Apg 20, 27 erkennen, daß er den ganzen Willen Gottes unverkürzt verkündigt hat (1Tim 1, 18; 2, 5–7; 3, 14f.; 2Tim 1, 13f.; 2, 2; 3, 10. 14; Tit 1, 3). Er schaut wie in Agp 20, 25a auf seinen Tod voraus (2Tim 4, 6) und kündigt wie in Apg 20, 29 das Auftreten von Irrlehrern an (1Tim 4, 1f.; 2Tim 3, 1ff.; 4, 3f.). Diese werden wie in Apg 20, 30a aus den eigenen Reihen kommen (1Tim 1, 19; 4, 1; 5, 15; Tit 1, 1ff.) und wollen wie in Apg 20, 30b die Gemeinde verführen (2Tim 2, 14ff.; 3, 13).

Wie in Apg 20, 17. 28 gibt es in den Gemeinden der Past Älteste (1Tim 4, 14; 5, 17; Tit 1, 5) und Bischöfe (1Tim 3, 1f.; Tit 1, 7), vom Heiligen Geist wie in Apg 20, 28 eingesetzt (2Tim 1, 6f.; 1Tim 4, 14; 5, 22), deren Aufgabe es ist, die Gemeinde wie in Apg 20, 28 zu weiden, das heißt die pln. Lehrtradition zu wahren und zu erhalten (1Tim 1, 18; 4, 6. 11. 13. 16; 5, 1; 6, 20; 2Tim 2, 15. 25; Tit 1, 9. 13f.; 2, 1. 7) und gegenüber dem Einbruch der Irrlehrer wie in Apg 20, 31 wachsam zu sein (1Tim 4, 7; 6, 3ff.; 2Tim 2, 14. 25; 4, 2ff.; Tit 1, 9).

Der durch diesen Vergleich gesicherte antignostische Charakter der Abschiedsrede des Paulus in Milet erlaubt indessen keineswegs die These, Lk selbst befinde sich in der Auseinandersetzung mit Irrlehrern gnostischer Prägung (so schon Schrader, 1836, 543.551.557, auch Roloff, 1981, 5.36.303); denn diese Rede hat Lk im wesentlichen aus einer mit den Past verwandten Quelle übernommen. Die Rede durchbricht die von dem Schriftsteller Lukas hergestellte Parallelität in der Darstellung des Petrus und des Paulus: Sie ist die einzige Rede der Apg, die sich an Christen, speziell an Amtsträger wendet, die einzige Abschiedsrede der Apg und die einzige Rede, die ausdrücklich von Irrlehren spricht. Die in der Abschiedsrede massiv begegnende apostolische Sukzession gehört nicht dem lk. Amtsbegriff an. Auch die enge sachliche und stilistische Berührung mit den Past unterscheidet die Abschiedsrede von den anderen Reden und zeigt, daß sie (als einzige Rede der Apg) nicht von Lk selbst gebildet wurde. Außerdem lassen sich deutlich lk. Bearbeitungen von einer Vorlage abheben (Preuschen, 1912, 122; Wendt, 1913, 289; Weiss, 1897, 33 f.; Schmithals, 1982, 186 ff.). Und da die in der ursprünglichen Rede apostrophierten Irrlehrer, wie aus Apg 20,27 hervorgeht, ein in der pln. Tradition liegendes Defizit aufheben wollen, können sie nicht mit den Irrlehrern identisch sein, gegen die Lk sich wenden muß; denn die lk. Gemeinden stehen überhaupt nicht in der pln. Tradition, während die von Lk bekämpften Irrlehrer gerade Hyperpauliner sind (s. S. 127). – Lk hat die in der überlieferten Rede bekämpften Irrlehrer freilich mit den Häretikern idenfiziert, gegen die er sich wenden muß, und dies war leicht möglich, weil die ursprüngliche Rede die Irrlehrer nicht näher beschreibt; Apg 20,27 macht Lk dabei, wie 20,20, ein Stück der lk. Bearbeitung, zeigt, seiner Tendenz politischer Apologetik dienstbar.

c) Antignostisch bzw. antidoketisch ist auch der Abschnitt Lk 24,37–43, der Talbert (1966, 30 f.; vgl. 1967/68; 1970; Burton, 163) Anlaß zu der These gegeben hat, die lk. Christologie zeige antignostische Tendenz. Aber Lk bemüht sich nie, die Leiblichkeit des vorösterlichen Jesus hervorzuheben, wie eine antidoketische Tendenz verlangte, und wenn Lk in Apg 1,3 f. 9–11.21 f. die Leiblichkeit des Auferstandenen betont, so nicht, wie Talbert meint, weil er auch dort einen Doketismus bekämpfen will. Vielmehr bedeutet für Lk der leibliche Umgang des Auferstandenen mit den Zwölf Aposteln im Zusammenhang mit seiner leiblichen Himmelfahrt und der Ansage, er werde (erst) bei seiner Parusie – leiblich – wiederkommen (Apg 1,11; 3,21), eine einzigartige und unwiederholbare Auszeichnung der Zwölf Apostel gegenüber Paulus, der keiner vergleichbaren Begegnung mit dem Auferstandenen gewürdigt wurde (vgl. Apg 10,40f.). Dieser Tendenz, die sich nicht gegen Paulus richtet, sondern gegen die hyperpaulinischen Irrlehrer, die nur Paulus als berufenen Apostel anerkennen (Schmithals, 1980, 23f.), macht Lk auch die in Lk 24,37–43 aufgenommene Tradition dienstbar, die ihren traditionellen Ursprung und ihre vom Ursprung her antidoketische Zielsetzung durch sich selbst und durch die von Lk unabhängige Parallele Ign. Smyrn. 3 deutlich zu erkennen gibt (Loisy, 1933, 58; Schmithals, 1980, 236.238). Wie Lk an dies im Rahmen seiner Tradition singuläre Stück gekommen ist, wissen wir nicht; für eine antignostische Tendenz des Lk selbst darf es indessen nicht in Anspruch genommen werden. – Es gibt entgegen Talberts Ansicht (1970) auch keine Anzeichen dafür, daß Lk sich als 'Evangelist des Geistes', der er in der Tat ist, mit einer enthusiastischen präsentischen Christologie auseinandersetzen muß.

5. *Simon Magus*

Lk berichtet in Apg 8,5–25 von dem Samaritaner Simon Magus. Es handelt sich um die früheste Erwähnung dieser offenbar bedeutsamen, aber in Polemik, Verehrung und Überlieferung unkenntlich gewordenen Gestalt (zur Forschungsgeschichte s. Lüdemann, 1975, 9ff.; ferner Rudolph, 1977; Meeks, 1977; Wilson, 1979), und um die einzige im NT.

Die Kirchenväter berichten ausführlich von gnostischen Sekten, die sich auf Simon berufen (Justin, Apol. I 26.56; Dial. 120; Iren. I 23; Hipp. VI 7ff.; Euseb KG II 1.13f. u. a.). Hippolyt kennt auch eine auf Simon zurückgeführte Schrift ›Apophasis Megale‹ (VI 9). Da Lk den Simon in Apg 8 gar nicht als Gnostiker darstellt, kann die gnostische Berufung auf Simon nicht von Lk provoziert worden sein, sondern muß einen eigenen historischen Grund haben. Die

Kirchenväter selbst halten Simon Magus für den Vater aller Häresien (Iren. I 23,2; 27,4; III 4,3; Euseb KG II 13), also für den Ur-Gnostiker. Auch diese Ansicht können sie nicht aus der Darstellung Simons in Apg 8 gewonnen haben, zumal die Kirchenväter sich im übrigen bemühen, die gnostische Häresie als eine Erscheinung zu beschreiben, die erst in nachapostolischer Zeit auftritt (s. S. 4 ff.). Die nächst der Apg früheste Nachricht über Simon Magus finden wir in der Mitte des 2. Jh. bei Justin (Apol. I 26). Justin will keinen Bericht über Simon geben, sondern apologetisch dartun, daß die Duldung, die für die Anhänger des Samaritaners Simon billig ist, auch für die vom römischen Staat verfolgten Christen recht wäre. Dazu schildert er Simon als vergöttlichten Menschen nach Analogie der adoptianischen Christologie. Er betont nicht nur, daß Simon erst nach der Himmelfahrt Christi aufgetreten sei (I 26,1), sondern er sagt auch, daß die Simonianer, denen zu seiner Zeit fast alle Samaritaner angehörten, als Christen gelten (I 26,6; vgl. 4,7). Er kennt also den Simonianismus als eine – wie auch immer – christianisierte Gnosis.

Entsprechendes dürfte schon für Lk gelten. Daß Lk Simon als Gnostiker kannte, ergibt sich aus den Angaben in Apg 8,8f., die zu der Schilderung des Simon als eines Magiers in eine deutliche Spannung treten: Simon gab sich als Gott bzw. als ein göttliches Wesen aus.

Die Bedeutung der Gottesbezeichnung Simons ('Die große Dynamis') in Apg 8,10 (vgl. Hipp. VI 9,4; 13; 18,2ff.), durch das 'genannt' bereits z. Z. der Apg als Titel ausgewiesen, ist sowohl für Simon selbst wie für den Simonianismus umstritten. Bei diesem Gottesprädikat dürfte es sich kaum um eine Selbstbezeichnung des Simon handeln. Vielmehr scheint Simon ein Vertreter jener gnostischen Richtung gewesen zu sein, der Paulus die Sprache seiner 'Christusmystik' verdankt (s. S. 63ff.) und die (noch) keine vom Himmel gesandte irdische Erlösergestalt, sondern die Selbsterlösung des Pneuma (salvator salvandus) kannte, wie sie nicht zufällig in der dem Simon zugeschriebenen, von Hippolyt in einer Paraphrase mitgeteilten (Frickel, 1968) 'Apophasis Megale' beschrieben wird. – Vgl. zu diesem Problem z. B. Haenchen, 1973; Schmithals, 1969, 32ff.; Beyschlag, 1974, 99ff.; Kippenberg; 1971, 328ff.; Schenke, 1973, 217; Lüdemann, 1975, 42ff.

Lk scheint jedenfalls zu wissen, daß Simon nicht als der höchste Gott selbst, sondern als ein Heilbringer angesehen wurde, der, selbst 'Gott von Gott' bzw. 'Kraft Gottes' (Apg 8, 10) oder göttliche Emanation, die in der Welt zerstreuten Teile seines Pneuma 'einsammelte'. Das in die Welt verlorene, mit ihm wesenseine göttliche Pneuma hieß bei den Simonianern nämlich 'Ennoia' (Justin, Apol. I 26,3; Iren. I 23,2) oder 'Epinoia' (= Gedanke) der 'Großen Kraft' (Hipp. VI 9.18), ein Begriff, den Lk gekannt zu haben scheint und den Petrus in Apg 8,27 ironisch aufgreifen läßt: Gott möge Simon seinen 'Gedanken' ('Epinoia'), die Gabe der Geistverleihung kaufen zu können, vergeben. Ähnlich ironisiert Lk durch seine Darstellung mit Bedacht den pneumatischen Anspruch Simons bzw. der Simonianer (8,18; s. u.). Vor allem aber benutzt Lk die Gestalt des Simon, um exemplarisch deutlich zu machen, wie die Kirche mit Irrlehrern umzugehen hat: Sie sind zu exkommunizieren. Diese Exkommunikation geschieht (vgl. Mt 18,15–17; 1Kor 5,11–13) nach Verfluchung und Vorwurf (Apg 8,20; vgl. 13,10ff.) mit feierlichen biblischen Wendungen (Apg 8,21.23), jedoch nicht ohne gleichzeitigen Aufruf zur Buße, die dem abgefallenen Bruder ermöglicht bleibt (Apg 8,22). Und die Gemeinde, so muß man Apg 8,24 verstehen, soll nicht aufhören, für den exkommunizierten Bruder zu beten, damit Gott sich seiner erbarme, nachdem sich die Gemeinde von ihm hat trennen müssen.

Simon kann ein solches Exempel nur abgeben, wenn er der christlichen Gemeinde zur Zeit des Lk als *christlicher Irrlehrer* bekannt war bzw. wenn sich seine Anhänger als Christen ausgaben. Dem entspricht auch die Art, in welcher Lk den Simon darstellt. Er läßt ihn nicht als einen ernsthaften Lehrer oder gar Erlöser gelten, sondern degradiert ihn zunächst in typischer Ketzerpolemik zu einem Zauberer (Apg 8,9.11; vgl. 13,6ff.). Darnach stellt er ihn als einen Christen vor (Apg 8,13); denn es gehört zum Wesen der falschen Lehre, daß sie nicht so alt wie die Rechtgläubigkeit ist, sondern von dieser abfällt (vgl. Apg 20,30; 1Joh 1,19; 1Tim 1,19; 4,1; 5,15; Tit 1,1ff.; s. S. 4ff.). Demgemäß muß auch Simon einst der Gemeinde angehört haben, wenn auch sein vorchristliches Treiben als Magier im Leser der Apg die Frage weckt, ob er wirklich 'zu uns' gehörte.

Daß diese Frage nicht unbegründet wäre, zeigt Simons Angebot an die Apostel (Apg 8,18f.), mit dessen Hilfe Lk wiederum in der üblichen Art der Ketzerpolemik den falschen Lehrer mit dem abschreckenden Bild des schlechten Charakters versieht. Dabei dürfte Lk mit bedachtsamer Ironie als Ausweis für die Schlechtigkeit Simons den Gedanken gewählt haben, daß der Gnostiker Simon die Gabe, den *Heiligen Geist* geben zu können, mit Geld erkaufen will: Die von den Simonianern als Pneumatiker schlechthin verehrte 'Große Kraft', die beansprucht, das gefallene Pneuma zu erlösen, ist von sich aus nicht in der Lage, über das Pneuma zu verfügen!

Daß Lk sich mit seiner Darstellung Simons unmittelbar gegen gnostische Simonianer wendet, ist nach dem früher Gesagten ausgeschlossen (s. S. 127ff.); für Lk besteht keine Notwendigkeit, sich mit gnostischen Irrlehrern in seinen Gemeinden auseinanderzusetzen. Auch könnte Lk in direkter Auseinandersetzung mit Simonianern das Simon-Bild schwerlich so tendenziös verzeichnen, wie er in Apg 8,5–25 tut, will er nicht ohne jede Wirkung bleiben. Wenn er aber an Simon Magus exemplifizieren kann, wie seine Gemeinden mit den Irrlehrern ihrer Zeit zu verfahren haben, muß der Simonianismus zur Zeit des Lukas indessen bereits eine allgemein bekannte und bekämpfte christliche Häresie gewesen sein (vgl. Haenchen, 1965, 265ff.; Lüdemann, 1975, 100ff.; Arai, 1977; Goulder, 1979, 73ff.). Dieser Schluß wäre nur dann zu vermeiden, wenn man sowohl die deutlichen Hinweise auf den *Gnostiker* Simon übersieht, die Lk aufbewahrt hat, als auch den polemischen Tendenzcharakter der lk. Darstellung bestreitet und demzufolge den historischen Simon tatsächlich für einen Magier bzw. einen Wundertäter oder hellenistischen 'Theios Aner' hält (vgl. Bergmeier, 1971; Beyschlag, 1974; Aland, 1977; Roloff, 1981, 137f.). Galt aber schon zur Zeit des Lk der Gnostiker Simon als Irrlehrer schlechthin bzw. seine Lehre als einflußreiche christliche Häresie, so läßt sich schwerlich in Zweifel ziehen, daß schon in früher apostolischer Zeit – Justin läßt Simon bereits unter Claudius (41–54) in Rom auftreten – in Samarien eine christianisierte jüdisch-samaritanische Gnosis verbreitet war (s. noch S. 153ff.).

IV. DIE ÜBRIGEN SCHRIFTEN DES NEUEN TESTAMENTS

1. Der erste Petrusbrief

Der erste Petrusbrief ist nach Überzeugung fast aller Forscher der Gegenwart eine pseudonyme Schrift, deren Verfasser wir nicht kennen. Der Brief stellt den Lesern die Größe des christlichen Heils, den überschwenglichen Gewinn des Glaubens vor Augen (1,1–12; 2,1–10), warnt sie vor Rückfall ins Heidentum (1,13–21; 4,1–6) und mahnt sie zu christlicher Gemeinschaftlichkeit (1,22ff.; 3,7–11; 5,1–5). Anlaß des Briefes ist eine offenbar erste Erfahrung von Bedrängnis bzw. Verfolgung der christlichen Gemeinde (1,6; 2,12–17; 3,13ff.; 4,1f. 12–19; 5,6–11; vgl. Holtzmann, 1886, 515f.), die auch Grund zur Ermahnung gibt, die Christen möchten sich als vorbildliche Bürger verhalten (2,11 – 4,2), und die den Zusammenhang von Leid und Herrlichkeit des Christenlebens zur Geltung bringt (3,18 – 4,2; 4,12ff.). Die Leser sind in der Regel ehemalige Heiden (1,14.18; 2,9f. 25; 4,3ff.), die indessen im Umgang mit dem griechischen AT geübt sind.

Die seit jeher häufig anzutreffende Meinung (vgl. z. B. Holtzmann, 1886, 517ff.; Mitton, 1950; Kümmel, 1973, 373; Schrage, 1973, 59; Vielhauer, 1975, 584; Schenke/Fischer, 1978, 199f.), 1Petr gehöre in die pln. Tradition, trügt. 1Petr enthält keinerlei *original* pln. Gedanken (Rechtfertigungslehre; Sündenbegriff; Gesetzesverständnis; Universalismus; Theologie des Kreuzes usw.; vgl. Brox, 1979, 47ff.), und die ihm mit Paulus gemeinsame Begrifflichkeit wird nie *typisch* paulinisch verwendet. Auch begegnet in 1Petr die charakteristische gnostisierende Begrifflichkeit der Briefe des Paulus (s. S. 48ff.) bezeichnenderweise kaum. Es fehlt sowohl der anthropologische Dualismus ('Fleisch' – 'Geist' in 3,18; 4,6 reflektiert wie z. B. Röm 1,3f.; Mt 26,41; 1Tim 3,16 nicht den gnostischen, sondern den allgemeinen hellenistischen Dualismus) wie die Sprache und Vorstellungswelt der 'Christusmystik' (mit Ausnahme des isolierten 'in Christus' in 3,16; 5,10.14, das sich in dem abgegriffenen Sinn von 'christlich' bzw. 'Christsein' auch außerhalb der pln. Sprache verbreitet zu haben scheint; vgl. Mk 9,41). Selbst die Präexistenzchristologie findet sich in 1Petr nicht; denn 1,11 wäre auch mit dem textkritisch zweifelhaften Χριστοῦ kein Zeuge für eine Präexistenzchristologie.

Die auffälligen Übereinstimmungen von 1Petr mit der pln. Theologie, die sich nicht zuletzt im traditionellen Formelgut finden, betreffen vielmehr das gemeinsame Erbe des hellenistisch-synagogalen Christentums antiochenischer Prägung, das Paulus in seiner Weise aufgenommen und verarbeitet und das der Verfasser von 1Petr relativ kontinuierlich festgehalten hat. Auch die Verwandtschaft von 1Petr z. B. mit Hebr und 1Clem. geht auf diesen gemeinsamen Ursprung zurück. Man braucht angesichts der Verwurzelung auch des Paulus in der hellenistischen Christenheit Antiochiens in 1Petr nicht notwendigerweise pln. Traditionssplitter gänzlich zu leugnen, aber auch der Begriff 'Freiheit' (2,16; vgl. Mt 17,26), die Unterscheidung der Charismen (4,10; vgl. Mt 25,15), die Vorstellung vom Leiden mit Christus (4,13; vgl. Mk 15,21) und der Zusammenhang von Indikativ und Imperativ (1,13ff.; vgl. Mk 2,1–12) sind nicht original paulinisch, sondern auf hellenistisch-judenchristlicher Grundlage auch der synoptischen Tradition vertraut. – Aus der hellenistischen Synagoge stammen auch Silvanus (5,12; vgl. Apg 15,40; 18,5; 2Kor 1,19) und Markus (5,13; vgl. Apg 13,5.13; 15,37ff.), und Petrus, der angebliche Verfasser von 1Petr, missionierte aufgrund der Abmachung von Gal 2,7ff. in den hellenistischen Synagogen (vgl. 1Kor 1,12; 9,5; Gal 2,11).

Wir lernen in 1Petr die Situation dieses ursprünglich in der hellenistischen Synagoge beheimateten Christentums (vermutlich in den in 1,1 genannten Gebieten Kleinasiens, aus denen uns auch die frühesten planmäßigen Christenverfolgungen bezeugt sind) *nach dem 'Aposynagogos'* (s. S. 113ff.) gegen Ende des 1. Jh. kennen. Die Judenchristen und die Heidenchristen, die einst als 'Gottesfürchtige' im Bereich der Diaspora-Synagoge (vgl. 1,1; van Unnik, 1956/57) relativ ungestört ihres Glaubens leben konnten, sind nach 70 aus der pharisäischen bzw. 'ungläubigen' (2,4.7f.) Synagoge hinausgedrängt worden und nunmehr schutzlos dem öffentlichen Druck ausgesetzt, der sich zur Verfolgung zu verdichten droht (vgl. Vielhauer, 1975, 582; Wikenhauser/Schmid, 594f.; Goppelt, 1978, 56ff.; Brox, 1979, 29ff.). 1Petr will in dieser Situation die Christen anhalten, ihre Identität und die Existenz ihrer Gemeinden zu bewahren und in der heidnischen Umwelt um Toleranz zu werben (vgl. 5,12). Aus der Erwähnung von Silvanus und Markus, die uns vor allem als Mitarbeiter des Paulus bezeugt sind (1Thess 1,1; 2Thess 1,1; 2Kor 1,19; Phlm 24; Kol 4,10; 2Tim 4,11), läßt sich möglicherweise schließen, daß die von 1Petr angeredeten Christen Kontakt zu den pln. Gemeinden gefunden haben, die seit jeher außerhalb der Synagoge organisiert waren.

Eine Bedrohung der Gemeinde durch gnostische Irrlehrer tritt in 1Petr nirgendwo in den Blick. Das entspricht der Situation der synoptischen Evangelien, die aus derselben Situation eines hellenistisch-synagogalen Christentums entwachsen sind (s. S. 153f.) und mit denen sich 1Petr insoweit oft berührt (vgl. Goppelt, 1978, 51ff.).

Manche Forscher (z.B. Schlier, 1930, 15ff.; von Gschwind, 97ff.; Bultmann, 1965, 179.505.508) finden in der dunklen Stelle 3,19 einen (hymnischen?) gnostischen Traditionssplitter: Die in den Luftbezirken von den Mächten (3,22) der Finsternis gefangengehaltenen Pneuma-Seelen werden von dem aufsteigenden Erlöser (vgl. 3,22) befreit. Diese Interpretation hat manches für sich, zumal der Verfasser von 1Petr auch mit dem 'in Christus' (3,16; 5,10.14) eine bereits christianisierte Begrifflichkeit gnostischer Provenienz aufgreift. Eine spezifische Nähe des Verfassers zur Gnosis würde damit indessen nicht sichtbar.

2. *Die Offenbarung des Johannes*

Bei Offb handelt es sich um ein prophetisches Trost- und Ermunterungsschreiben an christliche Gemeinden des westlichen Kleinasien, die unter dem Druck und der Drohung harter Verfolgung seitens des Staates (und aus der Synagoge: 2,9f.; 3,9) stehen. Johannes (1,1. 4) deutet seine Zeit vom christlichen Bekenntnis aus in apokalyptischen Kategorien als Endzeit der Herrschaft von Teufel, Sünde und Tod. Schon Irenäus (V 30,3) datiert die Offb mit gutem Grund und möglicherweise aufgrund zuverlässiger Überlieferung in die letzten Jahre Domitians (81–96).

Es liegt am Tage, daß die beherrschende apokalyptische Sprach-, Bild- und Vorstellungswelt der Offb keine gnostische Begrifflichkeit enthält. Aber auch dort, wo der Seher Johannes sich im Bereich allgemeinen christlichen Lehrens, Anbetens und Bekennens bewegt, fehlen die charakteristischen dualistischen Wendungen gnostischer Kosmologie, Anthropologie, Soteriologie und Eschatologie. Die Vorstellungen von der Macht des Satans und von seinem Sturz (z. B. 12,8–12) bewegen sich ganz im apokalyptischen Rahmen. Selbst die Präexistenzchristologie (s. S. 57ff.) klingt, wenn nicht überhaupt nur Gottesprädikate hymnisch übernommen werden, lediglich entfernt an (1, 17; 2, 8; 3, 14; 22, 13). Die Offb steht also in jener 'antiochenischen' Tradition, die keine gnostisierenden Einflüsse zeigt.

Allerdings geht aus Offb 2f. hervor, daß gnostische Irrlehrer die kleinasiatischen Gemeinden (vgl. schon Röm 16,17–20; 2Tim 2,15; Apg 20,28ff.) bereits heftig verstören. Vgl. Iren. I 26,3; III 11,1; Burton, 145ff.; Thiersch, 1852, 251f.; Pfleiderer, 1887, 322f.; Weiss, 1908, II 613f.; Bauer, 1934, 82ff. 87f.; Jülicher/Fascher, 262; Vielhauer, 1975, 503; Schulz, 1976, 252f. Man kann deshalb fragen, ob die gänzliche Abwesenheit der gnostisierenden Begrifflichkeit und die für frühchristliches Denken ungewöhnliche Aktivierung der Apokalyptik durch den Verfasser der Offb nicht *auch* durch seine Abwehr des gnostischen Gedankengutes bedingt sind.

Bei der Beschreibung der gnostischen Irrlehre in Offb 2f. stellt der Seher Johannes (wie z. B. der Verfasser von Jud) in der Art typischer Ketzerpolemik deren unsittliches Verhalten (Libertinismus) besonders heraus (2,2.14.20–23; 3,1–4). Aus diesem Sachverhalt darf man nicht erschließen, es handle sich bei der bekämpften Richtung nur um ein verweltlichtes Christentum (Bousset, 1906, 237f.; Lohmeyer, 1953, 31). Vielmehr verbreiten die Irrlehrer ihre Ansichten missionarisch durch Apostel (2,2) und Prophetinnen (2,20), das heißt durch die für die Gnosis kennzeichnenden Charismatiker (Schmithals, 1961, 168), und auch die pneumatische Emanzipation der Frau ist für Gnostiker kennzeichnend (Schmithals, 1969, 225ff.).

Bei den häretischen Ansichten handelt es sich um eine ausgeprägte 'Lehre' (2,14f. 20. 24). Ihre Vertreter heißen 'Nikolaiten' (2,15), bilden also offenbar eine eigenständige Gruppierung mit einem Sektenhaupt (vgl. Apg 6,5; Rudolph, 1980, 323). Das Essen von Götzenopferfleisch sowie die Unzucht (2, 14. 20ff.) sind wie in Korinth (Schmithals, 1969, 212ff.; vgl. Iren. I 6,3; 23,3) Teil eines dualistischen Programms: Man ist den dämonischen Mächten überlegen und demonstriert die Freiheit des 'Pneuma' von der 'Sarx'. 3,17 dürfte auf den entsprechenden pneumatischen Hochmut der Gnostiker anspielen (wie z. B. 1Kor 4,8). Ein besonderer Lehrpunkt begegnet in 2,24: Die Irrlehrer beanspruchen die 'Gnosis der Tiefen des Satans'. Das ist entweder eine polemische Verdrehung ihres Anspruchs, die 'Tiefen der Gottheit' (1Kor 2,10) zu kennen, oder – wahrscheinlicher, da der Seher Johannes direkt zitiert – die Wiedergabe ihres Anspruchs, die Entmachtung der Weltmächte durch ihre Gnosis vollzogen zu haben (vgl. Schlier, ThWNT I 515 mit gnostischen Parallelen).

Die spärlichen Nachrichten in Offb 2f. reichen nicht aus, die dort bekämpften Gnostiker einer bestimmten Schulrichtung zuzuordnen. Was die Kirchenväter über die 'Nikolaiten' schreiben (seit Iren. I 26,3; III 11,1), scheint auf Offb 2f. zurückzugehen.

3. *Der Hebräerbrief*

Bei Hebr handelt es sich nach der begründeten Überzeugung fast aller Forscher um eine theologische Abhandlung bzw. Homilie, die – aus welchem Grund auch immer – mit einem brieflichen Schluß versehen wurde. In dieser Abhandlung wechseln konkrete Ermahnungen mit lehrhaften Erörterungen, die aufgrund des AT – deshalb die seit Ende des 2. Jh. bezeugte sekundäre Überschrift 'an die

Hebräer' – die Überlegenheit Jesu Christi, seines Heilswerkes und seiner Gemeinde über den Alten Bund darlegen.

Den Auslegern fällt es schwer, aus den Ermahnungen die Identität (Judenchristen? Heidenchristen?) und die konkrete Situation der Leser sowie den Anlaß des Schreibens derart zu bestimmen, daß durch solche Bestimmung auch die mit den konkreten Ermahnungen unlösbar verbundenen Belehrungen, die deshalb oft nur zeitlos-dogmatisch ausgelegt werden, aktuell verständlich werden; denn der wesentliche Inhalt dieser Belehrungen könnte sich eigentlich nur gegen judaisierende Tendenzen der Leser wenden, ein Aspekt, der in den Ermahnungen indessen nicht hervortritt.

Die damit angedeuteten Schwierigkeiten lösen sich, wenn man auch Hebr aus der Situation des 'Aposynagogos' (s. S. 113 ff.) erklärt. Hebr wendet sich an gottesfürchtige Heidenchristen, die jetzt (80–100) aus der Synagoge hinausgedrängt werden. Sie geraten dabei unter den äußeren Druck der Verfolgung, sei es von seiten der Synagoge, sei es von seiten der staatlichen Behörden (so 10, 32 ff.), sei es durch ein Zusammenspiel beider (12, 1 ff.; 13, 3). Von Martyrium ist (noch) keine Rede, aber der harte Druck führt zu Hoffnungslosigkeit (12, 3 ff. 12 f.) und Abfall vom überlieferten Bekenntnis (2, 1–4; 3, 1. 12 ff.; 4, 1 ff. 11; 10, 25. 29; 12, 28), der besonders verhängnisvoll ist, weil es die Möglichkeit einer zweiten Buße nach dem Abfall vom Glauben – nur dieser Fall steht vor Augen – nicht gibt (6, 4 ff.; 10, 26 ff.; 12, 16 f.). Darum gilt es, in Treue das (offensichtlich formelhaft vorhandene Tauf-) Bekenntnis festzuhalten (2, 1 ff.; 3, 1. 14; 4, 14 ff.; 10, 19 ff. 35 ff.; 13, 15), gute Beispiele vor Augen (11, 1 ff.; 12, 1 ff.; 13, 7), und einander zu stärken und vor Abfall und Irrtum zu bewahren (3, 13; 6, 11 f.; 12, 15).

Die aus der Synagoge hinausgedrängten Christen halten ihre eigenen Versammlungen ab (10, 25) und haben Gemeindeleiter (13, 7. 17), doch fällt es ihnen offenbar schwer, ihre Identität außerhalb der Synagoge zu gewinnen; das 'Judaisieren' hängt ihnen noch an (13, 9 f.), und hinsichtlich des christlichen Spezifikums sind sie, obschon sie doch längst Lehrer sein könnten, so harthörig, daß man ihnen eigentlich sogar die jüdisch-synagogale Grundlage der christlichen Predigt wieder mitteilen müßte (5, 12 – 6, 3. 11).

Der Verfasser bemüht sich indessen darum, ihnen die (schwierigere) Einsicht in das spezifisch Christliche und den Mut zu vermitteln, den *eigenständigen* christlichen Standort als den der atl. Verheißung gemäßen und zugleich der Synagoge überlegenen Standort anzusehen und einzunehmen: Jesus ist das entscheidende Wort Gottes (1,1ff.; 9,12.26ff.). Er ist den Engeln, die das mosaische Gesetz vermittelt haben (2,2), weit überlegen (1,4 – 2,18); seine Herrlichkeit ist auch größer als die Herrlichkeit des Mose (3,1–6), und die Israel verheißene 'Ruhe' ist in Wahrheit der christlichen Gemeinde, die am Bekenntnis des Glaubens festhält (3,6 – 4,16), zugesagt. Jesus stellt als himmlischer Hoherpriester den levitischen Hohenpriester ganz in den Schatten (2,17; 4,15; 5,1ff.; 7–10; 13,10ff.); er ist der Mittler des neuen, besseren Bundes (8,6; 9,15; 10,16f.; 12,24). In 12,18–24 findet sich ein Summarium dieser theologischen Grundgedanken des Hebr.

Angesichts ihres Unverstandes sollen die angeredeten Christen sich vor Augen stellen, wie Jesus außerhalb der Tore Jerusalems gelitten hat, um sich sein Volk zu heiligen, und zu ihm (nämlich aus dem Bereich der Synagoge) hinausgehen und seine Schmach tragen (13,12ff.). Die Synagoge geht ihrem Ende entgegen (8,13; möglicherweise ein vaticinium ex eventu der Tempelzerstörung; vgl. 10,18).

Der Standort des Verfassers befindet sich anscheinend außerhalb des Kreises der angeredeten Christen, nämlich im Bereich des schon länger oder seit jeher außerhalb der Synagoge organisierten Heidenchristentums; insofern hat die Zuschreibung von Hebr an Paulus (schon durch den Briefschluß?) ein gewisses Recht, doch läßt sich der genaue Ort des Verfassers und seiner Theologie innerhalb der Traditionen des hellenistischen Christentums nicht näher bestimmen. Original pln. Theologumena finden sich in Hebr nicht.

Auf eine organisatorische Einheit der Christenheit ist der Verfasser nicht aus, doch begrüßt er es, daß die angeredeten Leser sich im Dienst der Liebe den (anderen) 'Heiligen', zu denen offenbar die Gemeinde des Verfassers gehört, verbunden wissen, ein Zeichen dessen, daß sie auch mit ihrem Glauben auf dem richtigen Weg sind (6,9–11; vgl. 10,24; 13,16).

Konkrete Irrlehrer treten nicht in das Blickfeld des Lesers. 13,9a ist allgemein gehalten, und 13,9b enthält keine Anzeichen eines „synkretistisch-gnostischen Judentums" (so Bornkamm, 1959, 195; vgl. Jülicher/Fascher, 156; Michel, 1949, 340; 1975, 493f.), sondern wendet sich, wie 9,10 zeigt, gegen die synagogalen Speisevorschriften (Seeberg, 1912, 141ff.). Auch mit der Herabsetzung der Engel polemisiert der Verfasser von Hebr nicht gegen gnostische Engelspekulationen (so Lueken, 1898, 139ff.; Bousset, 1921, 100; Weinel, 1928, 435f.; vgl. Windisch, 1931, 17), sondern gegen ihre synagogale Hochschätzung als Mittler bei der Gesetzgebung (2, 2; vgl. Gal 3, 19; Apg 7, 53; Herm. Sim. VIII 3, 3). Die christliche Opfertheologie von Hebr enthält keine Polemik gegen die gnostische Leugnung der Heilsbedeutung des Kreuzes Jesu (gegen Köster, 1980, 714).

Indessen hat vor allem Käsemann (1939; vgl. schon Burton, 111ff. 121ff.; Holtzmann, I 481; Weinel, 1928, 392; Guthrie, II 35f.) in einem geschlossenen Entwurf zu begründen versucht, daß „sowohl die Konzeption des Gesamtthemas wie insbesondere die Christologie unseres Briefes nur auf einem von der Gnosis vorbereiteten Boden möglich war" (110), wobei das urchristliche Evangelium freilich den Mythos „aufgesogen hat" (112).

Käsemann zufolge ist die Grundkonzeption von Hebr die des Gottesvolkes, das der himmlischen Stadt entgegenwandert (9. 156). Diese Konzeption entspreche der gnostischen Anschauung von der Heimkehr der in die Materie gefesselten Seelen in die himmlische Heimat. Die erwartete 'Ruhe' (3,7ff.) sei wie in der Gnosis „eine rein lokale Größe" (41). Christus ist der präexistente Gottessohn, der wie im gnostischen Mythos Mensch wird (2,9–14; 3,1), um die Seinen zu erlösen, die vom Satan geknechtet werden (2,14ff.). Der eine Sohn und die vielen Söhne sind eines Geschlechts (2,6ff.) – ein Reflex der gnostischen Urmensch-Vorstellung. Durch seine Erhöhung bahnt der Sohn als 'Archegos' (2,10; 12,2) und 'Prodromos' (6,20) den Nachfolgern den Weg durch den Vorhang (6,19; 9,3; 10,20), der irdische und himmlische Welt trennt, in die Vollendung (2,10; 11,40; 12,23). In der Gnosis sucht Käsemann auch die „religionsgeschichtlichen Hintergründe der Hohenpriester-Vorstellung" auf (124), und zwar im Zusammenhang mit der Melchisedek-Spekulation.

Käsemanns umfassender Entwurf hat Eindruck gemacht (vgl. Schierse, 1955, 5.46; Bornkamm, 1959, 202f.; Gräßer, 1964, 181ff.; 1965, 105ff.; Theißen, 1969, 115ff.; Kümmel, 1973, 349f. 355; Köster, 1980, 711ff.), aber wenig generelle Zustimmung gefunden (vgl. Kuss, 1966, 18f.; Michel, 1975, 135f.; Oepke, 1950, 58ff.; Strobel, 1975, 85; Schenke/Fischer, 1979, 266ff.; Friedrich, 1982, 162ff.). Sein Entwurf geht in der Tat von der falschen Voraussetzung aus, Hebr enthalte und entfalte einen dogmatisch-systematischen Grundgedanken, und er vernachlässigt demgegenüber den konkreten historischen Anlaß von Hebr. Mit anderen Worten: Käsemann zwingt dem Hebräerbrief eine aus der gnostischen Vorstellungswelt gewonnene Gesamtkonzeption auf, die dessen konkreter historischen Situation nicht gerecht wird.

Daß dem Hebräerbrief die typische bzw. konstitutive, besonders die dualistische Begrifflichkeit der Gnosis fehlt, macht es schwer, seine theologischen Gedanken im gnostischen Mythos zu verankern. Tatsächlich lassen sich auch die einzelnen von Käsemann herangezogenen Motive in der Regel aus jüdischen bzw. jüdisch-hellenistischen Wurzeln ableiten, ohne daß es dazu notwendigerweise des Weges über die Gnosis bedarf. Das gilt nicht nur von der Vorstellung des Weges zur himmlischen Vollendung überhaupt, sondern z. B. auch für die Begriffe der 'Ruhe' (vgl. Hofius, 1970; Theißen, 1969) oder des 'Wegführers' (vgl. Apg 3,15; 5,31). Die Knechtung durch den Teufel (2,14ff.) entspricht der apokalyptischen Tradition. Zwar sind angesichts des antiken Synkretismus in diesen Fällen auch gnostische Einflüsse nicht auszuschließen, aber sie lassen sich nicht sicher nachweisen.

Kaum befriedigend zu lösen ist das Problem, wie in 10,20 der von Jesus bereitete Weg „durch den Vorhang, das heißt (durch?) sein Fleisch" zu deuten ist. An dieser problematischen Stelle hat Käsemanns Deutung relativ viel Beifall gefunden (Kuss, 1966, 155), und andere Auslegungen können kaum befriedigen (z. B. Hofius, 1972). Indessen handelt es sich bei der Erläuterung 'das heißt durch sein Fleisch' möglicherweise um eine sekundäre Glosse (Holsten; Schenke, 1973, 426f.), und dann entfällt die Notwendigkeit, eine gnostische Vermittlung der Vorstellung vom himmlischen Vorhang anzunehmen.

Unabhängig von Käsemanns umfassender Konzeption betrifft das Urteil gnostischer Provenienz die Präexistenzchristologie und die Erniedrigungsvorstellung, die in Hebr zwar nicht durchgehend, wohl aber gewichtig (1,2f.; 2,7.9.14.17; 4,7; 10,5; 13,8) neben der vorherrschenden Adoptions- und Erhöhungschristologie (1,3b; 2,10; 5,5ff.; 12,2) begegnen (Schenke, 1973, 427f.). Indessen ist der gnostische Ursprung der Präexistenzchristologie (s. S. 57ff.) dem Verfasser von Hebr nicht präsent, und der Gedanke der 'Sendung' ist für Hebr nicht bezeichnend (anders z. B. Käsemann, 1939, 61ff.; Kümmel, 1973, 349; Marxsen, 1978, 218), auch wenn der singuläre Titel 'Apostel' für Jesus gnostisierend sein dürfte (vgl. Justin, Apol. I 12,9; 63,5.10.14; Michel, 1949, 94; Schmithals, 1961, 125). Der mit der Präexistenzchristologie in 1,2 traditionell verbundene Gedanke der Schöpfungsmittlerschaft des Erlösers ist ein für den Verfasser von Hebr insofern weit entfernt liegendes Motiv vermutlich antignostischen Ursprungs (s. S. 77f. 120).

Daß bei der Vorstellung von Jesus als dem Wegbereiter der Seinen (2,10. 14f.) der gnostische Mythos nachwirkt, hat viel Wahrscheinlichkeit für sich (Michaelis, 1954, 267; Gräßer, 1965, 105. 1979; Kümmel, 1973, 349; Goppelt, II 583), läßt sich aber schwerlich sicher nachweisen; denn stringent erscheinen solche religionsgeschichtlichen Beziehungen nur innerhalb der Gesamtkonzeption Käsemanns. Entsprechendes gilt von dem Problem, ob die Gemeinschaft von Sohn und Söhnen in irgendeiner Weise die gnostische Urmensch-Vorstellung reflektiert und ob in 2,11ff. wirklich die „Vorstellung von der Präexistenz der Seelen" (Vielhauer, 1975, 248; Theißen, 1969, 120ff.; Schenke, 1973, 426; Gräßer, 1979, 177) zutage tritt.

Bemerkenswert ist die Art und Weise, in welcher Hebr von der geheimnisvollen Gestalt des Priesterkönigs Melchisedek (Ps 110,4; Gen 14,18ff.) in Kap. 7 (vgl. 5,6.10.20) spricht, nämlich als von einem Wesen göttlicher Art. Die Beschreibung Melchisedeks als 'vaterlos, mutterlos, ohne Abstammung, ohne Anfang und Ende des

Lebens . . . ein ewiger Priester' (7, 3), die der Typologie Melchisedek – Christus zugrunde liegt, hat der Verfasser von Hebr nicht aus dem AT nehmen können. Sie ist auch schwerlich sein eigenes Fündlein. Sie gehört zu den zahlreichen Melchisedek-Spekulationen im Judentum der ntl. Zeit (vgl. z. B. Wuttke, 1927, 27 ff.; Stork, 1928; Windisch, 1931, 61 ff.; Billerbeck, IV 453 ff.; Michel, 1975, 257 f.; ThWNT IV 573 ff.; Theißen, 1969, 16 ff.; Horton; Schenke, 1980), ohne daß uns eine direkte Parallele bekannt wäre. Indessen begegnet Melchisedek öfters als Engelwesen. Von gnostischen Melchisedekianern berichten Hipp. 7, 36; 10, 24; Epiph. Haer. 55, 1; PsTert. Haer. 88. Bei ihnen handelt es sich um eine ursprünglich rein jüdisch-gnostische Sekte, die – christianisiert – Christus der himmlischen Erlösergestalt Melchisedek als dessen Inkarnation unterstellt. Aus einer derartigen jüdisch-gnostischen Spekulation würde das Melchisedek-Bild von Hebr 7, 3 ff. ohne weiteres verständlich, weshalb manche Forscher (Pfleiderer, 1887, 633; Käsemann, 1939, 129 ff; Theißen, 1969, 130 ff.) insoweit mit gutem Grund eine jüdische Gnosis als indirekten Vorstellungs-Hintergrund von Hebr voraussetzen.

4. Der Brief des Judas

Das kleine Schreiben des 'Judas', an alle Christen gerichtet (V. 1), wendet sich durchgehend gegen gnostische Irrlehrer.

So urteilen nach dem Vorgang der Kirchenväter (vgl. Schelkle, 1963, 409 f.; Wisse) heute fast alle; vgl. z. B. Michaelis, 1777, II 1204 ff.; Neander, 1862, 476 ff.; Sieffert; Schelkle, 1961; Schrage, 1973; Schulz, 1976, 292 f.; Hahn, 1981, 209 ff. Man kann den 'Brief' als antignostisches Flugblatt oder Pamphlet bezeichnen.

Die Irrlehrer schleichen sich von außen in die Gemeinde ein (V. 4); dem Verfasser gelten sie als gewinnsüchtige Goeten (V. 16; vgl. V. 11). Sie halten sich für Christen und nehmen an den Liebesmahlen der Gemeinde teil. Der Verfasser von Jud untersagt den Lesern jede Gemeinschaft mit den Irrlehrern (V. 23); die schwankenden Brüder soll man dem verderblichen Einfluß der falschen Lehrer entreißen. Deren Lehre wird wie in den Past nicht dargelegt und argumentativ widerlegt. Die Irrlehrer werden vielmehr beschimpft und beschuldigt (V. 12ff.), und die Gemeinden werden vor ihnen gewarnt und auf das ein für allemal überlieferte (apostolische) Glaubensbekenntnis, den als bekannt vorausgesetzten 'hochheiligen Glauben' verwiesen (V. 3.5.20).

Da der 'Glaube' nicht dargelegt wird, läßt sich der theologische Standort des Verfassers nur schlecht erkennen und nicht bestimmen, ob seine eigene Theologie gnostisierende Gedanken oder Begrifflichkeit enthält. Dagegen gibt die Polemik die Grundzüge der Irrlehre zu erkennen.

Daß die Irrlehrer eine Zwei-Prinzipien-Lehre vertreten, kann man aus dem (auch textkritisch unsicheren) V. 4 und aus der doxologischen Betonung der Einzigkeit Gottes in V. 25 kaum entnehmen. Dagegen geht aus V. 8–10 hervor, daß sie sich den Engelmächten überlegen dünken. Sie führen also offenbar die Erschaffung der Welt auf abgefallene Engelmächte zurück (vgl. auch V. 6). Dem entspricht ihr anthropologischer Dualisus von 'Psychikern' und 'Pneumatikern', den der Verfasser in V. 19 polemisch gegen sie selbst wendet, sowie die Verachtung des 'Fleisches' (V. 8). Auch ihr Libertinismus fügt sich diesem Bild ein; denn gehört der Vorwurf der Unsittlichkeit auch zu den stereotypen Zügen der Ketzerbekämpfung, so kann es sich bei den konkreten Angaben in V. 4.8.13.16.23 doch nicht nur um unbegründete Schmähung handeln. Die Irrlehrer gelten dem Verfasser als 'Träumer' (V. 8), was den Schluß zuläßt, daß sie sich als Pneumatiker auf Visionen, Ekstasen und ähnliche Erfahrungen berufen haben; V. 16 muß man auf hochfahrendes pneumatisches Selbstbewußtsein beziehen.

Eine bestimmte gnostische Schule läßt sich nicht erkennen. Man hat an Karpokratianer gedacht (Cl. Al. Strom III 2,6ff.; Holtzmann, 1886, 532; Pfleiderer, 1887, 835ff.), an Simonianer (Schaefer, 1921, 336), an Nikolaiten (Offb 2,6.14f.20f.27; Thiersch, 1852, 251ff.; Sieffert, 277; vgl. Hug, II 572; Zahn, II 103f.; Wikenhauser, 1961, 351). Dabei wird die Identifizierung der Irrlehrer mit Simonianern oder Nikolaiten meist von dem Interesse geleitet, unter Voraussetzung der Authentizität von Jud eine häretische Erscheinung der frühen Zeit beizubringen. Auch andere Beschreibungen der Irrlehrer gehen in der Regel von der Authentizität des Briefes aus und möchten vermeiden, die ausgebildete Gnosis in apostolischer Zeit anzusetzen.

Man hat vorgeschlagen: Proto-Gnostiker (Guthrie, II 233 ff.; Hahn, 1981, 211 Anm. 13; Kelly, 231); judenchristliche Irrlehrer (Credner, 1836, 618 ff.; Pieper, 1939, 66 ff.; Adam, 1957, 46); Zeloten (Bleek, 1862, 555 f.); Pauliner oder Hyperpauliner (Neander, 1862, 477 f.; Spitta, 1885, 503 ff.; Renan, 1869, 277 ff.; Weiss, 1897, 395 f.; Appel, 1922, 122); sittlich verdorbene Menschen allgemeiner Art (de Wette, 1848, 375; von Hofmann, 1875, 202 ff.; Barth, 1914, 160 ff.; Sickenberger, 1939, 152 ff.).

Wäre der Brief tatsächlich authentisch, bezeugte er die Verbreitung einer mythologischen und libertinistischen Gnosis schon in apostolischer bzw. spätapostolischer Zeit (Schaefer, 1921, 332 ff.; Feine/Behm, 1936, 242 ff.; Wikenhauser, 1961, 352; Grundmann, 1974, 15); denn mit 'Judas, Bruder des Jakobus' (V. 1; vgl. Gal 1, 19; 2, 9. 12) kann nur der uns im übrigen unbekannte Herrenbruder Judas (Mk 6, 3par), kaum der Lk 6, 16; Apg 1, 13 genannte Apostel Judas gemeint sein. Einleitungen, Kommentare und Untersuchungen nennen indessen überzeugende Gründe für den Ursprung von Jud in nachapostolischer Zeit, den auch manche Kirchenväter bereits für wahrscheinlich hielten (Origines; Eusebius; Hieronymus), den Luther in seiner Vorrede zu Jud voraussetzt und dessen Annahme sich in der Zeit der historisch-kritischen Forschung mehr und mehr durchgesetzt hat. Der Verfasser von Jud blickt schon deutlich auf die apostolische Generation zurück: Die Apostel haben das Kommen der Irrlehrer vorausgesagt (V. 17 f.).

Einigermaßen sichere Indizien für Datierung und Lokalisierung von Jud enthält das Schreiben indessen nicht, und auch die Schilderung der Irrlehre läßt weder zu, von „einer keimhaften Gnosis" (Wikenhauser, 1961, 351) zu sprechen, noch die bekämpften Gnostiker mit Gewißheit dem 2. Jh. zuzuweisen (Hilgenfeld, 1875, 744).

5. *Der zweite Petrusbrief*

Der zweite Petrusbrief nimmt in seinem Mittelstück (Kap 2) den Judasbrief auf, dessen antignostische Tendenz festhaltend: Die Irrlehrer lästern die guten Engelmächte (2,10f.), reden Hochmütiges (2,18) und führen ein libertinistisches Leben (2,2.10.12ff.18). Den an ihre dualistische Anthropologie anknüpfenden Vorwurf, sie seien Psychiker und besäßen das Pneuma nicht (Jud 19), greift der Verfasser von 2Petr nicht auf. Dafür läßt sich aus 2Petr 2,19 (die Irrlehrer verheißen 'Freiheit') ein anderes gnostisches Schlagwort erschließen: Die Freiheit des Pneumaselbst vom Fleischesleib ermöglicht dem Gnostiker jegliche Freiheit im Umgang mit dem Fleisch (vgl. 1Kor 6,12; 10,23; Iren. I 23,3; Hipp. VI 19,7). Den Irrlehrern wird die 'Erkenntnis' abgesprochen (2,12), und auch die Betonung der rechten 'Gnosis' durch den Verfasser von 2Petr (1,20; 3,3.18; vgl. 1,2f.8) und ihre Verbindung mit der leiblichen Zucht (1,6; 2,20) weisen auf den antignostischen Charakter des Briefes hin. 1,16 spielt offensichtlich auf gnostische Mythen an (vgl. 1Tim 1,4; 4,7; 2Tim 4,4; Tit 1,14).

Deutlicher als in Jud werden die Irrlehrer als falsche Propheten und Lehrer beschrieben, die eine verderbliche Häresie einführen (2,1) und viele für ihre Ansichten gewinnen (2,2.14.18f.). 2Petr verwarnt jeden, der von der Wahrheit des Glaubens zur Irrlehre abfällt (2,20–22). Die Irrlehrer berufen sich auf Schriften des AT (1,20f.) und auf pln. Briefe, deren Sinn sie verkehren (3,14–16). Anscheinend verweist der Verfasser von 2Petr demgegenüber ähnlich, wie es die Past tun, auf das kirchliche Lehramt (1,20).

Die bekämpfte gnostische Lehre wird ebensowenig wie in Jud und in den Past im einzelnen entfaltet und argumentativ widerlegt. Auch die rechte Lehre setzt der Verfasser von 2Petr als den 'kostbaren Glauben' (1,1.3f.) bei seinen Lesern im wesentlichen voraus, so daß nicht auszumachen ist, ob bzw. wieweit die Theologie des Verfassers ihrerseits gnostisierende Vorstellungen und Gedanken enthielt. In 2,1–3 werden die Irrlehrer (wie in 3,1ff.17) als zukünftig vorgestellt; 2,9–12 geben diese Fiktion auf und beschreiben sie als eine gegenwärtige Bedrohung. Eine genaue Beschreibung der in 2Petr bekämpften Gnosis bzw. deren Zuordnung zu einem uns bekannten gnostischen System ist sowenig wie in Jud möglich.

Das antignostische Kap. 2 wird in 2Petr 1 und 3 von Ausführungen umschlossen, die sich vor allem gegen die Leugnung der Parusie wenden, und zwar derart, daß beide Themenkreise sachlich eng verbunden erscheinen. Der wahren Prophetie (1,19ff.), zu der die Wiederkunft Christi gehört (3,2ff.), treten die falschen Propheten gegenüber (2,1ff.). Und die apostolische Voraussage des Auftretens gnostischer Irrlehrer, die sich in Jud 17–19 findet, bezieht der Verfasser von 2Petr in 3,1ff. auf die Leugner der Parusie Christi. Er identifiziert diese also mit jenen; vgl. auch 3,17.

Dem entspricht, daß es sich bei den Parusieleugnern von 2Petr weder um heidnische Spötter handelt noch um resignierende Christen, denen Hoffnung und Glaube überhaupt entschwinden (so 1Cl. 23,2ff.); denn wenn einige in der Gemeinde von 'Verzögerung' der Parusie sprechen (3,9), geben sie diese damit nicht preis, und sie müssen nur gemahnt werden, das angespannte Warten nicht aufzugeben (3,10); vgl. Talbert, 1966. Dagegen begegnet die ausdrückliche spöttische Polemik gegen die Parusieerwartung als Teil eines häretischen Programms (3,1–4). In dieser Weise aber gehört die Leugnung der Parusie notwendig zur gnostischen Lehre (vgl. Pol. Phil. 7); denn die Gnostiker erwarten nicht „neue Himmel und neue Erde" (3,13), sondern das definitive Ende alles von dem Demiurgen Geschaffenen, den Untergang der Himmel, in denen die Weltmächte hausen, und der Erde, die als Gefängnis für das Pneuma dient. Sie haben deshalb die ntl. Parusieerwartung spiritualisierend umgedeutet (2Thess 2,2; 1Tim 2,18; EvThom 51.111; Iren. I 23,5; II 31,2; vgl. Joh 14,16.19f.25f.28; 15,26; 16,16ff.).

Die *einheitliche* Deutung von 2Petr als antignostische Schrift ist heute nach dem Vorgang älterer Forscher (vgl. z. B. Michaelis, 1777, II 1193ff.; Bleek, 1862, 585; von Soden, 1899, 211; Hollmann, 1908, 592f.) die Regel (vgl. z. B. Windisch, 1930, 100; Schneider, 1961, 101; Talbert, 1966; Käsemann, 1960, 136f.; Schelkle, 1964, 230ff.; Kümmel, 1973, 378ff.; Wikenhauser/Schmid, 606; Schrage, 1973, 120ff.; Grundmann, 1974, 62f.; Schulz, 1976, 305f.; Marxsen,

1978, 238; Klein, 1982, 295). Wird sie bezweifelt, so von kritischen Forschern in der Regel unter der falschen Voraussetzung, 2Petr wende sich (auch) gegen christliche Resignation angesichts der Parusieverzögerung. Unter dieser Voraussetzung wird entweder ein doppelter Anlaß von 2Petr angenommen (Jülicher/Fascher, 217f.; Schenke/Fischer, 1979, 323f.), oder Kap. 2 soll weniger aktuell antignostische als vielmehr exemplarisch abschreckende Funktion haben: Die Parusieleugner mögen bedenken, welche Folgen ihr Abfall vom rechten Glauben hat (Holtzmann, 1886, 527ff.; Vielhauer, 1975, 597). Konservative Forscher, die den Apostel Petrus für den Verfasser von 2Petr halten, bestreiten den antignostischen Charakter des Briefes, wenn sie so früh keine ausgebildete Gnosis ansetzen wollen (Spitta, 1885, 503ff.; Sickenberger, 1939, 162 rechnet mit nicht-gnostischen Libertinisten; Guthrie, II 176ff.).

Meist unter der Voraussetzung der Authentizität von 2Petr und aus der Scheu, eine Benutzung von Jud durch den Apostel Petrus annehmen zu sollen, hat man früher häufiger (z. B. Luther, Vorrede; Michaelis, 1777, II 1193ff.; Thiersch, 1852, 253; Spitta, 1885) und heute selten (Guthrie, II 246ff.) das literarische Verhältnis von Jud und 2Petr umgekehrt. Für die Charakterisierung der Irrlehrer ist die Voranstellung von 2Petr vor Jud, gegen welche die Einleitungen und Kommentare genügend überzeugende Argumente vortragen, ebenso bedeutungslos wie die vereinzelte Annahme, die Verfasser von 2Petr und Jud hätten unabhängig voneinander eine gemeinsame Vorlage genutzt (nach Vorgang Älterer z. B. wieder Green; Reicke, 1964, 190). Falls 2Petr authentisch ist, wäre eine ausgebildete christliche Gnosis vor 64, dem vermutlichen Todesjahr des Petrus während der Neronischen Verfolgung, deutlich bezeugt. Indessen wird die Authentizität des 2Petr heute nur noch selten und mit durchaus unzureichenden Gründen vertreten. Verfasser, Ort und Zeit von 2Petr sind uns unbekannt, doch dürfte es sich bei 2Petr um die späteste Schrift des NT handeln, die kaum lange vor der Mitte des 2. Jh. entstanden ist. Für die Frage nach dem Ursprung der Gnosis gibt das Schreiben deshalb nichts her.

6. *Der Jakobusbrief*

Bei dem Jakobusbrief handelt es sich um die rätselhafteste Schrift des NT. Wir haben es ohne Frage mit einer Abhandlung, nicht mit einem echten Brief zu tun, die von Jakobus – zweifellos der Bruder des Herrn (Gal 1, 19; 2, 9. 12; Mk 6, 3; Jud 1) – stammen will. Diese Abhandlung läßt indessen keinen planmäßigen Gedankengang erkennen. Sie enthält überdies so wenig spezifisch Christliches, daß man sie für eine jüdische Schrift gehalten hat, die durch die Einfügung des Namens Christi in 1, 1 und 2, 1 äußerlich christianisiert worden sei.

Indessen weisen z. B. 1, 18.21; 2, 7; 5, 8.14 und vor allem 2, 14–26, die innerchristliche Auseinandersetzung mit pln. Gedanken, auf christlichen Ursprung und auf christliche Leser von Jak hin. Jedoch empfängt die Schrift gerade als ursprünglich christliche keine deutliche historische Relation, und zwar weder hinsichtlich eines konkreten Anlasses noch hinsichtlich der Frage, welche christliche Gemeinschaft sich in dieser von fast allen Bezügen auf das christliche Bekenntnis freien Weise, die den dogmatischen Standpunkt des Verfassers nicht zu erkennen gibt, anreden und belehren ließ. Auch auf Ort und Zeit der Entstehung enthält das Schreiben, das zuerst bei Origenes (um 250) deutlich bezeugt wird und heute allgemein als pseudonym gilt, keine deutlichen Hinweise.

Ein interessanter Vorschlag zur Lösung des Rätsels von Jak lautet: Jak setzt sich mit einer gnostischen Richtung des 2. Jh. auseinander, sei es beiläufig, sei es überhaupt. Vgl. Schwegler, 1846, I 441 f.; Pfleiderer, 1887, 871 ff.; Weinel, 1928, 394 f.; Windisch, 1930, 25; Schammberger, 1936; Schoeps, 1949, 344 f.; Windisch/Preisker, 150; Wilckens, ThWNT VII, 526. Man beruft sich für diese Deutung zunächst auf die abschließende Verheißung 5, 19–20, die denen Leben zusagt, welchen es gelingt, einen Bruder, der von der Wahrheit abgeirrt ist, zurückzugewinnen. Der auf diese Weise angesprochene Irrtum wird sodann aufgrund von 3, 13–17 mit einer gnostischen Weisheitslehre identifiziert, auf die dann auch 1, 5 bereits anspielt. Die gnostischen Weisheitslehrer wenden sich hochmütig gegen die christliche Wahrheit (3, 14). Ihrem Anspruch, eine 'von oben' stammende 'Weisheit' zu verkündigen (3, 15. 17), tritt der Verfasser entgegen, indem er die gnostische Wertung des Irdischen gegen die Irrlehrer selbst wendet und ihre 'Weisheit' als 'irdisch, psychisch und dämonisch' bezeichnet (vgl. Jud 19). Gegen den von diesen Gnostikern in der Gemeinde verursachten Streit (3, 14. 16 f.) würde sich der Verfasser von Jak dann auch in 3, 18 – 4, 2 wenden.

Der charakteristische Abschnitt 2, 14–26 belegt bei diesem Verständnis, daß die von Jak bekämpften Gnostiker – mit 'Hohlköpfe' tituliert (2, 20) – sich auf Paulus beriefen, so daß auch die Jak bestimmenden sittlichen Mahnungen sich gegen die hyperpaulinisch-gnostische Abwertung der 'Werke' oder gar gegen einen Libertinismus (Schammberger, 44) richteten.

Auch 4, 11 polemisiere direkt gegen die Gnostiker, die 'das Gesetz verurteilen'. In 1, 25 und 2, 12 annektiere der Verfasser von Jak ein gnostisches Stichwort ('Gesetz der Freiheit'). In 1, 18 ('Zeugung' aus Gott) und in 3, 6 ('Rad des Daseins') sollen gleichfalls Begriffe gnostischer Herkunft begegnen, und zwar weise der Verfasser in 1, 18 einen kosmischen Dualismus zurück (vgl. Edsman). Nun weisen die hier genannten Stellen zwar auf den 'Hellenismus' von Jak bzw. seiner Traditionen hin, sie enthalten aber keine spezifisch gnostischen Gedanken und Begriffe.

2, 14–26 (vgl. 4, 11) läßt keinen Zweifel an der Auseinandersetzung mit einem Paulinismus, doch verrät dieser Abschnitt nicht, daß es sich um einen gnostischen Paulinismus handelt. Die Berufung auf den 'Glauben' gegen die 'Werke' ist orthodox paulinisch, und nirgendwo setzt der Verfasser von Jak sich in seiner Paränese deutlich mit libertinistischen Tendenzen auseinander. 5, 19 f. fügt sich, wenn diese Stelle überhaupt aktuell verstanden werden soll, gänzlich dem Widerspruch von Jak gegen die (hyper)paulinische Verachtung guter Werke ein.

Dann aber liegt es nahe, auch bei der 'Weisheit von oben', welche die Kontrahenten von Jak beanspruchen (3, 13–17), an die Weisheit der pln. Glaubensverkündigung zu denken (vgl. 1Kor 1, 24. 30; 2, 6), nicht an häretische Gnosis, zumal der Verfasser von Jak ihr wie in 2, 14–26 die 'guten Werke' als die rechte Weisheit gegenüberstellt (3, 13), vor allem die Werke der innergemeindlichen Friedfertigkeit

(3,14.16f.). – Sind diese Beobachtungen richtig, wäre Jak als antignostische Schrift mißverstanden (Dibelius, 1956, 23f. 195f.; Kümmel, 1973, 365).

Die dualistische Begrifflichkeit in 3,15 (ἡ σοφία ἄνωθεν und ἡ σοφία ἐπίγειος, ψυχική, δαιμονιώδης), die mit ihrer Abwertung des Psychischen sowie der Gleichsetzung von 'irdisch' und 'dämonisch' deutlich im gnostischen Dualismus wurzelt (s. S. 49ff.), entstammt dann nicht der aktuellen Situation von Jak, sondern gehört wie die verwandte Stelle 1,17 der schon traditionellen hellenistisch-christlichen Sprache des Verfassers an, über deren „Herkunft der Verf(asser) sich vielleicht gar nicht klar war" (Dibelius, 1956, 23; vgl. 194f.; Mußner, 1964, 171f.). Steht es anders und bildet die gnostische Begrifflichkeit von 3,15 insofern den Schlüssel zum Verständnis von Jak, als dessen Verfasser diese dualistische Sprache seinen gnostischen Gegnern verdankt und (wie Jud 19) gegen sie wendet, müßte er seine Gegner mißverstanden haben, wenn er ihnen einen (von ihm gleichfalls mißverstandenen) 'orthodoxen' Paulinismus unterstellt und sie mit der Einschärfung der Notwendigkeit guter Werke bekämpft. Ein solches Mißverständnis hat wenig Wahrscheinlichkeit für sich, wenn es auch nicht ausgeschlossen werden kann.

ERGEBNISSE

1. Hinsichtlich der S. 18ff. angesprochenen hermeneutischen Problematik ergibt der Durchgang durch die ntl. Schriften, die von der alten Kirche zu einem antignostischen Kanon zusammengestellt wurden, daß sich unter ihnen in der Tat keine gnostische Schrift befindet. Die ntl. Theologien benutzen gnostische Sprache, um das christliche Daseinsverständnis zum Ausdruck zu bringen.

Nur hinsichtlich des vorredaktionellen JohEv (s. S. 120f.) stellt sich weiterhin die schwierige exegetische Frage, wieweit die Theologie, in der es wurzelt und aus der es erwächst, und ggf. in welchem Sinne sie als 'gnostisierend' bezeichnet werden kann.

2. Gnostische Irrlehrer, welche die christliche Gemeinden beunruhigen, sind seit der dritten Missionsreise des Apostels Paulus kontinuierlich im Bereich der Ägäis festzustellen (pln. Hauptbriefe; Past; Eph/Kol; Offb; vgl. Jud; 2Petr); vgl. Bauer, 1934, 65ff. Sie dringen ursprünglich von außen in diese Gemeinden ein (vgl. Apg. 20,29; 2Kor 3,1; 11,4; Gal 4,17; 5,7ff.; 1Tim 4,1f.; 6,20f.) und bilden bald eine Erscheinung innerhalb oder am Rand dieser Gemeinden selbst (Apg 20,30; 1Tim 1,19f.; 4,1; 2Tim 2,16ff.; 4,4; Kol 2,18; 2Petr 2,1ff.; 1Joh 2,19). Wir haben also von einer gnostischen Konkurrenz- bzw. Parallelmission schon im apostolischen Zeitalter auszugehen.

Falls 1/2/3Joh Irrlehrer im syrisch-palästinischen Raum bekämpfen, spricht dieser Sachverhalt ebenso wie die Beobachtungen zur Gestalt des Simon Magus (s. S. 130ff.) dafür, daß der Ursprung jener gnostischen Mission nicht im ägäischen Raum selbst, sondern in weiter östlich gelegenen Gebieten zu suchen ist. Diese Vermutung bestätigt sich, wenn man nach der Herkunft der gnostischen Begrifflichkeit innerhalb der einschlägigen theologischen Entwürfe im NT fragt.

3. Es fällt auf, daß ein bestimmtes Schrifttum des NT gar keine

nennenswerten Einflüsse einer gnostischen Begriffs- und Vorstellungswelt zeigt. Dabei handelt es sich vor allem um die synoptische Tradition. Dazu treten 1Petr, Offb und mit unterschiedlichem Abstand Past, Hebr, Jak. Der Ort dieses Schrifttums ist, sieht man von der Spruchüberlieferung (Q) und dem rätselhaften Jak einmal ab, in dem der hellenistischen Synagoge verbundenen Christentum zu suchen; wir begegnen einer (im weiteren Sinne) antiochenischen Theologie, deren ältestes Stadium z. B. von 1Petr und indirekt vom antiochenischen Formelgut bei Paulus und in der joh. Gemeindetheologie, deren jüngeres von der synoptischen Tradition repräsentiert wird.

Da sich das hellenistisch-synagogale Christentum relativ kontinuierlich aus dem palästinischen Urchristentum, das sich auf den von der Synagoge gebahnten Wegen in die hellenistische Welt ausbreitet (Apg 11,19–30; Gal 2,9f.), entwickelt zu haben scheint, dürfte auch das palästinische Urchristentum keine gnostischen Einflüsse gekannt haben. Dieser Einsicht fügt sich gut der apokalyptische (und weisheitliche) Charakter der Spruchüberlieferung sowie von Offb; vgl. auch Jak.

Stark von gnostischer Begriffs- und Vorstellungswelt beeinflußt zeigen sich demgegenüber die Grundschicht der pln. Theologie und die joh. Gemeindetheologie mitsamt der an sie anschließenden Überlieferungen. Gemeinsam ist der pln. und der joh. Tradition dabei der Erlösermythos (Präexistenzchristologie; Sendungsformeln) und die Begrifflichkeit des anthropologischen Dualismus. Darüber hinaus ist für Paulus die 'Christusmystik' charakteristisch, für Johannes die Sprache des kosmischen Dualismus. Eine gegenseitige Abhängigkeit von Paulus und Johannes ist direkt und indirekt in jeder Form ausgeschlossen, und die charakteristischen Unterschiede machen auch die unmittelbare Abhängigkeit von einer gemeinsamen 'Quelle' unwahrscheinlich.

Folgender religionsgeschichtlicher Prozeß ist denkbar:

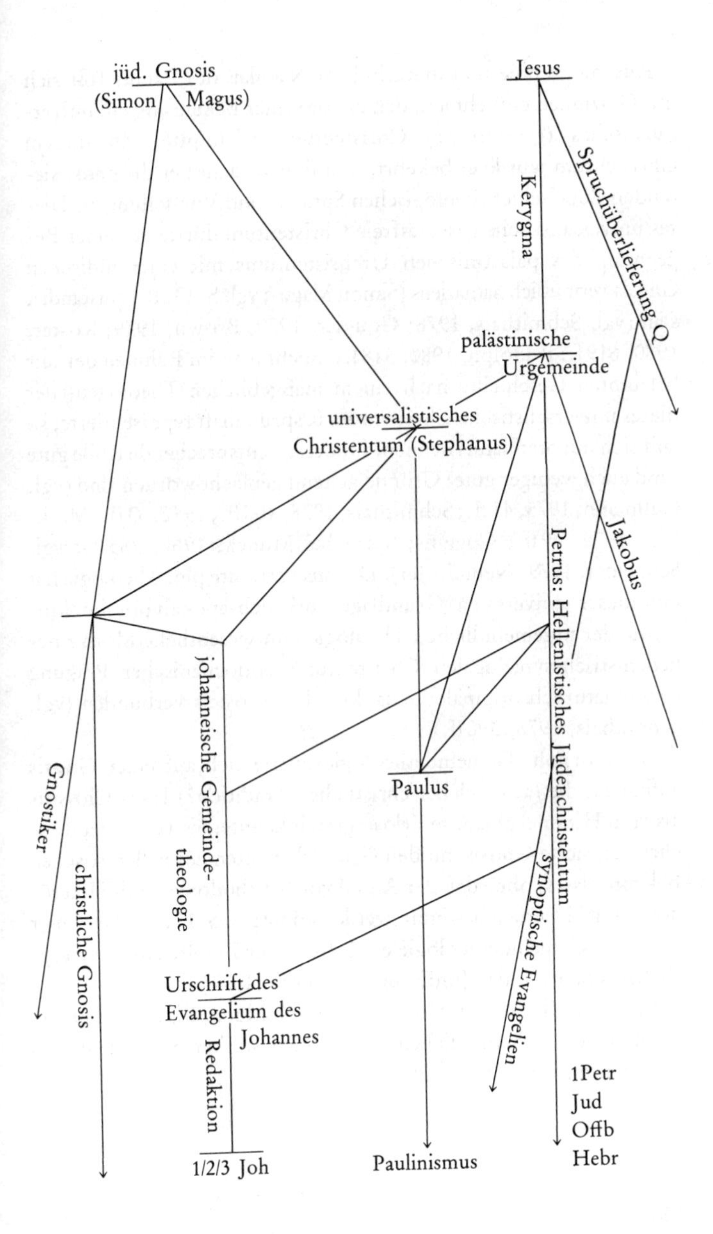
jüd. Gnosis
(Simon Magus)
Jesus
Kerygma
Sprchüberlieferung Q
palästinische
Urgemeinde
universalistisches
Christentum (Stephanus)
Jakobus
Petrus: Hellenistisches Judenchristentum
johanneische Gemeinde-
theologie
Paulus
Gnostiker
christliche Gnosis
synoptische Evangelien
Urschrift des
Evangelium des
Johannes
Redaktion
1/2/3 Joh
Paulinismus
1Petr
Jud
Offb
Hebr

Aus Biographie und literarischem Nachlaß des Paulus läßt sich mit Gewißheit entnehmen, daß er vor seiner Bekehrung ein universalistisches (gesetzfreies) Christentum bekämpfte. Zu diesem Christentum wurde er bekehrt, und ihm verdankt er die gnostisierenden Züge seiner theologischen Sprache und Vorstellungen. Dieses universalistische gesetzesfreie Christentum dürfte aus einer Begegnung des palästinischen Urchristentums mit einer jüdischen Gnosis vermutlich Samariens (Simon Magus; vgl. S. 130ff.) entstanden sein (vgl. Schmithals, 1978; Goulder, 1979; Brown, 1979; Köster, 1980, 619f.; Rudolph, 1980, 318f.). Sucht man im Rahmen der uns bekannten Geschichte nach einem maßgeblichen Theologen, der dieses universalistische Christentum ursprunghaft repräsentierte, so läßt sich nur Stephanus nennen, für dessen entsprechende Rolle gute (und auch weniger gute) Gründe geltend gemacht worden sind (vgl. Cullmann, 1975, 41ff.; Schmithals, 1978, 408ff.; 1982, 63ff.; Merklein, 1979, 49ff.; Coggins; Spiro bei Munck, 1967, 285ff.; vgl. Schneider, 1979; Neundorfer). Die uns vertraute pln. Theologie hat mit dieser universalen Grundlage christlich-apokalyptische Momente der urgemeindlichen Theologie und wesentliche Motive des hellenistisch-synagogalen Christentums antiochenischer Prägung sowie natürlich originale Gedanken des Apostels verbunden (vgl. Schmithals, 1978, 390ff.).

Die (vor)joh. Gemeindetheologie dürfte sich auf einer Gnosis aufbauen, die (aus welcher christlichen Tradition?) Jesus Christus als vom Himmel gesandte Erlösergestalt kannte. Sie verbindet diese christianisierte Gnosis mit den Grundelementen des hellenistischen Bekenntnisses, ohne daß der Anteil von 'Orthodoxie' und 'Heterodoxie' mit Sicherheit bestimmt werden könnte (s. S. 120f.). Aus dieser (vor)joh. Gemeindetheologie erwächst unter Zuhilfenahme synoptischer Tradition das JohEv und weiterhin 1/2/3Joh.

Erst im 2. Jh., definitiv mit der Kanonbildung, fließen die unterschiedlichen frühchristlichen Traditionen stärker zusammen und scheiden die Gnosis endgültig aus.

LITERATURVERZEICHNIS

Abkürzungen soweit wie möglich nach:
Siegfried Schwertner, Internationales Abkürzungsverzeichnis für Theologie und Grenzgebiete, 1970.

Aberle, M.: Beiträge über den Zweck des Johannesevangeliums, ThQ 41, 1861, 37ff.; 46, 1864, 3ff.

Adam, A.: Die Psalmen des Thomas und das Perlenlied als Zeugnisse vorchristlicher Gnosis, 1959.

Aland, B.: Gnosis und Philosophie, in: G. Widengren (Hrsg.), Proceedings of the International Colloquium on Gnosticism, 1977, 34ff.

– (Hrsg.): Gnosis (FS. Jonas), 1978.

–: Gnosis und Kirchenväter, in: Dies. (Hrsg.), 1978, 158ff.

–: Gnosis und Christentum, in: B. Layton (Hrsg.), The Rediscovery of Gnosticism, I 1980, 319ff.

Albertz, M.: Die Botschaft des NT, 1955.

Allo, E. B.: Première Épître aux Corinthiens, 1934.

Althaus, P.: Der Brief an die Römer, NTD 6, (1932) [5]1946 ([10]1966).

Ammon, C. F.: Commentatio qua docetur, Ioannem, evangelii auctorem, ab editore huius libri fuisse diversum, 1811.

Anz, W.: Zur Frage nach dem Ursprung des Gnostizismus, 1897.

Appel, H.: Einleitung in das NT, 1922.

Arai, S.: Zur Definition der Gnosis in Rücksicht auf die Frage nach ihrem Ursprung, in: U. Bianchi, 1967, 181ff.

–: Die Gegner des Paulus im 1. Korintherbrief und das Problem der Gnosis, NTS 19, 1972/73, 430ff.

–: Simonianische Gnosis und die Exegese über die Seele, in: M. Krause (Hrsg.), Gnosis and Gnosticism, NHS 8, 1977, 185ff.

Arvedson, T.: Das Mysterium Christi, 1937.

Bacon, B. W.: Studies in Matthew, 1930.

Bahnsen, W.: Zum Verständnis von 2Thess 2, 3–12, JPTh 6, 1880, 681ff.

Baird, W.: The Problem of the Gnostic Redeemer and Bultmann's Program

of Demythologizing, in: C. Andresen/G. Klein (Hrsg.), Theologia crucis – Signum crucis (FS. Dinkler), 1979, 39ff.
Balz, H.: Die Johannesbriefe, NTD 10, [11]1973.
Bardenhewer, O.: Der Römerbrief des Heiligen Paulus, 1926.
Bardy, G.: Cérinthe, RB 30, 1921, 344ff.
Barrett, C. K.: Luke the Historian in Recent Study, 1961.
–: Christianity at Corinth, BJRL 46, 1964, 269ff.
–: Things Sacrified to Idols, NTS 11, 1964/65, 138ff.
–: Paul's Opponents in II Corinthians, NTS 17, 1970/71, 233ff.
Barth, F.: Einleitung in das NT, (1908) [3]1914.
Barth, G.: Das Gesetzesverständnis des Evangelisten Matthäus, in: G. Bornkamm, G. Barth, H. J. Held, Überlieferung und Auslegung im Matthäus-Evangelium, 1960, 54ff.
–: Der Brief an die Philipper, 1979.
–: Die Eignung des Verkündigers in 2Kor 2,14–3,6, in: D. Lührmann/ G. Strecker (Hrsg.), Kirche (FS. Bornkamm), 1980, 257ff.
Batelaan, L.: De strijd van Paulus tegen het Syncretisme, in: Arcana relevata (FS. Grosheide), 1951, 9ff.
Batey, R. A.: Jewish Gnosticism and the 'Hieros Gamos' of Eph 5,21–33, NTS 10, 1963/64, 121ff.
Bauer, W.: Johannesevangelium und Johannesbriefe, ThR 1, 1929, 135ff.
–: Das Johannesevangelium, HNT 6, (1912) [3]1933.
–: Rechtgläubigkeit und Ketzerei im ältesten Christentum, 1934.
Baumann, R.: Mitte und Norm des Christlichen, 1968.
Baumbach, G.: Qumran und das Johannes-Evangelium, 1958.
–: Gemeinde und Welt im Johannes-Evangelium, Kairos 14, 1972, 121ff.
–: Die von Paulus im Philipperbrief bekämpften Irrlehrer, in: Tröger 1973, 293ff.
Baumgarten, M.: Die Echtheit der Pastoralbriefe, 1837.
Baumgarten, O.: Die Briefe des Johannes, SNT II, (1907) [2]1908 ([3]1918), 861ff.
Baur, F. C.: Die Christuspartei in der korinthischen Gemeinde, TZTh 1831, H. 4, 61ff.
–: Die sogenannten Pastoralbriefe des Apostels Paulus, 1835.
–: Die christliche Gnosis, 1835.
–: Über Zweck und Veranlassung des Römerbriefes, TZTh 1836, H. 3, 59ff.
–: Paulus, 1845.
–: Die beiden Briefe an die Thessalonicher, ThJb (T) 14, 1855, 141ff.

–: Über Zweck und Gedankengang des Römerbriefs . . ., ThJb (T) 16, 1857, 60 ff.; 184 ff.
–: Kirchengeschichte der drei ersten Jahrhunderte, (1853) ³1863.
–: Vorlesungen über neutestamentliche Theologie, 1864.
Beare, F. W.: The Epistle to the Ephesians, 1953.
Becker, H.: Die Reden des Johannesevangeliums und der Stil der gnostischen Offenbarungsrede, 1956.
Becker, J.: Das Evangelium des Johannes, I. II, 1979, 1981.
–: Ich bin die Auferstehung und das Leben, ThZ 39, 1983, 138–151.
Benoit, P.: L'hymne christologique de Col 1, 15–20, in: J. Neusner (Hrsg.), Christianity, Judaism and other Graeco-Roman Cults (FS. Smith), 1975, 226 ff.
Bergmeier, R.: Zum Verfasserproblem des II. und III. Johannesbriefes, ZNW 57, 1965, 93 ff.
–: Quellen vorchristlicher Gnosis? in: G. Jeremias u. a. (Hrsg.), Tradition und Glaube (FS. Kuhn), 1971, 200 ff.
–: Glaube als Gabe nach Johannes, 1980.
Berliner Arbeitskreis für koptisch-gnostische Schriften, Die Bedeutung der Texte von Nag Hammadi für die moderne Gnosisforschung, in: Tröger, 1973, 13 ff.
Bertholdt, L.: Historischkritische Einleitung . . ., III, 1813; VI, 1819.
Best, E.: One Body in Christ, 1955.
Betz, H. D.: Nachfolge und Nachahmung Jesu Christi im NT, 1967, 145 ff.
Betz, O.: Das Problem der Gnosis seit der Entdeckung der Texte von Nag Hammadi, VF 21, 1976, 46 ff.
Beyschlag, K.: Simon Magus und die christliche Gnosis, 1974.
Beyschlag, W.: Neutestamentliche Theologie, I. II, (1891/92) ²1896.
Bianchi, U. (Hrsg.): Le origini dello gnosticismo, 1967 (²1970).
Bieder, W.: Die kolossische Irrlehre und die Kirche von heute, ThSt (B) 33, 1952.
Bleek, F.: Einleitung in das NT, 1862.
Böcher, O.: Der johanneische Dualismus im Zusammenhang des nachbiblischen Judentums, 1965.
Böhlig, A.: Der jüdische und judenchristliche Hintergrund in gnostischen Texten von Nag Hammadi, in: U. Bianchi (Hrsg.), 1967, 109 ff.
Bogart, J.: Orthodox and Heretical Perfectionism in the Johannine Community in the First Epistle of John, 1977.
Boismard, M.-E.: L'Évangile de Jean, in: Ders., Synopse des Quatres Évangiles en français III, 1977.

Bornemann, W.: Die Thessalonicherbriefe, KEK X, 5+6 1894.
Bornhäuser, K.: Das Johannesevangelium, eine Missionsschrift für Israel, 1928.
Bornkamm, G.: Die Häresie des Kolosserbriefes (1952), in: Ders., Das Ende des Gesetzes, 2 1958, 139 ff.
–: Das Bekenntnis im Hebräerbrief (1942), in: Ders., Studien zu Antike und Christentum, 1959, 188 ff.
–: Die Vorgeschichte des sogenannten Zweiten Korintherbriefes, 1961.
–: Art. ›Paulus‹, RGG 3 V, 1961, 166 ff.
–: Der Auferstandene und der Irdische. Mt 28,16–20, in: E. Dinkler (Hrsg.), Zeit und Geschichte (FS. Bultmann), 1964, 171 ff.
–: Zur Interpretation des Johannesevangeliums (1968), in: Ders., Geschichte und Glaube I, 1968, 104 ff.
–: Der Philipperbrief als paulinische Briefsammlung (1962), in: Ders., Geschichte und Glaube, II, 1971, 195 ff.
–: Die Hoffnung im Kolosserbrief, in: Ders., Geschichte und Glaube, II, 1971, 206 ff.
Bousset, W.: Die Offenbarung des Johannes, KEK XVI, 6 1906.
–: Hauptprobleme der Gnosis, 1907.
–: Art. ›Johannesevangelium‹, RGG 1 III, 1912, 608 ff.
–: Art. ›Gnosis, Gnostiker‹, RAC, Neue Bearbeitung, VII 2, 1912, 1503 ff.
–: Kyrios Christos, (1913) 2 1921.
Bousset, W./Gressmann, H.: Die Religion des Judentums im späthellenistischen Zeitalter (1903), 4 1966.
Bowker, J. W.: The Origin and Purpose of St. John's Gospel, NTS 11, 1964/65, 398 ff.
Brandenburger, E.: Fleisch und Geist. Paulus und die dualistische Weisheit, 1968.
Brandon, S. G. F.: The Fall of Jerusalem and the Christian Church, (1951) 2 1957.
Brandt, W.: Die mandäische Religion, 1889.
Braun, F.-M.: Jean le Théologien, I. II, 1959, 1964.
Braun, H.: Zur nachpaulinischen Herkunft des zweiten Thessalonicherbriefes, ZNW 44, 1952/53, 152 ff.
–: Qumran und das NT, I. II, 1966.
Bring, R.: Der Brief des Paulus an die Galater, 1968.
Broek, R. van den/Vermaseren, M. J. (Hrsg.): Studies in Gnosticism and Hellenistic Religions (FS. Quispel), 1981.

Brooke, A. E.: A Critical and Exegetical Commentary on the Johannine Epistles, 1912.
Brown, R. E.: The Gospel according to John, I. II, 1966, 1970.
–: The Community of the Beloved Disciple, 1979.
Brox, N.: Anathema Jesous (1Kor 12,3), BZ NF 12, 1968, 103ff.
–: Die Pastoralbriefe, 1969.
–: Der erste Petrusbrief, 1979.
Brückner, M.: Die Entstehung der paulinischen Christologie, 1903.
Bruggen, J. van: Die geschichtliche Einordnung der Pastoralbriefe, 1981.
Büchsel, F.: Der Geist im NT, 1926.
–: Die Johannesbriefe, 1933.
Bühner, J. A.: Der Gesandte und sein Weg im 4. Evangelium, 1977.
Bultmann, R.: Zur Geschichte der Paulus-Forschung, ThR 1, 1929, 26ff.
–: Das Urchristentum im Rahmen der antiken Religionen, 1949.
–: Das Evangelium des Johannes, KEK II (1941) [12]1952.
–: Art. ›Johannesevangelium‹, RGG [3]III, 1959, 840ff.
–: Theologie des NT, (1958) [5]1965.
–: Die Johannesbriefe, KEK XIV, [7]1967.
–: Exegetica, 1967.
–: Die Bedeutung der neuerschlossenen mandäischen und manichäischen Quellen für das Verständnis des Johannesevangeliums (1925), in: Ders., Exegetica, 1967, 55ff.
–: Analyse des ersten Johannesbriefes (1927), in: Ders., Exegetica, 1967, 105ff.
–: Johanneische Schriften und Gnosis, in: Ders., Exegetica, 1967, 230ff.
–: Die kirchliche Redaktion des ersten Johannesbriefes (1951), in: Ders., Exegetica, 1967, 381ff.
Burkitt, F. C.: Church and Gnosis, 1932.
Burton, E.: An Inquiry into the Heresies of the Apostolic Age, 1829.
Caird, G. B.: Paul's Letters from Prison, 1976.
Campenhausen, H. von: Polykarp von Smyrna und die Pastoralbriefe, 1951.
Casey, R. P.: Gnosis, Gnosticism and the NT, in: W. D. Davies u. a. (Hrsg.), The Background of the NT and its Eschatology, 1964, 52ff.
Chadwick, H.: Die Absicht des Epheserbriefes, ZNW 51, 1960, 145ff.
Charlesworth, J. H.: A Critical Comparison of the Dualism in 1QS III 13 – IV 26 and the 'Dualism' contained in the Fourth Gospel, NTS 15, 1968/69, 389ff.
Clemen, K.: Die Einheitlichkeit der paulinischen Briefe, 1894.

Clemen, K.: Paulus, I. II, 1904.
–: Religionsgeschichtliche Erklärung des NT, (1909) ²1924.
Cludius, H. H.: Uransichten des Christenthums, 1808.
Coggins, R. J.: The Samaritans and Acts, NTS 28, 1981/82, 423 ff.
Collange, J.-F.: L'Épître de Saint Paul aux Phillipiens, 1973.
Colpe, C.: Zur Leib-Christi-Vorstellung im Epheserbrief, in: W. Eltester (Hrsg.), Judentum, Urchristentum, Kirche (FS. Jeremias), 1960, 172 ff.
–: Die religionsgeschichtliche Schule. Darstellung und Kritik ihres Bildes vom gnostischen Erlösermythos, 1961.
–: NT and Gnostic Christology, in: J. Neusner (Hrsg.), Religions in Antiquity (in memoriam E. Goodenough), 1968, 227 ff.
–: Art. ›Gnosis‹, RAC XI, 1981, 537 ff.
Conzelmann, H.: 'Was von Anfang war', in: Ntl. Studien für Rudolf Bultmann, 1954, 194 ff.
–: Der Brief an die Kolosser, NTD 8, ⁹1962, 130 ff.; ¹⁴1976, 176 ff.
–: Die Apostelgeschichte, HNT 7, 1963.
–: Grundriß der Theologie des NT, 1967 (³1976).
–: Der erste Brief an die Korinther, KEK V, (1969) ²1981.
Coutts, J.: The Relationship of Ephesians and Colossians, NTS 4, 1957/58, 201 ff.
Credner, K. A.: Einleitung in das NT, 1836.
–: Das NT nach Zweck, Ursprung und Inhalt, 1841.
Cribbs, F. L.: A Reassessment of the Date of Origin and the Destination of the Gospel of John, JBL 89, 1970, 38 ff.
Crowsnfield, F. R.: The Singular Problem of the Dual Galatians, JBL 64, 1945, 491 ff.
Cullmann, O.: Der johanneische Kreis, 1975.
Dahl, N. A.: Adresse und Proömium des Epheserbriefes, ThZ 7, 1951, 241 ff.
Dautzenberg, G., u. a. (Hrsg.): Zur Geschichte des Urchristentums, 1979, 33 ff.
Davies, W. D.: Paul and the Dead Sea Scrolls: Flesh and Spirit, in: K. Stendahl (Hrsg.), The Scrolls and the NT, 1957, 157 ff.
Deissmann, A.: Paulus, (1911) ²1925.
Delafosse, H.: Le quatrième Evangile, 1925.
Demke, Chr.: Theologie und Literaturkritik im 1. Thessalonicherbrief, in: G. Ebeling u. a. (Hrsg.), Festschrift für Ernst Fuchs, 1973, 103 ff.
Dibelius, M.: An die Kolosser, Epheser und Philemon, HNT 12, 1913, ³1953 (von H. Greeven).

–: Art. ›Johannesbriefe‹, RGG ²III, 1929, 346ff.
–: An die Thessalonicher, HNT 11, (²1925) ³1937.
–: Der Brief des Jakobus, KEK XV, (⁷1921) ⁸1956.
Dieterich, H.: Eine Mithrasliturgie, (1903) ³1923.
Dinkler, E.: Art. ›Korintherbriefe‹, RGG ³IV, 1960, 17ff.
Dobschütz, E. von: Probleme des apostolischen Zeitalters, 1904.
–: Johanneische Studien I, ZNW 8, 1907, 1ff.
–: Die Thessalonicherbriefe, KEK X, ⁷1909.
–: Die evangelische Theologie, 1927.
Dodd, C. H.: The First Epistle of John and the Fourth Gospel, BJRL 21, 1937, 129ff.
–: The Interpretation of the Fourth Gospel, 1953.
Doresse, J.: Les livres secrets des gnostiques d'Egypte, 1958.
Dörrie, H.: Gnostische Spuren bei Plutarch, in: R. van den Broek u. a. (Hrsg.), FS. Quispel, 1981, 92ff.
Drane, J. W.: Paul, Libertine or Legalist, 1975.
Drijvers, H. J. W.: The Origins of Gnosticism as a Religious and Historical Problem, NedThT 22, 1967/68, 321ff.
Drower, E. S.: The secret Adam, 1960.
Dupont, D. J.: La connaissance religieuse dans les épîtres de Saint Paul, 1949.
Eckart, K.-G.: Der zweite echte Brief des Apostels Paulus an die Thessalonicher, ZThK 58, 1961, 30ff.
Eckle, W.: Geist und Logos bei Cicero und im Johannesevangelium, 1978.
Edsman, C. M.: Schöpferwille und Geburt Jac 1,18, ZNW 38, 1939, 11ff.
Eichhorn, J. G.: Einleitung in das NT, II, 1811.
Ellis, E. E.: Prophecy and Hermeneutics in Early Christianity, 1978.
Eltester, W. (Hrsg.): Christentum und Gnosis. Aufsätze, 1969.
Ernst, J.: Pleroma und Pleroma Christi, 1970.
–: Die Briefe an die Philipper, an die Kolosser, an die Epheser, 1974.
Estius, G.: In omnes D. Pauli epistolas, item in catholicas commentarii, I. II, 1858/59.
Evans, C. A.: The Colossian Mystics, Bib 63, 1982, 188ff.
Ewald, P.: Der Brief des Paulus an die Philipper, (1908) ³1917.
Fascher, E.: Die Korintherbriefe und die Gnosis, in: Tröger, 1973, 281ff.
Faye, E. de: Introduction à l'étude du gnosticisme, 1903.
–: Gnostiques et gnosticisme, 1913.
Feine, P.: Die Abfassung des Philipperbriefes in Ephesus, 1916.
–: Einleitung in das NT, (1913) ⁵1930.

Feine, P./Behm, J.: Einleitung in das NT, 1936.
Feuillet, A.: Études Johanniques, 1962.
Fischer, K.-M.: Tendenz und Absicht des Epheserbriefs, 1973.
–: Der johanneische Christus und der gnostische Erlöser, in: Tröger, 1973, 245 ff.
Foerster, W.: Die Irrlehrer des Kolosserbriefes, in: Studia Biblica et Semitica (FS. Vriezen), 1966, 71 ff.
–: Die Gnosis, I. II, 1969, 1971.
Ford, J. M.: A Note on Proto-Montanism in the Pastoral Epistles, NTS 17, 1970/71, 338 ff.
Fraine, J. de: Adam und seine Nachkommen, 1962.
Francis, F. O.: Humility and Angelic Worship in Col 2,18, StTh 16, 1962, 109 ff.
Francke, A. H.: Die galatischen Gegner des Paulus, ThStKr 56, 1883, 133 ff.
Frickel, J.: Die 'Apophasis Megale' in Hippolyts Refutatio, 1968.
Freed, E. D.: Did John Write His Gospel Partly to Win Samaritan Converts?, NT 12, 1970, 241 ff.
Fridrichsen, A.: ΘΕΛΩΝ Col 2,18, ZNW 21, 1922, 135 ff.
Friedländer, M.: Der vorchristliche jüdische Gnosticismus, 1898.
Friedrich, G.: Die Gegner des Paulus im zweiten Korintherbrief, in: O. Betz u. a. (Hrsg.), Abraham, unser Vater (FS. Michel), 1963, 181 ff.
–: 1. Thessalonicher 5,1–11, der apologetische Einschub eines Späteren, ZThK 70, 1973, 288 ff.
–: Die Briefe an die Thessalonicher, NTD 8, [14]1976, 203 ff.
–: Der Brief an die Philipper, NTD 8, ([9]1962) [14]1976, 92 ff.
–: Die Verkündigung des Todes Jesu im NT, 1982.
Fuchs, E.: Hermeneutik?, ThViat 7, 1959/60, 44 ff.
Gaugler, E.: Die Johannesbriefe, 1964.
Georgi, D.: Die Gegner des Paulus im 2. Korintherbrief, 1964.
–: Die Geschichte der Kollekte des Paulus für Jerusalem, 1965.
Gewiess, J.: Die apologetische Methode des Apostels Paulus im Kampf gegen die Irrlehre in Kolossä, KiLe 3, 1962, 258 ff.
Gnilka, J.: Die antipaulinische Mission in Philippi, BZ 9, 1965, 258 ff.
–: Der Philipperbrief, 1968 ([3]1980).
–: Der Epheserbrief, 1971 ([2]1977).
–: Der Kolosserbrief, 1980.
Godet, F.: Commentaire sur la première épître aux Corinthiens, I. II, 1886, 1887.
–: Einleitung in das NT, I, 1894.

Goguel, M.: Introduction, I. II, 1924.
–: Exquisse d'une solution nouvelle du problème de l'épître aux Éphésiens, RHR 111, 1935, 254ff.; 112, 1936, 73ff.
Goodspeed, E. J.: New Solutions of NT Problems, 1927.
–: The Meaning of Ephesians, 1933.
–: Ephesians in the First Edition of Paul, JBL 70, 1951, 285ff.
–: The Key to Ephesians, 1956.
Goppelt, L.: Christentum und Judentum im ersten und zweiten Jahrhundert, 1954.
–: Theologie des NT, I. II, 1975, 1976.
–: Der erste Petrusbrief, KEK XII 1, [8]1978.
Goulder, M.: Die beiden Wurzeln des christlichen Mythos, in: J. Hick (Hrsg.), Wurde Gott Mensch? (engl. 1977) 1979, 73ff.
Gräßer, E.: Der Hebräerbrief 1938–1963, ThR 30, 1964, 138ff.
–: Der Glaube im Hebräerbrief, 1965.
–: Die Juden als Teufelssöhne in Joh 8, 37–47, in: Ders., Text und Situation, 1973, 70ff.
–: Die Heilsbedeutung des Todes Jesu in Hebräer 2, 14–18, in: C. Andresen u. a. (Hrsg.), Theologia crucis – Signum crucis (FS. Dinkler), 1979, 165ff.
Grant, F. C.: The Gospels, their Origin and Growth, 1957.
Grant, R. M.: Gnosticism and Early Christianity, 1959.
Green, E. M. B.: 2 Peter Reconsidered, 1962.
Gruenwald, J.: The Problem of the Anti-Gnostic Polemics in Rabbinic Literature, in: R. van den Broek u. a. (Hrsg.), 1981, 171ff.
Grundmann, W.: Die νήπιοι in der urchristlichen Paränese, NTS 5, 1958/59, 188ff.
–: Der Brief des Judas und der zweite Brief des Petrus, 1974.
Gschwind, K.: Die Niederfahrt Christi in die Unterwelt, 1911.
Güttgemanns, E.: Der leidende Apostel und sein Herr, 1966.
Gunkel, H.: Zum religionsgeschichtlichen Verständnis des NT, 1903.
Gunther, J. J.: St. Paul's Opponents and Their Background, 1973.
Guthrie, D.: NT Introduction, I. II. III, (1961) 1963 (1962) 1964, 1965.
Haacker, K.: Die Stiftung des Heils, 1972.
Haardt, R.: Die Gnosis. Wesen und Zeugnisse, 1967.
–: Zur Methodenfrage der Gnosisforschung, in: Tröger, 1973, 183ff.
Hadorn, W.: Die Abfassung der Thessalonicherbriefe in der Zeit der dritten Missionsreise des Paulus, 1919.
Haenchen, E.: Die Apostelgeschichte, KEK III, [13]1961, 676ff.
–: Die Botschaft des Thomas-Evangeliums, 1961.

Haenchen, E.: Gab es eine vorchristliche Gnosis?, in: Ders., Gott und Mensch, 1965, 265ff.
–: Die Bibel und Wir, 1968.
–: Simon Magus in der Apostelgeschichte, in: Tröger, 1973, 267ff.
–: Das Johannesevangelium, 1980.
Hahn, F.: Christologische Hoheitstitel, 1963.
–: Randbemerkungen zum Judasbrief, ThZ 37, 1981, 209ff.
Hamerton-Kelly, R. G.: Pre-Existence, Wisdom, and the Son of Man, 1973.
Hammond, H.: NT Domini nostri Jesu Christi ex versione vulgata cum paraphrasi et adnotationibus (1653)... in Latinam transtulit, suisque animadversionibus illustravit, castigavit, auxit Johannes Clericus, 2 Bde., 1698.
Harnack, A. von: Über den dritten Johannesbrief, 1897.
–: Lehrbuch der Dogmengeschichte, (1886) [4]1915.
Harnisch, W.: Eschatologische Existenz, 1973.
Hartin, P. J.: Gnosticism and the NT, ThEv 9, 1976, 131ff.
Hasler, V.: Die Briefe an Timotheus und Titus, 1978.
Haufe, G.: Vom Werden und Verstehen des NT, 1969.
–: Gnostische Irrlehre und ihre Abwehr in den Pastoralbriefen, in: Tröger, 1973, 325ff.
Haupt, E.: Der erste Brief des Johannes, 1869.
–: Der Brief an die Philipper, KEK IX, [7]1902.
Hedrick, C. W.: Christian Motifs in the Gospel of the Egyptians, NT 23, 1981, 242ff.
Hegermann, H.: Die Vorstellung vom Schöpfungsmittler im hellenistischen Judentum und Urchristentum, 1961.
Heitmüller, W.: Das Evangelium des Johannes, SNT II, (1907) [2]1908 ([3]1917), 685ff.
Hengel, M.: Der Sohn Gottes, 1975 ([2]1977).
–: Juden, Griechen, Barbaren, 1976.
–: Zur urchristlichen Geschichtsschreibung, 1979.
Hennecke, E./Schneemelcher, E.: Neutestamentliche Apokryphen, I. II, 1959, 1964.
Hickling, C. J. A.: Attitudes to Judaism in the Fourth Gospel, in: M. de Jonge (Hrsg.), L'Evangile de Jean, 1977, 347ff.
Hilgenfeld, A.: Die beiden Briefe an die Thessalonicher, ZWTh 5, 1862, 225ff.
–: Historisch-kritische Einleitung in das NT, 1875.
–: Die Ketzergeschichte des Urchristenthums, 1884.

–: Der Gnostizismus, ZWTh 33, 1890, 1 ff.
Hirsch, E.: Studien zum vierten Evangelium, 1936.
Hitzig, F.: Zur Kritik paulinischer Briefe, 1870.
Hoffmann, P.: Art. ›Auferstehung‹, TRE 4, 1979, 450 ff. 478 ff.
Hofius, O.: Katapausis, 1970.
–: Der Vorhang vor dem Thron Gottes, 1972.
–: Der Christushymnus Philipper 2,6–11, 1976.
Hofmann, J. C. K. von: Die Briefe Pauli an Titus und Timotheus, 1874.
–: Die Briefe Petri, Judä und Jakobi, 1875.
Hollmann, G.: Der Brief des Judas und der zweite Brief des Petrus, SNT II, (1907) [2]1908 ([3]1917), 571 ff.
Holsten, K.: Die drei ursprünglichen, noch ungeschriebenen Evangelien, 1883.
–: Zur Unechtheit des 1. Briefs an die Thessalonicher, JPTh, 3, 1877, 731 ff.
Holtz, G.: Die Pastoralbriefe, (1965) [3]1980.
Holtzmann, H. J.: Kritik der Epheser- und Kolosserbriefe, 1872.
–: Der Stand der Verhandlungen über die beiden letzten Capitel des Römerbriefes, ZWTh 17, 1874, 504 ff.
–: Die Pastoralbriefe, 1880.
–: Lehrbuch der historisch-kritischen Einleitung in das NT, (1885) [2]1886 ([3]1892).
–: Lehrbuch der neutestamentlichen Theologie, I. II, 1897 ([2]1911).
–: Briefe und Offenbarung des Johannes, HC IV 2, (1891) [3]1908.
Hooker, M. D.: Were there false teachers in Colossae?, in: FS. Moule, 1973, 315 ff.
Horbury, W.: The Benediction of the *Minim* and Early Jewish-Christian Controversy, JThS 33, 1982, 19 ff.
Horsley, R. A.: Gnosis in Corinth: I Corinthians 8,1–6, NTS 27, 1980/81, 32 ff.
Horton, F. L.: The Melchizedek Tradition, 1976.
Howard, W. F.: The Common Authorship of the Johannine Gospel and Epistles, JThS 48, 1947, 12 ff.
Hübner, H.: Anthropologischer Dualismus in den Hodayoth?, NTS 18, 1971/72, 268 ff.
Hug, L.: Einleitung in die Schriften des NT, 2 Bde., (1808) [3]1826 ([4]1847).
Hummel, R.: Die Auseinandersetzung zwischen Kirche und Judentum im Matthäusevangelium, 1963.
Hurd, J. C.: The Origins of I Corinthians, 1965.

Jaschke, H.-J.: Das Johannesevangelium und die Gnosis im Zeugnis des Irenäus von Lyon, MThZ 29, 1978, 337ff.
Jeremias, J.: Die Briefe an Timotheus und Titus, NTD 9, [11]1975.
Jewett, R.: Conflicting Movements in the Early Church as Reflected in Philippians, NT 12, 1970, 362ff.
–: The Agitators and the Galatian Congregation, NTS 17, 1970/71, 198ff.
–: Paul's Anthropological Terms, 1971.
–: Enthusiastic Radicalism and the Thessalonian Correspondence, in: Proceedings of the 108th Annual Meeting of the SBL, 1972, I, 181ff.
Jonas, H.: Gnosis und spätantiker Geist, I. II 1, 1934. ([3]1964) 1954.
–: The Gnostic Religion, 1958.
Jonge, M. de: Jewish Expectations About the 'Messiah' According to the Fourth Gospel, NTS 19, 1972/73, 246ff.
Jülicher, A.: Einleitung in das NT, (1894) [5+6]1906.
–: Der Brief an die Römer, SNT II, (1907) [2]1908 ([3]1917).
Jülicher, A./Fascher, E.: Einleitung in das NT, 1931.
Jüngel, E.: Paulus und Jesus, 1962.
Käsemann, E.: Leib und Leib Christi, 1933.
–: Das wandernde Gottesvolk, 1939.
–: Die Legitimität des Apostels, ZNW 41, 1942, 33ff.
–: Neutestamentliche Fragen von heute, ZThK 54, 1957, 1ff.
–: Art. 'Epheserbrief', RGG [3]II, 1958, 517ff.
–: Art. 'Kolosserbrief', RGG [3]III, 1959, 1727ff.
–: Eine urchristliche Taufliturgie (1949), in: Ders., Exegetische Versuche und Besinnungen I, 1960, 34ff.
–: Eine Apologie der urchristlichen Eschatologie (1952), in: Ders., 1960, 135ff.
–: Ketzer und Zeuge (1951), in: Ders., 1960, 168ff.
–: Das Problem des historischen Jesus (1954), in: Ders., 1960, 187ff.
–: Die Anfänge christlicher Theologie (1960), in: Ders., Exegetische Versuche und Besinnungen II, 1964, 82ff.
–: Jesu letzter Wille nach Joh 17, (1966) [3]1971
–: An die Römer, HNT 8a, 1973.
Karl, W. A.: Johanneische Studien I. Der erste Johannesbrief, 1898.
Karris, R. J.: Missionary Communities, CBQ 41, 1979, 80ff.
Keggermann, J. B. S.: Dissertatio de duplici epistolae ad Romanos appendice, 1767.
Kelly, J. N. D.: A Commentary on the Epistles of Peter and of Jude, 1972.
Kertelge, K.: Rechtfertigung bei Paulus, 1967.

Kippenberg, H. G.: Garizim und Synagoge, 1971.
Kittlaus, L. R.: The Fourth Gospel and Mark, Diss. Chicago 1978.
Klein, G.: Die zwölf Apostel, 1961.
–: 'Das wahre Licht scheint schon', ZThK 68, 1971, 261ff.
–: Art. ›Eschatologie IV, NT‹, TRE X, 1982, 270ff.
Kleuker, J. F.: Über den Ursprung und Zweck der apostolischen Briefe, 1799.
Klijn, A. F. J.: Paul's Opponents in Philippians III, NT 7, 1964/65, 278ff.
–: An Introduction to the NT, 1967.
Klöpper, A.: Kommentar über das zweite Sendschreiben des Apostels Paulus an die Gemeinde zu Korinth, 1874.
–: Der Brief an die Kolosser, 1882.
Knox, J.: Marcion und das NT, 1942.
Köhler, W.: Die Gnosis, 1911.
Köster, H.: Art. ›Urchristentum‹, RGG ³III, 1959, 17ff.
–: The Purpose of the Polemic of a Pauline Fragment (Philippians III), NTS 8, 1962, 317ff.
–: ΓΝΩΜΑΙ ΔΙΑΦΟΡΟΙ, ZThK 65, 1968, 160ff. (= Köster/Robinson, 1971, 107ff.).
–: Einführung in das NT, 1980.
Köster, H./Robinson, J. M.: Entwicklungslinien durch die Welt des frühen Christentums, 1971.
Koffmane, G.: Die Gnosis nach ihrer Tendenz und Organisation, 1881.
Koschorke, K.: Die Polemik der Gnostiker gegen das kirchliche Christentum, 1978.
Kossen, H. B.: Who were the Greeks of John XII 20, in: Unnik, W. C. van, Studies in Joh (FS. Sevenster), 1907, 97ff.
Kraft, H.: Zur Entstehung der Gnosis, in: L. Hein (Hrsg.), Die Einheit der Kirche (FS. Meinhold), 1977, 325ff.
Kragerud, A.: Der Lieblingsjünger im Johannesevangelium, 1959.
Krause, M. u. a. (Hrsg.): Nag Hammadi Studies 1ff., 1971ff.
Kretschmar, G.: Zur religionsgeschichtlichen Einordnung der Gnosis, EvTh 13, 1953, 354ff.
Kreyenbühl, J.: Das Evangelium der Wahrheit, I. II, 1900, 1905.
Kümmel, W. G.: Einleitung in das NT, (1963) ¹⁷1973, ²⁰1980.
Kuhn, K. G.: Die Schriftrollen vom Toten Meer, ET 11, 1951/52, 72ff.
–: πειρασμός – ἁμαρτία – σάρξ im NT und die damit zusammenhängenden Vorstellungen, ZThK 49, 1952, 200ff.
–: Der Epheserbrief im Lichte der Qumrantexte, NTS 7, 1960/61, 334ff.

Kuss, O.: Der Brief an die Hebräer, 1966.
–: Der Römerbrief, I. II. III, 1957, 1959, 1978.
Kysar, R.: The Fourth Evangelist and His Gospel, 1975.
Lähnemann, J.: Der Kolosserbrief, 1971.
Lagrange, M.-J.: Évangile selon Saint Jean, [5]1936.
–: La gnose mandéenne et la tradition évangélique, RB 37, 1928, 5ff.
Lake, K.: The Earlier Epistles of St. Paul, 1914.
Langbrandtner, W.: Weltferner Gott oder Gott der Liebe. Der Ketzerstreit in der johanneischen Kirche, 1977.
Lange, S. G.: Die Schriften Johannis, III, 1797.
Langerbeck, H.: Aufsätze zur Gnosis, 1967.
Lattke, M.: Einheit im Wort, 1975.
Layton, B.: The Rediscovery of Gnosticism, I, 1980; II, 1981.
Leidig, E.: Jesu Gespräch mit der Samaritanerin und weitere Gespräche im JohEv, Diss. Basel 1979.
Leisegang, H.: Die Gnosis, 1924.
Leistner, R.: Antijudaismus im JohEv, 1974.
Lidzbarski, M.: Mandäische Liturgien, 1920.
–: Ginza, 1925.
Lietzmann, H.: An die Römer, HNT 8, (1906) [4]1933.
–: An die Korinther, I. II, HNT 9, (1909) [4]1949.
Lieu, J. M.: Gnosticism and the Gospel of John, ET 90, 1979, 233ff.
Lightfoot, J. B.: St. Paul's Epistle to the Philippians, (1868) [3]1888.
–: St. Paul's Epistle to the Galatians, (1865) [10]1890.
–: St. Paul's Epistles to the Colossians and to Philemon, (1875) [11]1892.
Lindemann, A.: Die Aufhebung der Zeit, 1975.
–: Zum Abfassungszweck des zweiten Thessalonicherbriefes, ZNW 68, 1977, 35ff.
–: Gemeinde und Welt im Johannesevangelium, in: D. Lührmann (Hrsg.), Kirche (FS. Bornkamm), 1980, 133ff.
–: An die Gemeinde von 'Kolossä', WuD 16, 1981, 111ff.
–: Der Kolosserbrief, 1983.
Lindeskog, C.: Fortolkning til forste Johannesbrev, 1941.
Lips, H. von: Glaube – Gemeinde – Amt, 1979.
Lipsius, R. A.: Über Zweck und Veranlassung des ersten Thessalonicher-Briefs, ThStKr 27, 1854, 905ff.
–: Der Gnosticismus, sein Wesen, Ursprung und Entwicklungsgang, 1860.
–: Art. ›Gnosis‹, in: D. Schenkel (Hrsg.), Bibel-Lexikon II, 1869, 489ff.
–: Die Briefe an die Galater, Römer, Philipper, HC II 2, (1891) [2]1892.

Lohmeyer, E.: Die Offenbarung des Johannes, HNT 16, (1926) [2]1953.

–: Die Briefe an die Philipper, an die Kolosser und an Philemon, KEK IX, (1930) [13]1964.

Lohse, E.: Die Briefe an die Kolosser und an Philemon, KEK IX 2, [14]1968.

–: Die Entstehung des NT, 1972.

Loisy, A.: Le quatrième Évangile, [2]1921.

–: La Naissance du Christianisme, 1933.

–: Le Mandéisme et les Origines chrétiennes, 1934.

–: Les Origines du NT, 1936.

Lüdemann, G.: Untersuchungen zur simonianischen Gnosis, 1975.

–: Zum Antipaulinismus im frühen Christentum, ET 40, 1980, 437 ff.

–: Paulus, Der Heidenapostel, 1983.

Lührmann, D.: Der Brief an die Galater, 1978.

Lueken, W.: Der Erzengel Michael, 1898.

–: Die Briefe an Philemon, an die Kolosser und an die Epheser, SNT II, (1907) [2]1908 ([3]1917), 327 ff.

–: Die Briefe an die Thessalonicher, SNT II, (1907) [2]1908 ([3]1917), 5 ff.

–: Der Brief an die Philipper, SNT II, (1907) [2]1908 ([3]1917), 372 ff.

Lütgert, W.: Freiheitspredigt und Schwarmgeister in Korinth, 1908.

–: Die Irrlehrer der Pastoralbriefe, 1909.

–: Die Vollkommenen im Philipperbrief und die Enthusiasten in Thessalonich, 1909.

–: Amt und Geist im Kampf, 1911.

–: Der Römerbrief als historisches Problem, 1913.

–: Gesetz und Geist. Eine Untersuchung zur Vorgeschichte des Galaterbriefes, 1919.

Lyonnet, S.: L'étude du milieu littéraire et l'exégèse du NT, Bib 37, 1956, 1 ff.

–: Saint Paul et le Gnosticisme, in: U. Bianchi (Hrsg.), 1967, 538 ff.

Macdermot, V.: The Concept of Pleroma in Gnosticism, in: M. Krause (Hrsg.), Gnosis and Gnosticism, NHS 17, 1981, 76 ff.

Machalet, Chr.: Paulus und seine Gegner. Eine Untersuchung zu den Korintherbriefen, in: Theokratia 2, 1973, 183 ff.

MacRae, G. W.: The Fourth Gospel and Religionsgeschichte, CBQ 32, 1970, 13 ff.

–: The Jewish Background of the Gnostic Sophia Myth, NT 12, 1970, 86 ff.

–: Nag Hammadi and the NT, in: Aland, 1978, 144 ff.

Maddox, R.: The Purpose of Luke-Acts, 1982.

Maier, J.: Jüdische Faktoren bei der Entstehung der Gnosis?, in: Aland 1980, 239ff.
Mangold, W.: Die Irrlehrer der Pastoralbriefe, 1856.
Marshall, I. H.: The Acts of the Apostles, 1980.
Martyn, J. L.: Glimpses into the History of the Johannine Community, in: M. de Jonge (Hrsg.), L'Évangile de Jean, 1977, 149ff.
–: The Gospel of John in Christian History, 1978.
–: History and Theology in the Fourth Gospel, [2]1979.
Marxsen, W.: Einleitung in das NT, 1963 ([3]1964) [4]1978.
–: Der erste Brief an die Thessalonicher, 1979.
–: Der zweite Thessalonicherbrief, 1982.
Masson, C.: L'épître de Saint Paul aux Colossiens, 1950.
–: Les deux épitres de Saint Paul aux Thessaloniciens, 1957.
Matern, G.: Die erste große Herausforderung. Dualismus und Soteriologie der Gnosis bedrohen die junge Kirche in ihrer Substanz, in: Kirche und Bibel (FS. Schick) 1979, 261ff.
Matsunaga, K.: The 'Theos' Christology as the Ultimate Confession of the Fourth Gospel, AJBL 7, 1981, 124ff.
Matter, M.: Histoire critique du Gnosticisme, 1828, [2]1843.
Mayerhoff, E. Th.: Der Brief an die Colosser, 1838.
Meeks, W. A.: The Man from Heaven in Johannine Sectarianism, JBL 91, 1972, 52ff.
–: Simon Magus in Recent Research, RelSt Rev 3, 1977, 137ff.
–: Die Funktion des vom Himmel herabgestiegenen Offenbarers für das Selbstverständnis der johanneischen Gemeinde, in: Ders. (Hrsg.), Zur Soziologie des Urchristentums, 1979, 245ff.
Merklein, H.: Zur Entstehung der urchristlichen Aussage vom präexistenten Sohn Gottes, in: Dautzenberg, 1979, 33ff.
–: Paulinische Theologie in der Rezeption des Kolosser- und Epheserbriefes, in: K. Kertelge (Hrsg.), Paulus in den nt. Spätschriften, 1981, 25ff.
Meuzelaar, J. J.: Der Leib des Messias, 1961.
Michael, J. H.: The Epistle of Paul to the Philippians, [4]1946.
Michaelis, J. D.: Einleitung in die göttlichen Schriften des Neuen Bundes, 2 Bde., (1750) [3]1777 ([4]1788).
Michaelis, W.: Pastoralbriefe und Gefangenschaftsbriefe. Zur Echtheitsfrage der Pastoralbriefe, 1930.
–: Einleitung in das NT, (1946) [2]1954 ([3]1961).
Michel, O.: Der Brief an die Hebräer, KEK XIII, (1936) [2]1949, [7]1975.
–: Der Brief an die Römer, KEK IV, [14]1978.

Miranda, J. P.: Die Sendung Jesu im vierten Evangelium, 1977.
Mitton, C. L.: The Relationship Between I Peter and Ephesians, JThSt 1, 1950, 67ff.
–: The Epistle to the Ephesians, 1951.
Mosheim, J. L. von: Institutiones historicae ecclesiasticae NT, (1726) 1755.
Moule, C. F. D.: The Epistles of Paul the Apostle to the Colossians and to Philemon, 1957.
Müller, U. B.: Die Parakletvorstellung im Johannesevangelium, ZThK 71, 1974, 31ff.
–: Die Geschichte der Christologie in der johanneischen Gemeinde, 1975.
–: Die Bedeutung des Kreuzestodes Jesu im Johannesevangelium, KuD 21, 1975, 49ff.
–: Prophetie und Predigt im NT, 1975.
–: Zur frühchristlichen Theologiegeschichte, 1976.
Müller-Bardorff, J.: Zur Frage der literarischen Einheit des Philipperbriefes, WZ (J) 7, 1957/58, 591ff.
Munck, J.: Paulus und die Heilsgeschichte, 1954.
–: The Acts of the Apostles, 1967.
Mußner, F.: Christus, das All und die Kirche. Studien zur Theologie des Epheserbriefes, 1955.
–: Beiträge aus Qumran zum Verständnis des Epheserbriefes, in: J. Blinzler u. a. (Hrsg.), Neutestamentliche Aufsätze (FS. Schmid), 1963, 185ff.
–: Der Jakobusbrief, 1964.
–: Der Galaterbrief, 1974.
–: Ursprünge und Entfaltung der neutestamentlichen Sohneschristologie, in: L. Scheffczyk, 1975, 77ff.
Narborough, F. D.: The Epistle to the Hebrews, 1930.
Neander, A.: Genetische Entwicklung der vornehmsten gnostischen Systeme, 1818.
–: Geschichte der Pflanzung und Leitung der christlichen Kirche durch die Apostel, (1832) [5]1862.
Neugebauer, F.: Die Entstehung des Johannesevangeliums, 1968.
Neundorfer, H.-W.: Der Stephanuskreis in der Forschungsgeschichte seit F. C. Baur, 1982.
Nock, A. D.: Gnosticism, in: Ders., Essays on Religion and the Ancient World, I. II, 1972, 940ff.
Norden, E.: Agnostos Theos, 1913.
Nyberg, H. S.: Das Christentum als religionsgeschichtliches Problem, ZMR 50, 1935, 297ff.

Oepke, A.: Das neue Gottesvolk, 1950.
–: Die Briefe an die Thessalonicher, NTD 8, [7]1955 ([9]1962), 154 ff.
Ollrog, W.-H.: Paulus und seine Mitarbeiter, 1979.
Olshausen, H.: Die Briefe des Apostels Paulus an die Thessalonicher, 1840.
O'Neill, J. C.: The Puzzle of I John. A New Examination of Origins, 1966.
Oosterdorp, D. W.: Another Jesus. A Gospel of Jewish-Christian Superiority in II Corinthians, 1967.
Osiander, E.: Über die Colossischen Irrlehrer, TZTh 1834, H. 3, 96 ff.
Overfield, P. D.: Pleroma: A Study in Content and Context, NTS 25, 1978/79, 384 ff.
Pagels, E. H.: The Johannine Gospel in Gnostic Exegesis. Heracleon's Commentary on John, 1973.
Painter, J.: Witness and Theologian, (1975) [2]1979.
Pearson, B. A.: The Pneumatikos-Psychikos Terminology in I Corinthians: A Study in the Theology of the Corinthian Opponents of Paul and its Relations to Gnosticism, 1973.
Peel, M. L.: Gnostic Eschatology and the NT, NT 12, 1970, 141 ff.
Percy, E.: Untersuchungen über den Ursprung der johanneischen Theologie. Zugleich ein Beitrag zur Frage nach der Entstehung des Gnostizismus, 1939.
–: Der Leib Christi, 1942.
–: Das Problem der Kolosser- und Epheserbriefe, 1946.
Pétrement, S.: La notion du gnosticisme, RMM 64, 1959, 385 ff.
–: Sur le problème du gnosticisme, RMM 85, 1980, 145 ff.
Pfleiderer, O.: Der Paulinismus, (1873) [2]1887.
–: Das Urchristenthum, 1887 ([2]1902).
Pieper, K.: Zur Frage nach den Irrlehrern des Judasbriefes, 1939.
Pokorný, P.: Der Epheserbrief und die Gnosis. Die Bedeutung des Haupt-Glieder-Gedankens in der entstehenden Kirche, 1965.
Polhill, J. B.: Twin Obstacles in the Christian Path. Philippians 3, RExp 77, 1980, 359 ff.
Preisker, H.: Das historische Problem des Römerbriefes, WZ (J), 2, 1952/53, 25 ff.
Preuschen, E.: Die Apostelgeschichte, HNT IV 1, 1912.
Prümm, K.: Gnosis an der Wurzel des Christentums, 1972.
Puech, H.-Ch.: Ou en est le problème du gnosticisme?, RUB 39, 1933/34, 137 ff. 295 ff.
Quispel, G.: Gnosis als Weltreligion, 1951.

–: Der gnostische Anthropos und die jüdische Tradition, ErJb 22, 1954, 195 ff.
–: L'Évangile de Jean et la Gnose, RB 3, 1958, 197 ff.
–: Gnosticism and the NT (1965), in: Ders., Gnostic Studies I, 1974, 196 ff.
–: Gnosis, in: M. J. Vermaseren (Hrsg.), Die orientalischen Religionen im Römerreich, 1981, 413 ff.
Raschke, H.: Die Werkstatt des Markusevangelisten, 1924.
Rathjen, B. D.: The Three Letters of Paul to the Philippians, NTS 6, 1959/60, 167 ff.
Rawlinson, A. E. J.: The NT Doctrine of the Christ, 1926.
Reicke, B.: Diakonie, Festfreude und Zelos, 1951.
–: The Epistles of James, Peter and Jude, 1964.
Reitzenstein, R.: Poimandres, 1904.
–: Das iranische Erlösungsmysterium, 1921.
–: Die hellenistischen Mysterienreligionen, (1910) ³1927.
Renan, E.: Paulus, 1869.
Reuss, E.: Die Geschichte der Heiligen Schriften NT, 2 Bde., (1842) ⁵1874 (⁶1887).
Richter, G.: Studien zum Johannesevangelium, 1977.
Riesner, R.: Präexistenz und Jungfrauengeburt, ThBeitr 12, 1981, 177 ff.
Rigaux, B.: Saint Paul et ses Lettres, 1962.
Rist, M.: Pseudoepigraphic Refutations of Marcionitism, JR 22, 1942, 39 ff.
Ritschl, A.: Über die im Briefe des Judas charakterisierten Antinomisten, ThStKr 34, 1861, 103 ff.
Robert, A./Feuillet, A.: Introduction à la Bible, (II, 1959), dt. 1964.
Robinson, J. A. T.: The Destination and Purpose of St. John's Gospel, NTS 6, 1959/60, 117 ff.
–: The Destination and Purpose of the Johannine Epistles, NTS 7, 1960/61, 56 ff.
Robinson, J. M.: Kerygma und Geschichte im NT, ZThK 62, 1965, 294 ff. (= Köster/Robinson, 1971, 20 ff.).
–: Gnosticism and the NT, in: Aland, 1978, 125 ff.
Roloff, J.: Die Apostelgeschichte, NTD 5, 1981.
Ropes, J. H.: The Singular Problem of the Epistle to the Galatians, 1929.
Ruckstuhl, E.: Die literarische Einheit des Johannesevangeliums, 1951.
–: Das Johannesevangelium und die Gnosis, in: H. Baltensweiler u. a. (Hrsg.), NT und Geschichte (FS. Cullmann), 1972, 143 ff.

Rudolph, K.: Die Mandäer, I. II, 1960, 1961.
–: Theogonie, Kosmogonie und Anthropogonie in den mandäischen Schriften, 1965.
–: Randerscheinungen des Judentums und das Problem der Entstehung des Gnostizismus, Kairos 9, 1967, 105 ff.
–: Gnosis und Gnostizismus. Ein Forschungsbericht, ThR 34, 1969, 121 ff.; 181 ff.; 258 ff.; 36, 1971, 1 ff.; 89 ff.; 37, 1972, 289 ff.; 38, 1973, 1 ff.
– (Hrsg.): Gnosis und Gnostizismus (WdF 262), 1975.
–: Zum gegenwärtigen Stand der mandäischen Religionsgeschichte, in: Tröger, 1973, 121 ff.
–: Simon – Magus oder Gnosticus? Zum Stand der Debatte, ThR 42, 1977, 279 ff.
–: Die Gnosis, (1977) ²1980.
–: Der Mandäismus in der neueren Gnosisforschung, in: Aland (Hrsg.), 1978, 244 ff.
–: Der mandäische 'Diwan der Flüsse', 1982.
Rückert, L. J.: Commentar über den Brief Pauli an die Römer, 1831.
Salles-Dabadie, J. M. A.: Recherches sur Simon le Mage I. L'apophasis megale, 1969.
Salmon, G.: A Historical Introduction to the Study of the Books of the NT, 1885.
Saunders, E. W.: The Colossian Heresy and Qumran Theology, in: B. L. Daniels u. a. (Hrsg.), FS. K. W. Clark, 1967, 133 ff.
Schaefer, A./Meinertz, M.: Einleitung in das NT, ³1921.
Schäfer, P.: Die sogenannte Synode von Jabne. Zur Trennung von Juden und Christen im ersten/zweiten Jahrhundert n. Chr., Judaica 31, 1975, 54 ff.; 116 ff.
Schammberger, H.: Die Einheitlichkeit des Jakobusbriefes im antignostischen Kampf, 1936.
Scheffczyk, L. (Hrsg.): Grundfragen der Christologie heute, 1975.
Schelkle, K. H.: Die Petrusbriefe. Der Judasbrief, (1961) ²1964, ⁵1980.
–: Der Judasbrief bei den Kirchenvätern, in: O. Betz u. a. (Hrsg.), Abraham, unser Vater (FS. Michel), 1963, 405 ff.
Schenk, W.: Der 1. Korintherbrief als Briefsammlung, ZNW 60, 1969, 219 ff.
–: Die gnostisierende Deutung des Todes Jesu und ihre kritische Interpretation durch den Evangelisten Markus, in: Tröger, 1973, 231 ff.
Schenke, H.-M.: Der Gott 'Mensch' in der Gnosis, 1962.

–: Der Widerstreit gnostischer und kirchlicher Christologie im Spiegel des Kolosserbriefes, ZThK 61, 1964, 391 ff.
–: Hauptprobleme der Gnosis, Kairos 7, 1965, 114 ff.
–: Das Problem der Beziehung zwischen Judentum und Gnosis, Kairos 7, 1965, 124 ff.
–: Erwägungen zum Rätsel des Hebräerbriefes, in: H. D. Betz u. a. (Hrsg.), NT und christliche Existenz (FS. Braun), 1973, 421 ff.
–: Die neutestamentliche Christologie und der gnostische Erlöser, in: Tröger, 1973, 205 ff.
–: Die jüdische Melchisedekgestalt als Thema der Gnosis, in: Tröger (Hrsg.), Altes Testament – Frühjudentum – Gnosis, 1980, 111 ff.
Schenke, H.-M./Fischer, K. M.: Einleitung in die Schriften des NT, I. II, 1978, 1979.
Schenkel, D.: Ecclesia primaeva factionibus turbata, 1838.
–: Art. ›Kolosserbrief‹, in: Ders. Bibel-Lexikon III, 1871, 566 ff.
–: Art. ›Pastoralbriefe‹, in: Ders., Bibel-Lexikon IV, 1872, 393 ff.
Scherer, E.: De gnosticis, qui in novo Testamento impugnari dicuntur, 1841.
Schierse, F. J.: Nag-Hammadi und das NT, StZ 168, 1961, 47 ff.
Schierse, J.: Verheißung und Heilsvollendung, 1955.
Schille, G.: Der Autor des Epheserbriefes, ThLZ 82, 1957, 325 ff.
–: Frühchristliche Hymnen, 1962.
Schinz, W. H.: Die christliche Gemeinde zu Philippi, 1833.
Schlatter, A.: Die korinthische Theologie, 1914.
Schleiermacher, F. W.: Versuch einer Widerlegung der hauptsächlichen Einwürfe, die in der neutestamentlichen Zeit gegen die Aechtheit des Evangelii Johannis gemacht sind, 1802.
Schlier, H.: Religionsgeschichtliche Untersuchungen zu den Ignatiusbriefen, 1929.
–: Christus und die Kirche im Epheserbrief, 1930.
–: Der Brief an die Galater, KEK VII, [10]1949, [12]1962.
–: Die Ordnung der Kirche nach den Pastoralbriefen (1948), in : Ders., Die Zeit der Kirche, 1955, 129 ff.
–: Der Brief an die Epheser, (1957) [2]1958.
–: Besinnung auf das NT, 1964.
–: Der Römerbrief, 1977.
Schmid, C. F.: Biblische Theologie des NT, (1853) [3]1864.
Schmidt, J. E. C.: Vermutungen über die beiden Briefe an die Thessalonicher, Bibliothek für Kritik und Exegese, II, 1798, 380 ff.

Schmidt, J. E. C.: Historisch-kritische Einleitung ins NT, I. II, 1804, 1805.
Schmidt, T.: Der Leib Christi, 1919.
Schmiedel, P. W.: Die Briefe an die Thessalonicher und an die Korinther, HC II 1, (1891) ²1892.
–: Die Johannesschriften des NT, I. II, 1906.
Schmithals, W.: Das kirchliche Apostelamt, 1961.
–: Paulus und Jakobus, 1963.
–: Paulus und die Gnostiker, 1965.
–: Die Gnosis in Korinth, (1956) ³1969.
–: Das Verhältnis von Gnosis und NT als methodisches Problem, NTS 16, 1969/70, 373 ff.
–: Die gnostischen Elemente im NT als hermeneutisches Problem, in: Tröger, 1973, 359 ff.
–: Die Korintherbriefe als Briefsammlung, ZNW 64, 1973, 263 ff.
–: Der Römerbrief als historisches Problem, 1975.
–: Gnosis und NT, VF 21, 1976, 22 ff.
–: Zur Herkunft der gnostischen Elemente in der Sprache des Paulus, in: Aland, 1978, 385 ff.
–: Der Prolog des Johannesevangeliums, ZNW 70, 1979, 16 ff.
–: Die Worte vom leidenden Menschensohn. Ein Schlüssel zur Lösung des Menschensohn-Problems, in: C. Andresen u. a. (Hrsg.), Theologia crucis – Signum crucis (FS. Dinkler), 1979, 417 ff.
–: Das Evangelium nach Markus, 1979.
–: Das Evangelium nach Lukas, 1980.
–: Die Apostelgeschichte des Lukas, 1982.
–: Judaisten in Galatien?, ZNW 74, 1983, 27 ff.
Schnackenburg, R.: Die Johannesbriefe, (1953) ³1963 (⁵1975).
–: Das Johannesevangelium, I. II. III, 1965, 1971, 1975.
–: Der Brief an die Epheser, 1982.
–: Paulinische und johanneische Christologie. Ein Vergleich, in: U. Luz u. a. (Hrsg.), Die Mitte des NT (FS. Schweizer), 1983, 221 ff.
Schneckenburger, M.: Das Evangelium Johannis und die Gnostiker, in: Ders., Beiträge zur Einleitung in das NT, 1832, 60 ff.
Schneider, C.: Geistesgeschichte des antiken Christentums, I 1954.
Schneider, G.: Präexistenz Christi, in: J. Gnilka (Hrsg.), NT und Kirche (FS. Schnackenburg), 1974, 399 ff.
–: Das Evangelium nach Lukas, 1977.
–: Der Zweck des lukanischen Doppelwerks, BZ 21, 1977, 45 ff.

–: Stephanus, die Hellenisten und Samaria, in: J. Kremer (Hrsg.), Les Actes des Apôtres, 1979, 215 ff.
–: Die Apostelgeschichte, I. II, 1980, 1982.
Schneider, J.: Die Kirchenbriefe, NTD 10, ^{9}1961.
Schniewind, J.: Nachgelassene Reden und Aufsätze, 1952.
Schoeps, H. J.: Theologie und Geschichte des Judenchristentums, 1949.
–: Urgemeinde, Judenchristentum, Gnosis, 1956.
Scholem, G.: Jewish Gnosticism, Merkabah Mysticism and Talmudic Tradition, 1960.
Scholer, D. M.: Nag Hammadi Bibliography, 1948–1969, 1971.
–: Bibliographia Gnostica Supplementum, III NT and Gnosticism, NT 13, 1971, 328; 14, 1972, 321 f.; 15, 1973, 333 f.; 16, 1974, 324; 17, 1975, 319; 19, 1977, 306 ff.; 20, 1978, 308 f.; 21, 1979, 365 f.; 22, 1980, 362 f.; 23, 1981, 368.
Scholten, J. H.: Das Evangelium nach Johannes, 1867.
Schottroff, L.: Der Glaubende und die feindliche Welt, 1970.
Schrader, C.: Der Apostel Paulus, V 1836.
Schrage, W. (und Balz, H.): Die 'katholischen' Briefe, NTD 10, ^{11}1973.
Schreiber, J.: Die Christologie des Markusevangeliums, ZThK 58, 1961, 154 ff.
–: Theologie des Vertrauens. Eine redaktionsgeschichtliche Untersuchung des Markusevangeliums, 1967.
–: Die Bestattung Jesu, ZNW 72, 1981, 141 ff.
Schulz, S.: Untersuchungen zur Menschensohn-Christologie im Johannesevangelium, 1957.
–: Die Bedeutung neuer Gnosisfunde für die Neutestamentliche Wissenschaft, ThR 26, 1960, 209 ff.; 301 ff.
–: Das Evangelium nach Johannes, NTD 4, ^{12}1972.
–: Die Mitte der Schrift, 1976.
–: Die Anfänge urchristlicher Verkündigung, in: U. Luz u. a. (Hrsg.), Die Mitte des NT (FS. Schweizer), 1983, 254–271.
Schwarz, E.: Aporien im vierten Evangelium, NGWG, PH 1907, 342 ff.; 1908, 115 ff.; 497 ff.
Schwegler, A.: Das nachapostolische Zeitalter in den Hauptmomenten seiner Entwicklung, I, 1846; II, 1847.
Schweitzer, A.: Die Mystik des Apostels Paulus, 1930.
Schweizer, A.: Das Evangelium Johannes, 1841.
Schweizer, E.: Ego Eimi, 1939.

Schweizer, E.: Die hellenistische Komponente im neutestamentlichen σάρξ-Begriff (1957), in: Ders., Neotestamentica, 1963, 29ff.
–: Die Kirche als Leib Christi (1961), in: Ders., Neotestamentica, 1963, 272ff.
–: Zur Herkunft der Präexistenzvorstellung bei Paulus (1959), in: Ders., 1963, 105ff.
–: Die theologische Leistung des Markus, EvTh 24, 1964, 337ff.
–: Art. υἱός, (NT), ThWNT VIII, 1969, 364ff.
–: Die 'Elemente der Welt'. Gal 4, 3. 9; Kol 2, 8. 20, in: Ders., Beiträge zur Theologie des NT, 1970, 147ff.
–: Zur neueren Forschung am Kolosserbrief, ThBer 5, 1976, 163ff.
–: Der Brief an die Kolosser, 1976 (^{2}1980).
Scott, E. F.: The Fourth Gospel, (1906) ^{2}1908.
Scroggs, R.: Paul: ΣΟΦΟΣ and ΠΝΕΥΜΑΤΙΚΟΣ, NTS 14, 1967/68, 33ff.
Seeberg, A.: Der Brief an die Hebräer, 1912.
Segovia, E. F.: Agape/Agapan in I John and in the Fourth Gospel, Diss. Notre Dame University, 1978.
Sellin, G.: 'Die Auferstehung ist schon geschehen.' Zur Spiritualisierung apokalyptischer Terminologie im NT, NT 25, 1983, 220ff.
Semler, J. S.: Paraphrasis epistolae ad Romanos, 1769.
–: Paraphrasis Evangelii Johannis, 1771.
–: Paraphrasis in primam Joannis epistolam, 1792.
Senft, C.: La première Épître de Saint Paul aux Corinthiens, 1979.
Siber, P.: Mit Christus leben, 1971.
Sickenberger, J.: Kurzgefaßte Einleitung in das NT, (1910) $^{5+6}$1939.
Sieffert, F.: Art. ›Judasbrief‹, RE ^{2}VII, 1880, 277ff.
Smallwood, E. M.: The Jews under Roman Rule, 1976.
Smith, D. M.: Johannine Christianity. Some Reflections on its Character and Delineation, NTS 21, 1974/75, 222ff.
Soden, H. von: Die Briefe an die Kolosser, Epheser, Philemon; die Pastoralbriefe, HC III 1, ^{2}1893.
–: Der zweite Brief des Petrus, HC III 2, ^{3}1899.
–: Urchristliche Literaturgeschichte, 1905.
–: Sakrament und Ethik bei Paulus, 1931.
Soltau, W.: Das vierte Evangelium in seiner Entstehungsgeschichte dargelegt, 1916.
Spitta, F.: Der zweite Brief des Petrus und der Brief des Judas, 1885.
–: Das Johannesevangelium als Quelle der Geschichte Jesu, 1910.
Spörlein, B.: Die Leugnung der Auferstehung, 1971.

Stählin, G.: Art. ›Galaterbrief‹, RGG [3]II, 1958, 1188.
Stauffer, E.: Die Theologie des NT, 1945.
Steffen, J. P.: Das Wesen des Gnostizismus, 1922.
Steinmann, A.: Gegen welche Irrlehrer richtet sich der Kolosserbrief, Straßburger Diözesanblatt, 1906, 105 ff.
Stemberger, G.: 'Er kam in sein Eigentum'. Das Johannesevangelium im Dialog mit der Gnosis, WuW 28, 1973, 435 ff.
–: Die sogenannte 'Synode von Jabne' und das frühe Christentum, Kairos 19, 1977, 14 ff.
Stephenson, A. M. G.: On the Meaning of ἐνέστηκεν ἡ ἡμέρα τοῦ κυρίου in 2Thessalonians 2,2, StEv IV (TU 102), 1968, 442 ff.
Stork, H.: Die sogenannten Melchisedekianer, 1928.
Storr, G. C.: Über den Zweck der evangelischen Geschichte und Briefe Johannis, 1786.
Strathmann, H.: Art. ›Johannes, II: Briefe‹, EKL II, 1958, 363 f.
Strecker, G.: Elkesai, in: Ders., Eschaton und Historie, 1979, 320 ff.
Strobel, A.: Der Brief an die Hebräer, NTD 9, [11]1975.
Stürmer, K.: Auferstehung und Erwählung, 1953.
Suhl, A.: Paulus und seine Briefe, 1975.
Talbert, C. H.: Luke und the Gnostics, 1966.
–: II Peter and the Delay of the Parousia, VigChr 20, 1966, 137 ff.
–: Again: Paul's Visit to Jerusalem, NT 9, 1967, 26 ff.
–: An Anti-Gnostic Tendency in Lucan Christology, NTS 14, 1967/68, 259 ff.
–: The Redaction Critical Quest for Luke the Theologian, in: D. G. Buttrick (Hrsg.), Jesus and Man's Hope, 1970, 171 ff.
–: The Myth of a Descending – Ascending Redeemer in Mediterranean Antiquity, NTS 22, 1975/76, 418 ff.
Theißen, G.: Untersuchungen zum Hebräerbrief, 1969.
Thiersch, H. W. J.: Die Kirche im apostolischen Zeitalter, 1852.
Thüsing, W.: Glaube an die Liebe, in: J. Schreiner (Hrsg.), Gestalt und Anspruch des NT, 1969, 282 ff.
Thyen, H.: Johannes 13 und die 'Kirchliche Redaktion' des vierten Evangeliums, in: G. Jeremias u. a. (Hrsg.), Tradition und Glaube (FS. Kuhn), 1971, 343 ff.
–: Aus der Literatur zum Johannesevangelium, ThR 39, 1974, 1 ff. 222 ff. 289 ff.; 42, 1977, 211 ff.; 43, 1978, 328 ff.; 44, 1979, 97 ff.
–: '. . . denn wir lieben die Brüder' (1Joh 3, 14), in: J. Friedrich u. a (Hrsg.), Rechtfertigung (FS. Käsemann), 1976, 527 ff.

Thyen, H.: Entwicklungen innerhalb der johanneischen Theologie und Kirche im Spiegel von Joh 21 und der Lieblingsjüngertexte des Evangeliums, in: M. de Jonge (Hrsg.), L'Évangile de Jean . . ., 1977, 259ff.
–: 'Das Heil kommt von den Juden', in: D. Lührmann (Hrsg.), Kirche (FS. Bornkamm), 1980, 163ff.
Tittmann, C. C.: De vestigiis in Novo Testamento frustra quaesitis, 1773.
Trilling, W.: Das wahre Israel, (1959) ³1964.
–: Der zweite Brief an die Thessalonicher, 1980.
Tröger, K.-W. (Hrsg.): Gnosis und NT, 1973.
–: Ja oder Nein zur Welt. War der Evangelist Johannes Christ oder Gnostiker, in: ThVers 7, 1976, 61ff.
–: (Hrsg.), Altes Testament – Frühjudentum – Gnosis, 1980.
–: Zum gegenwärtigen Stand der Gnosis- und Nag-Hammadi-Forschung, in: Ders., 1980, 11ff.
–: Gnosis und Judentum, in: Ders., 1980, 155ff.
Tyson, J. B.: Paul's Opponents in Galatia, NT 10, 1968, 241ff.
–: Paul's Opponents at Philippi, PRSt 3, 1976, 82ff.
Unnik, W. C. van: Christianity according to I Peter, ET 68, 1956/57, 79ff.
–: The Purpose of St. John's Gospel, in: StEv 1 (Tu 73), 1959, 382ff.
–: Die Apostelgeschichte und die Häresien, ZNW 58, 1967, 240ff.
–: Gnosis und Judentum, in: Aland, 1978, 65ff.
Venetz, H.-J.: ›Durch Wasser und Blut gekommen‹. Exegetische Überlegungen zu 1Joh 5,6, in: U. Luz u. a (Hrsg.), Die Mitte des NT (FS. Schweizer), 1983, 345ff.
Vielhauer, Ph.: Geschichte der urchristlichen Literatur, 1975.
–: Erwägungen zur Christologie des Markusevangeliums, in: E. Dinkler (Hrsg.), Zeit und Geschichte (FS. Bultmann), 1964, 155ff.
Volkmar, G.: Die Religion Jesu, 1857.
–: Paulus Römerbrief, 1875.
Walch, C. W. F.: Entwurf einer vollständigen Historie der Ketzereien, I–XI, 1762–1785.
Walker, R.: Die Heilsgeschichte im ersten Evangelium, 1967.
Wegenast, K.: Das Verständnis der Tradition bei Paulus und in den Deuteropaulinen, 1962.
Weinel, H.: Biblische Theologie des NT, (1911) ⁴1928.
Weiser, A.: Die Apostelgeschichte, I, 1981.
Weiss, B.: Die Johannesbriefe, KEK XIV, ⁵1888.
–: Lehrbuch der Biblischen Theologie, (1868) ⁵1888.
–: Lehrbuch der Einleitung in das NT, (1886) ³1897.

Weiß, H.-F.: Gnostische Motive und antignostische Polemik im Kolosser- und im Epheserbrief, in: Tröger, 1973, 311ff.
Weiss, J.: Über die Absicht und den literarischen Charakter der Apostelgeschichte, 1897.
–: Die drei älteren Evangelien, SNT I, ²1907.
–: Die Offenbarung des Johannes, SNT II, ²1908, 597ff.
–: Die Aufgaben der neutestamentlichen Wissenschaft in der Gegenwart, 1908.
–: Der erste Korintherbrief, KEK V, ⁹1910.
–: Das Urchristentum, 1917.
Weiß, K.: Die 'Gnosis' im Hintergrund und im Spiegel der Johannesbriefe, in: Tröger, 1973, 341ff.
Weisse, C. H.: Die evangelische Geschichte, I. II, 1838.
–: Philosophische Dogmatik I, 1855.
–: Beiträge zur Kritik der paulinischen Briefe, 1867.
Weizsäcker, C.: Über die älteste Römische Christengemeinde, JPTh 21, 1876, 248ff.
–: Das apostolische Zeitalter, (1884) ³1902.
Wellhausen, J.: Erweiterungen und Änderungen im vierten Evangelium, 1907.
–: Das Evangelium Johannis, 1908.
Wendland, H.-D.: Die Briefe an die Korinther, NTD 7, ⁴1946 (¹²1972).
Wendland, P.: Die hellenistisch-römische Kultur, HNT 2, 1907 (²⁺³1912) (⁴1972).
Wendt, H. H.: Das Johannesevangelium, 1900.
–: Die Schichten im vierten Evangelium, 1911.
–: Die Apostelgeschichte, KEK III, ⁹1913.
–: Die Johannesbriefe und das johanneische Christentum, 1925.
Wengst, K.: Häresie und Orthodoxie im Spiegel des ersten Johannesbriefes, 1976.
–: Der erste, zweite und dritte Brief des Johannes, 1978.
–: Bedrängte Gemeinde und verherrlichter Christus, 1981.
Wernle, P.: Die Anfänge unserer Religion, (1901) ²1904.
de Wette, W. M. L.: Kurze Erklärung des Briefes an die Galater, (1841) ²1845.
–: Kurze Erklärung des Briefes an die Römer, 1847.
–: Lehrbuch der historisch-kritischen Einleitung in die kanonischen Bücher des NT, (1826) ⁵1848 (⁶1860).
–: Das NT, I. II, 1887, 1885.

Wetter, G. P.: Der Sohn Gottes. Eine Untersuchung über den Charakter und die Tendenz des Johannesevangeliums, 1916.
–: Eine gnostische Formel im vierten Evangelium, ZNW 18, 1918, 49ff.
Widengren, G.: Les origines du gnosticisme et l'histoire de religions, in: U. Bianchi, 1967, 28ff.
Wiefel, W.: Die Scheidung von Gemeinde und Welt im Johannesevangelium auf dem Hintergrund von Kirche und Synagoge, ThZ 35, 1979, 213ff.
Wiesinger, A.: Die Briefe des Paulus an die Philipper, an Titus, Timotheus und Philemon, 1850.
Wikenhauser, A.: Einleitung in das NT, (1953) [4]1961.
Wikenhauser, A./Schmid, J.: Einleitung in das NT, [6]1973.
Wilckens, U.: Weisheit und Torheit, 1959.
–: Art. ›Präexistenz Christi‹, RGG [3]V, 1961, 491f.
–: Über die Bedeutung jüdischer Überlieferung in der Geschichte des hellenistischen Urchristentums, ThViat 8, 1961/62, 285ff.
–: Art. σοφία, ThWNT VII, 1964, 465ff.
–: Der Brief an die Römer, EKK VI 1.2.3, 1978, 1980, 1982.
–: Zu 1Kor 2,1–16, in: C. Andresen u. a. (Hrsg.), Theologia crucis – Signum crucis (FS. Dinkler), 1979, 501ff.
Wilkens, W.: Die Entstehungsgeschichte des vierten Evangeliums, 1958.
Wilson, E.: Die Schriftrollen vom Toten Meer, 1956.
Wilson, R. McL.: Gnostic Origins, VigChr 9, 1955, 193ff.
–: Gnostics – in Galatia?, StEv IV (TU 102), 1968, 358ff.
–: Gnosis und NT, (engl. 1968) 1971.
–: Simon and Gnostic Origins, in: J. Kremer (Hrsg.), Les Actes des Apôtres, 1979, 485ff.
–: Nag Hammadi and the NT, NTS 28, 1981/82, 289ff.
Windisch, H.: Der zweite Korintherbrief, KEK VI, [9]1924.
–: Die katholischen Briefe, HNT 15, (1911) [2]1930, [3]1951 (von H. Preisker).
–: Der Hebräerbrief, HNT 14, (1913) [2]1931.
Winter, M.: Pneumatiker und Psychiker in Korinth, 1975.
Wisse, F.: The Epistle of Jude in the History of Heresiology, in: M. Krause (Hrsg.), Essays on the Nag Hammadi Texts (FS. Böhlig), 1972, 133ff.
Wittichen, C.: Der geschichtliche Charakter des Evangeliums Johannes in Verbindung mit der Frage nach seinem Ursprung, 1869.
Wolff, C.: Der erste Brief des Paulus an die Korinther, 1982.
Wrede, W.: Über Aufgabe und Methode der sogenannten neutestamentlichen Theologie, 1897.
–: Charakter und Tendenz des Johannesevangeliums, 1903.

–: Paulus, 1905.
Wurm, A.: Die Irrlehrer im ersten Johannesbrief, 1903.
Wuttke, G.: Melchisedek, der Priesterkönig von Salem, 1927.
Yamauchi, E.: Qumran und Colossae, BSTR 121, 1964, 141 ff.
–: Pre-Christian Gnosticism, 1973.
–: Jewish Gnosticism?, in: R. Broek, 1981, 467 ff.
Zahn, Th.: Einleitung in das NT, (1897) I. [3]1906; II. [3]1907.
Zedda, S.: Il carattere Gnostico e Giudaico dell'errore colossese nella luce dei manoscritti del Mar Morto, RevBib 5, 1957, 31 ff.
Zeller, E.: Die äußeren Zeugnisse über das Dasein und den Ursprung des vierten Evangeliums, ThJB 4, 1845, 579 ff.; 5, 1846, 136 ff.

AUTORENREGISTER

Aus unserem weiteren Programm

[illegible]

Aus dem weiteren Programm

4610-2 Beyschlag, Karlmann:
Grundriß der Dogmengeschichte. Band 1: **Gott und Welt.**

1982. XVIII, 284 S., kart.

Der hier vorgelegte „Grundriß" ist erstmals sowohl für protestantische als auch für katholische Leser bestimmt. Er will nicht nur dem Studierenden bei der Bewältigung eines grundlegenden theologischen Sachgebietes behilflich sein, sondern wendet sich darüber hinaus an Dozierende, ja an den Theologen schlechthin.

9054-3 Günzler, Claus (Hrsg.):
Ethik und Lebenswirklichkeit. Theologische und philosophische Beiträge zur ethischen Dimension von Gegenwartsproblemen. Festschrift für Heinz Horst Schrey zum 70. Geburtstag.

1982. VII, 180 S., 1 Frontispiz, Gzl.

Das Buch will wesentliche Probleme des heutigen Lebensverständnisses aus verschiedenen Positionen der theologischen und philosophischen Ethik verdeutlichen und damit zugleich die Fruchtbarkeit historischer ethischer Ansätze für die Gegenwartssituation aufzeigen.

8549-3 Gerdes, Hayo:
Sören Kierkegaards 'Einübung im Christentum'. Einführung und Erläuterung.

1982. X, 138 S., kart.

Zusammen mit der „Krankheit zum Tode" ist die „Einübung im Christentum" Kierkegaards theologisches Hauptwerk. Dieser Kommentar möchte dem Leser die Hauptgedanken Kierkegaards nahebringen. Dabei ist nicht so sehr an die Fachspezialisten gedacht als vielmehr an jeden an Kierkegaard Interessierten.

6030-X Harnisch, Wolfgang (Hrsg.):
Gleichnisse Jesu. Positionen der Auslegung von Adolf Jülicher bis zur Formgeschichte. (WdF, Bd. 366.)

1982. VIII, 457 S., Gzl.

Der Band bietet einen Abriß neutestamentlicher Gleichnisauslegung von der Jahrhundertwende bis zur Gegenwart. Bei den zusammengestellten Aufsätzen und Buchauszügen handelt es sich um Beiträge, die sich mit methodologischen Problemen der Exegese befassen, den Gleichnisstoff der synoptischen Tradition also unter prinzipiellen Fragestellungen angehen.

8314-8 Harnisch, Wolfgang (Hrsg.):
Die neutestamentliche Gleichnisforschung im Horizont von Hermeneutik und Literaturwissenschaft. (WdF, Bd. 575.)

1982. IX, 441 S. mit schemat. Darst., Tab., Formeln, Übers. u. Zeichn., Gzl.

Die vorliegende Sammlung thematisiert neue Wege der Gleichnisforschung. Im Vordergrund des Interesses steht einerseits das Bemühen, Prinzipien und Verfahren der modernen Literaturwissenschaft innerhalb der exegetischen Arbeit an Gleichnistexten des Neuen Testaments zu erproben. Als anderer Pol erweist sich das Problem der Hermeneutik. Denn inwieweit sich Gott in der Sprache der Welt zur Erfahrung bringt, ist eine Frage hermeneutischer Besinnung.

83/I

WISSENSCHAFTLICHE BUCHGESELLSCHAFT
Hindenburgstr. 40 D-6100 Darmstadt 11